Themen neu

Ausgabe in zwei Bänden

Lehrwerk für Deutsch als Fremdsprache

Arbeitsbuch 2

von
Hartmut Aufderstraße
Heiko Bock
Jutta Müller

Max Hueber Verlag

Verlagsredaktion: Werner Bönzli
Herstellung: Erwin Schmid
Zeichnungen Seite 14 und 53: Ruth Kreuzer, London
Alle anderen Illustrationen: Joachim Schuster, Baldham
Umschlagfoto: © Deutsche Luftbild, Hamburg
Foto S. 137: Reichler, Garching

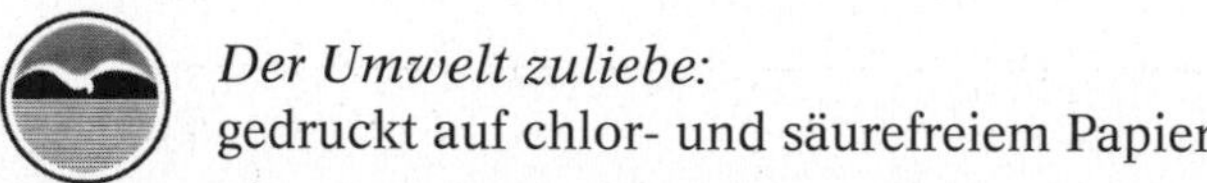

Der Umwelt zuliebe:
gedruckt auf chlor- und säurefreiem Papier

Dieses Werk folgt der seit dem 1. August 1998 gültigen Rechtschreibreform. Ausnahmen bilden Texte, bei denen künstlerische, philologische oder lizenzrechtliche Gründe einer Änderung entgegenstehen.

4. 3. 2.	Die letzten Ziffern
2003 02 01 00 1999	bezeichnen Zahl und Jahr des Druckes.

Alle Drucke dieser Auflage können, da unverändert,
nebeneinander benutzt werden.
2. Auflage 1998

Druck und buchbinderische Verarbeitung: Ludwig Auer GmbH, Donauwörth
Printed in Germany
ISBN 3-19-011567-2

Inhalt

Vorwort

In diesem Arbeitsbuch 2 zu „Themen neu – Ausgabe in zwei Bänden“ werden die wichtigen Redemittel jeder Lektion einzeln herausgehoben und ihre Bildung und ihr Gebrauch geübt. Außerdem werden wichtige Strukturen aus früheren Lektionen systematisch wiederholt. Alle Übungen sind einzelnen Lernschritten im Kursbuch zugeordnet.

Jeder Lektion ist eine Übersicht über die Redemittel vorangestellt, die in der betreffenden Lektion gelernt werden. In die Wortschatzliste sind auch Wörter aufgenommen, die schon im Arbeitsbuch 1 eingeführt wurden und in diesem Band wiederholt werden. Die Übersichten sind einerseits eine Orientierungshilfe für die Kursleiterin oder den Kursleiter, andererseits eine Möglichkeit der Selbstkontrolle für die Lernenden: Nach Durchnahme der Lektion sollte ihnen kein Eintrag in der Wortliste und der Zusammenstellung der Grammatikstrukturen mehr unbekannt sein. Die Autoren empfehlen nicht, diese Liste als solche auswendig zu lernen – das Durcharbeiten der Übungen, auch mehrfach, setzt einen effizienteren Lernprozess in Gang.

Zu den meisten Übungen gibt es im Schlüssel eine Lösung. Dies ermöglicht es den Lernenden, selbständig zu arbeiten und sich selbst zu korrigieren. Zusammen mit dem Kursbuch und evtl. einem zweisprachigen oder einsprachigen Wörterbuch kann dieses Arbeitsbuch dazu dienen, versäumte Stunden selbständig nachzuholen.

Die Übungen dieses Arbeitsbuchs können im Kurs vor allem nach Erklärungsphasen in Stillarbeit eingesetzt werden. Je nach den Lernbedingungen der Kursteilnehmer können die Übungen aber auch weitgehend in häuslicher Einzelarbeit gemacht werden. (Über die Möglichkeit, die Lösungen aus dem Schlüssel abzuschreiben, sollte man sich nicht allzu viele Gedanken machen. Oft ist der Lernerfolg dabei fast ebensogroß. Manche Lernende lassen sich von dem Argument überzeugen, dass das Abschreiben meistens wesentlich mühsamer ist als ein selbständiges Lösen der Aufgabe.)

Nicht alle Übungen lassen sich im Arbeitsbuch selbst lösen; für manche Übungen wird also eigenes Schreibpapier benötigt.

Verfasser und Verlag

Lektion 1

Kernwortschatz

Verben

denken an 12
feiern 16
fließen 12
herstellen 15
mitmachen 12
mitnehmen 16
produzieren 15
regnen: es regnet 8
scheinen 12
schneien: es schneit 8
trennen 15
überraschen 12
verbrennen 15
wegwerfen 14
werfen 15
zeigen 9

Nomen

r Abfall, ¨e 15
r Ausflug, ¨e 10
r Bach, ¨e 11
r Bäcker, - 16
r Berg, -e 11
r Boden 8
e/r Deutsche, -n (ein Deutscher) 13
s Dorf, ¨er 11
e Dose, -n 15
s Drittel, - 15
s Eis 8
e Energie, -n 15
s Feld, -er 11
r Filter, - 15
s Fleisch 15
r Fluss, ¨e 11
r Frühling 13
s Gebirge, - 11
s Getränk, -e 14
s Gewitter, - 9
s Gift, -e 15
s Grad, -e 8
e Grenze, -n 12
r Handel, 12
r Herbst 9
r Hügel, - 11
e Industrie, -n 12
e Insel, -n 11
r Käse 15
s Klima 8
r Kunststoff, -e 15
s Land, ¨er 10
e Landkarte, -n 13
e Limonade, -n 15
e Lösung, -en 15
e Luft 15
r März 12
s Meer, -e 9
e Menge, -n 15
r Meter, - 9
r Nebel 8
r Norden 9
r Osten 12
(s) Österreich 10
s Papier 15
r Park, -s 11
e Party, -s 11
e Pflanze, -n 8
s Plastik 15
r Rasen 11
r Regen 8
r Saft, ¨e 16
e Schallplatte, -n 13
s Schiff, -e 9
r Schnee 8
r Schnupfen 16
e See 11
r Sommer 9
e Sonne, -n 8
r Stoff, -e 15
r Strand, ¨e 11
e Strecke, -n 15
r Süden 12
s Tal, ¨er 11
s Taschentuch, ¨er 16
r Teil, -e 15
e Temperatur, -en 10
e Tonne, -n 15
s Ufer, - 11
r Wald, -er 11
r Wein, -e 13
r Westen 12
r Wetterbericht, -e 9
e Wiese, -n 11
r Wind 8
r Winter 9
e Woche, -n 9
r Wohnort, -e 10
e Wurst, ¨e 15
e Zeichnung, -en 16

Adjektive

allmählich 9
besser 12
deutsch 12
erste 10
flach 12
folgend 8
gleichzeitig 9
heiß 8
herrlich 12
ideal 9
kalt 8
kühl 8
meist- 16
nass 8
persönlich 12
plötzlich 9
sonnig 10
stark 9
täglich 15
trocken 8
typisch 9
warm 8
zweite 10

Funktionswörter

durch 12
wenige 9
zwischen 9

Lektion 1

Ausdrücke

am Tage 9	es regnet 8	gegen Mittag 9	noch nicht 12
baden gehen 10	es schneit 8	immer noch 16	übrig bleiben 16
den ganzen Tag 9	etwas gegen den Müll tun 16	jeden Tag 9	von … nach … 12
es gibt 9	gar nichts 17	jedes Jahr 16	
es ist heiß 9		noch mehr 16	

Kerngrammatik

Unpersönliches Pronomen „es" (§ 12)

Es ist | kalt. / kühl. / warm. / heiß.

Es ist | trocken. / feucht. / nass.

Es | regnet. / schneit.

Stimmt es, dass Burglind geheiratet hat?
Es ist schade, dass ihr nicht da wart.
Dauert es noch lange?
Es gibt hier nur selten Nebel.
Wie geht's? – Es geht.

Relativsatz (§ 10 und 42)

Welcher See?	Der See, der zwischen Deutschland und der Schweiz liegt.
Welche Stadt?	Die Stadt, deren Kirche man von hier sehen kann.
Welches Gebirge?	Das Gebirge, durch das die Weser fließt.
Welche Antworten?	Die Antworten, mit denen man einen Preis gewinnen kann.

Maskulinum		*Femininum*		*Neutrum*		*Plural*	
der Fluss,	der	die Landschaft,	die	das Tal,	das	die Berge,	die
	den		die		das		die
	dem		der		dem		denen
	dessen		deren		dessen		deren

Lektion 1

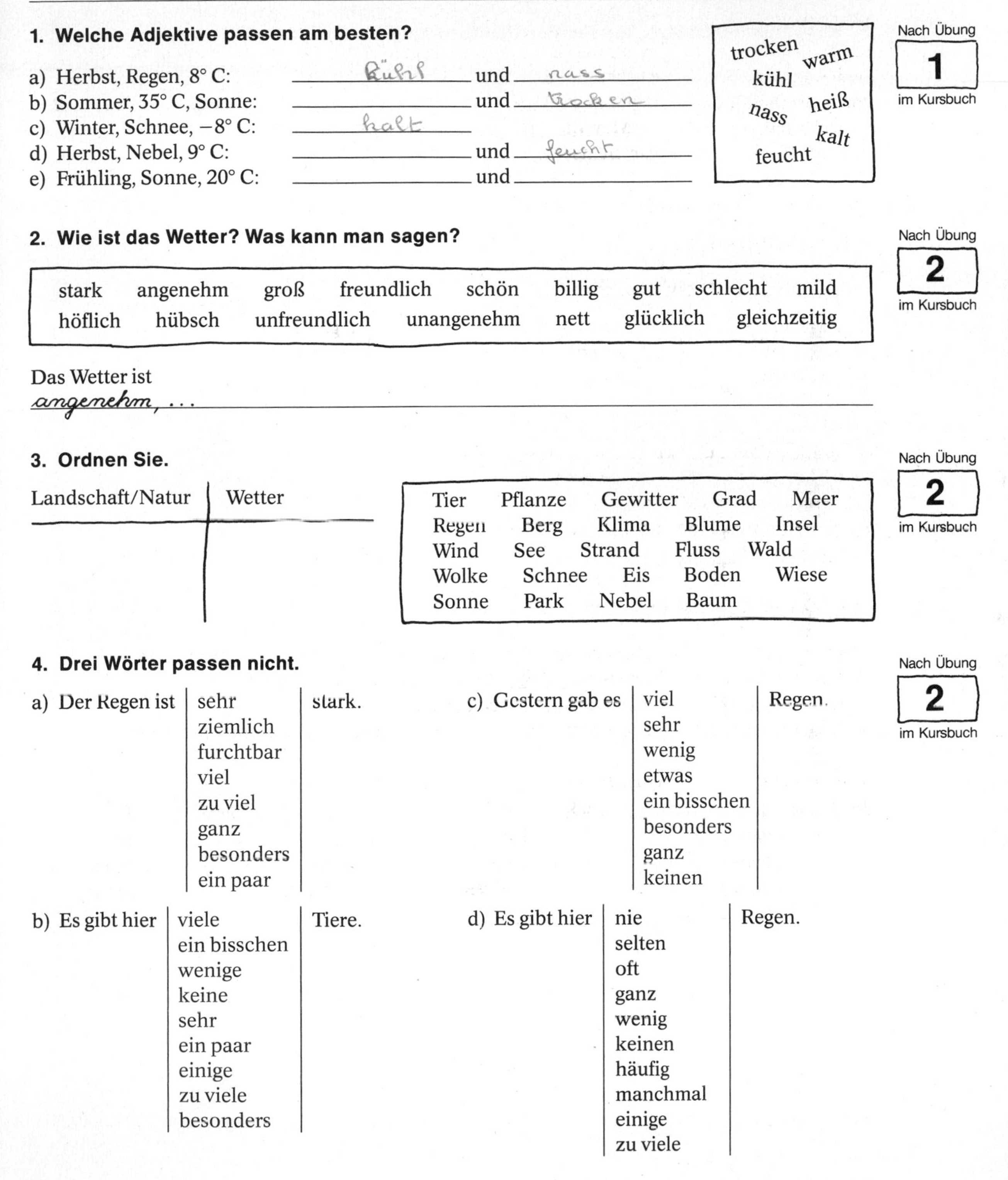

1. Welche Adjektive passen am besten?

Nach Übung **1** im Kursbuch

a) Herbst, Regen, 8° C: kühl und nass
b) Sommer, 35° C, Sonne: ______ und trocken
c) Winter, Schnee, –8° C: kalt
d) Herbst, Nebel, 9° C: ______ und feucht
e) Frühling, Sonne, 20° C: ______ und ______

trocken warm kühl nass heiß kalt feucht

2. Wie ist das Wetter? Was kann man sagen?

Nach Übung **2** im Kursbuch

stark angenehm groß freundlich schön billig gut schlecht mild
höflich hübsch unfreundlich unangenehm nett glücklich gleichzeitig

Das Wetter ist
angenehm, ...

3. Ordnen Sie.

Nach Übung **2** im Kursbuch

Landschaft/Natur	Wetter

Tier Pflanze Gewitter Grad Meer
Regen Berg Klima Blume Insel
Wind See Strand Fluss Wald
Wolke Schnee Eis Boden Wiese
Sonne Park Nebel Baum

4. Drei Wörter passen nicht.

Nach Übung **2** im Kursbuch

a) Der Regen ist
sehr
ziemlich
furchtbar
viel
zu viel
ganz
besonders
ein paar
stark.

c) Gestern gab es
viel
sehr
wenig
etwas
ein bisschen
besonders
ganz
keinen
Regen.

b) Es gibt hier
viele
ein bisschen
wenige
keine
sehr
ein paar
einige
zu viele
besonders
Tiere.

d) Es gibt hier
nie
selten
oft
ganz
wenig
keinen
häufig
manchmal
einige
zu viele
Regen.

Lektion 1

Nach Übung **2** im Kursbuch

5. Sagen Sie es anders. Verwenden Sie die folgenden Wörter.

es gibt…	es geht…	es regnet…
es schneit…	es klappt…	es ist…

a) In Bombay kennt man keinen Schnee.
In Bombay __________ nie.

b) Der Regen hat aufgehört. Wir können jetzt schwimmen gehen.
__________ nicht mehr. Wir können jetzt schwimmen gehen.

c) Hör mal! Da kommt gleich ein Gewitter.
Hör mal! Gleich __________ ein Gewitter.

d) Heute habe ich keine Zeit.
Heute __________ nicht.

e) Das Telefon ist immer besetzt. Du hast vielleicht mehr Glück, wenn du später anrufst.
Das Telefon ist immer besetzt. Vielleicht __________, wenn du später anrufst.

f) Das Wetter ist so kalt, dass die Kinder nicht im Garten spielen können.
__________, dass die Kinder nicht im Garten spielen können.

g) Wo kann man hier telefonieren?
Wo __________ hier ein Telefon?

Nach Übung **2** im Kursbuch

6. Ergänzen Sie.

Die Pronomen „er“, „sie“ und „es“ bedeuten in einem Text gewöhnlich ganz bestimmte Sachen, zum Beispiel „der Film“ = „er“, „die Rechnung“ = „sie“ oder „das Hotel“ = „es“. Das Pronomen „es“ kann aber auch eine allgemeine Sache bedeuten, zum Beispiel „Es ist sehr kalt hier.“ oder „Es schmeckt sehr gut.“ Ergänzen Sie in den folgenden Sätzen die Pronomen „er“, „sie“ und „es“.

a) Wie hast du die Suppe gemacht? __________ schmeckt ausgezeichnet.
b) Dein Mann kocht wirklich sehr gut. __________ schmeckt ausgezeichnet.
c) Seit drei Tagen nehme ich Tabletten. Trotzdem tut __________ noch sehr weh.
d) Ich kann mit dem rechten Arm nicht arbeiten. __________ tut sehr weh.
e) Ich habe die Rechnung geprüft. __________ stimmt ganz genau.
f) Du kannst mir glauben. __________ stimmt ganz genau.
g) Sie brauchen keinen Schlüssel. __________ ist immer auf.
h) Es gibt keinen Schlüssel für diese Tür. __________ ist immer auf.
i) Morgen kann ich kommen. Da passt __________ mir sehr gut.
j) Dieser Termin ist sehr günstig. __________ passt mir sehr gut.
k) Der Spiegel war nicht teuer. __________ hat nur 14 Mark gekostet.
l) Ich habe nicht viel bezahlt. __________ hat nur 14 Mark gekostet.
m) Können Sie bitte warten? __________ dauert nur noch 10 Minuten.
n) Der Film ist gleich zu Ende. __________ dauert nur noch zehn Minuten.

In welchen Sätzen wird das allgemeine Pronomen „es“ verwendet?

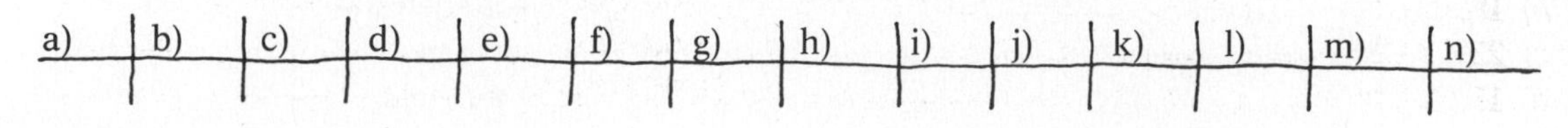

a)	b)	c)	d)	e)	f)	g)	h)	i)	j)	k)	l)	m)	n)

7. Ordnen Sie.

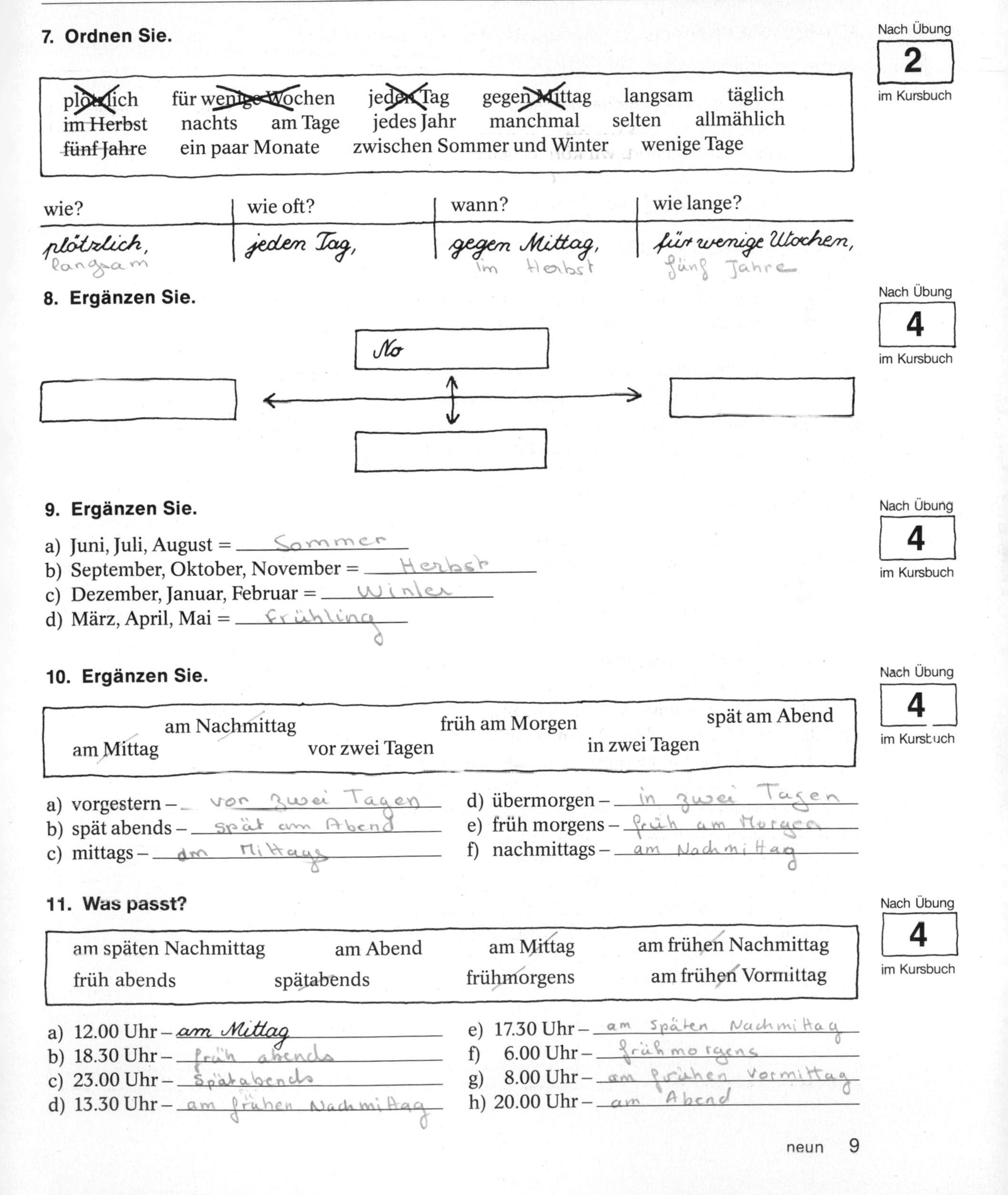

Nach Übung 2 im Kursbuch

plötzlich	für wenige Wochen		jeden Tag	gegen Mittag	langsam	täglich
im Herbst	nachts	am Tage	jedes Jahr	manchmal	selten	allmählich
fünf Jahre	ein paar Monate		zwischen Sommer und Winter		wenige Tage	

wie?	wie oft?	wann?	wie lange?
plötzlich,	*jeden Tag,*	*gegen Mittag,*	*für wenige Wochen,*

8. Ergänzen Sie.

Nach Übung 4 im Kursbuch

No

9. Ergänzen Sie.

Nach Übung 4 im Kursbuch

a) Juni, Juli, August = ______

b) September, Oktober, November = ______

c) Dezember, Januar, Februar = ______

d) März, April, Mai = ______

10. Ergänzen Sie.

Nach Übung 4 im Kursbuch

am Nachmittag	früh am Morgen	spät am Abend
am Mittag	vor zwei Tagen	in zwei Tagen

a) vorgestern – ______

b) spät abends – ______

c) mittags – ______

d) übermorgen – ______

e) früh morgens – ______

f) nachmittags – ______

11. Was passt?

Nach Übung 4 im Kursbuch

am späten Nachmittag	am Abend	am Mittag	am frühen Nachmittag
früh abends	spätabends	frühmorgens	am frühen Vormittag

a) 12.00 Uhr – *am Mittag*

b) 18.30 Uhr – ______

c) 23.00 Uhr – ______

d) 13.30 Uhr – ______

e) 17.30 Uhr – ______

f) 6.00 Uhr – ______

g) 8.00 Uhr – ______

h) 20.00 Uhr – ______

Lektion 1

Nach Übung **4** im Kursbuch

12. Ergänzen Sie.

Heute ist Sonntag. Dann ist (war) ...

a) gestern Mittag: Samstag Mittag
b) vorgestern Mittag: Freitag Mittag
c) übermorgen Abend: Dienstag Abend
d) morgen Vormittag: Montag Vormittag
e) morgen Nachmittag: Montag Nachmittag
f) gestern Morgen: Samstag Morgen

Nach Übung **4** im Kursbuch

13. Was passt wo? Ordnen Sie.

selten nie im Winter bald nachts ein paar Minuten kurze Zeit
oft vorige Woche den ganzen Tag einige Jahre damals vorgestern 7 Tage
jetzt früher letzten Monat am Abend nächstes Jahr immer heute Abend
frühmorgens heute sofort jeden Tag gegen Mittag gleich für eine Woche
um 8 Uhr am Nachmittag wenige Wochen diesen Monat fünf Stunden
am frühen Nachmittag meistens am Tage manchmal mittags morgen

Wann?	Wie oft?	Wie lange?
im Winter	selten	ein paar Minuten

Nach Übung **4** im Kursbuch

14. Wann ist das? Wann war das?

Heute ist Dienstag, der 13. Oktober 1996

nächst- dies- vorig-/letzt-

a) November 1996? nächsten Monat
b) 1995? letztes Jahr
c) 22. Oktober 1996? Donnerstag nächste Woche
d) 1997? nächstes Jahr
e) September 1996? vorigen Monat
f) Oktober 1996? dieser Monat
g) 1996? dieses Jahr
h) 5. Oktober 1996? Montag letzte Woche

Nach Übung **6** im Kursbuch

15. Ihre Grammatik. Ergänzen Sie die Zeitangaben im Akkusativ.

der Monat	die Woche	das Jahr
den ganzen Monat	die ganze Woche	das ganze Jahr
letzten Monat	letzte Woche	letztes Jahr
vorigen Monat	vorige Woche	voriges Jahr
nächsten Monat	nächste Woche	nächstes Jahr
diesen Monat	diese Woche	dieses Jahr
jeden Monat	jede Woche	jedes Jahr

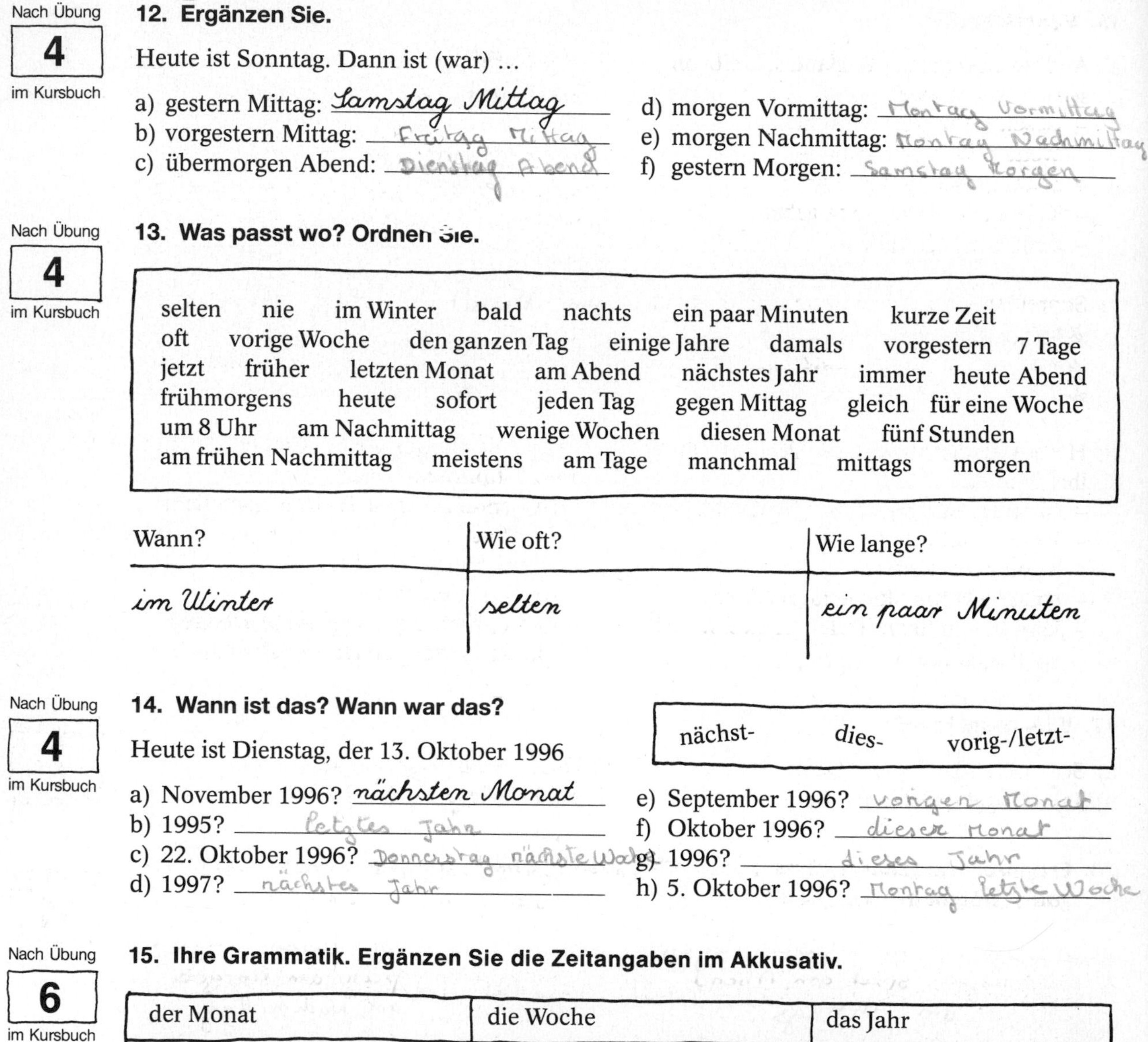

Nach Übung **6** im Kursbuch

16. Schreiben Sie.

a) Andrew Stevens aus England schreibt an seinen Freund John:
- ist seit 6 Monaten in München
  Wetter: Föhn oft schlimm
- bekommt Kopfschmerzen
- kann nicht in die Firma gehen
- freut sich auf England

Lieber John,

ich bin jetzt seit sechs Monaten in München. Hier ist der Föhn oft so schlimm, dass ich Kopfschmerzen bekomme. Dann kann ich nicht in die Firma gehen. Deshalb freue ich mich, wenn ich wieder zu Hause in England bin.

Viele Grüße,
Dein Andrew

Schreiben Sie die zwei Karten zu b) und c).

b) Herminda Victoria aus Mexiko schreibt an ihre Mutter:
- studiert seit 8 Wochen in Bielefeld
- Wetter: kalt und feucht
- ist oft stark erkältet
- muss viele Medikamente nehmen
- fährt in den Semesterferien zwei Monate nach Spanien

c) Benno Harms aus Gelsenkirchen schreibt an seinen Freund Karl:
- ist Lehrer an einer Technikerschule in Bombay
- Klima: feucht und heiß
- bekommt oft Fieber
- kann nichts essen und nicht arbeiten
- möchte wieder zu Hause arbeiten

Nach Übung **7** im Kursbuch

17. Was passt nicht?

a) See – Strand – Fluss – Bach
b) Tal – Hügel – Gebirge – Berg
c) Dorf – Stadt – Ort – Insel
d) Feld – Wiese – Ufer – Rasen

Nach Übung **11** im Kursbuch

18. Ergänzen Sie „zum Schluss", „deshalb", „denn", „also", „dann", „übrigens", „und", „da", „trotzdem" und „aber".

Warum nur Sommerurlaub an der Nordsee?

Auch der Herbst ist schön. Es ist richtig, dass der Sommer an der Nordsee besonders schön ist. _____ (a) kennen Sie auch schon den Herbst bei uns? _____ (b) gibt es sicher weniger Sonne und baden können Sie auch nicht. _____ (c) gibt es nicht so viel Regen, wie Sie vielleicht glauben. Natur und Landschaft gehören Ihnen im Herbst ganz allein, _____ (d) die meisten Feriengäste sind jetzt wieder zu Hause. Sie treffen _____ (e) am Strand nur noch wenige Leute, _____ (f) in den Restaurants haben die Bedienungen wieder viel Zeit für Sie. Machen Sie _____ (g) auch einmal Herbsturlaub an der Nordsee. _____ (h) sind Hotels und Pensionen in dieser Zeit besonders preiswert. _____ (i) noch ein Tip: Herbst bedeutet natürlich auch Wind. _____ (j) sollten Sie warme Kleidung nicht vergessen.

Lektion 1

Nach Übung **11** im Kursbuch

19. Wo möchten die Leute wohnen?

a) Ich möchte an einem See wohnen, ...

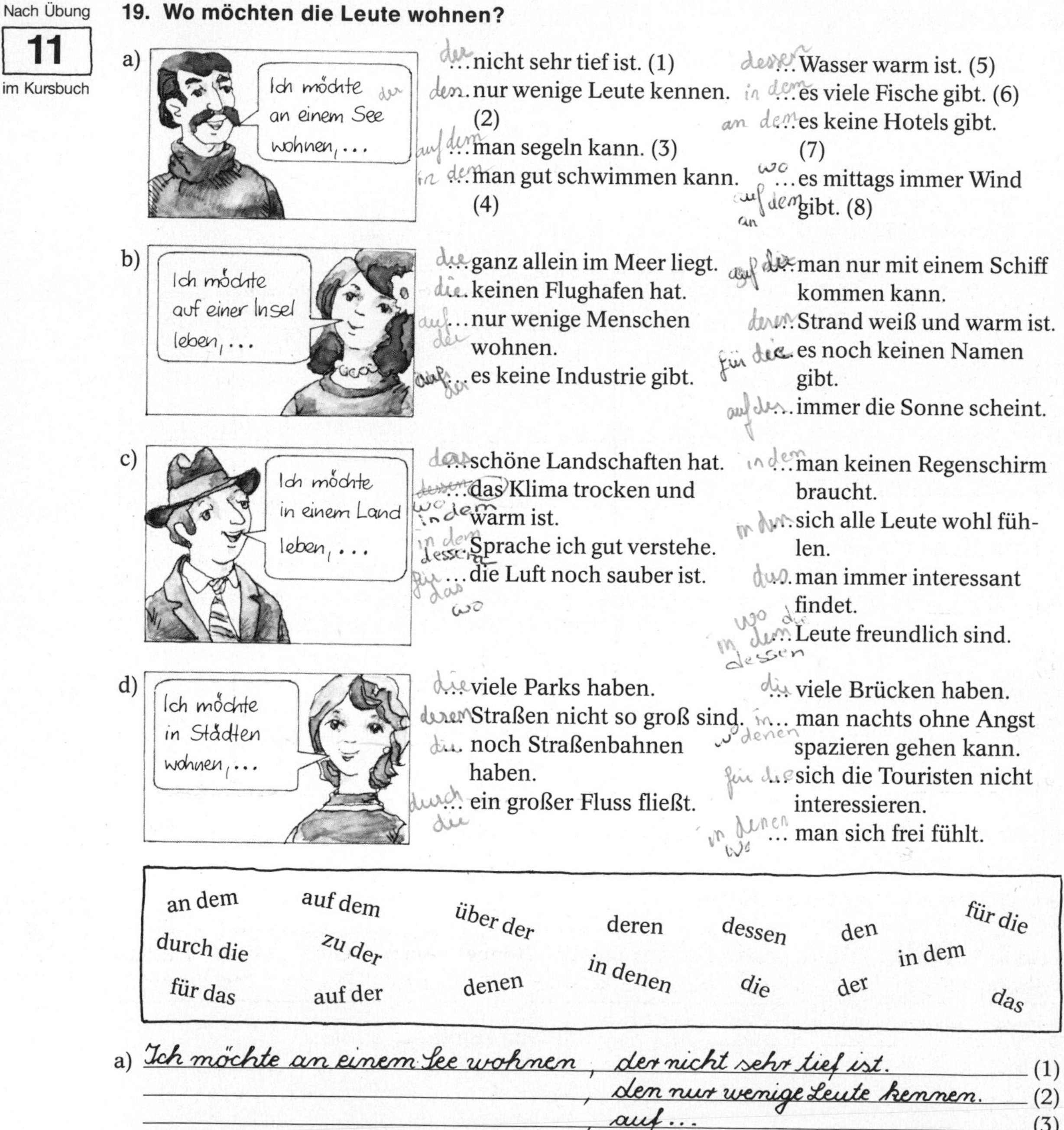

… nicht sehr tief ist. (1)
… nur wenige Leute kennen. (2)
… man segeln kann. (3)
… man gut schwimmen kann. (4)
… Wasser warm ist. (5)
… es viele Fische gibt. (6)
… es keine Hotels gibt. (7)
… es mittags immer Wind gibt. (8)

b) Ich möchte auf einer Insel leben, ...

… ganz allein im Meer liegt.
… keinen Flughafen hat.
… nur wenige Menschen wohnen.
… es keine Industrie gibt.
… man nur mit einem Schiff kommen kann.
… Strand weiß und warm ist.
… es noch keinen Namen gibt.
… immer die Sonne scheint.

c)

… schöne Landschaften hat.
… das Klima trocken und warm ist.
… Sprache ich gut verstehe.
… die Luft noch sauber ist.
… man keinen Regenschirm braucht.
… sich alle Leute wohl fühlen.
… man immer interessant findet.
… Leute freundlich sind.

d)

… viele Parks haben.
… Straßen nicht so groß sind.
… noch Straßenbahnen haben.
… ein großer Fluss fließt.
… viele Brücken haben.
… man nachts ohne Angst spazieren gehen kann.
… sich die Touristen nicht interessieren.
… man sich frei fühlt.

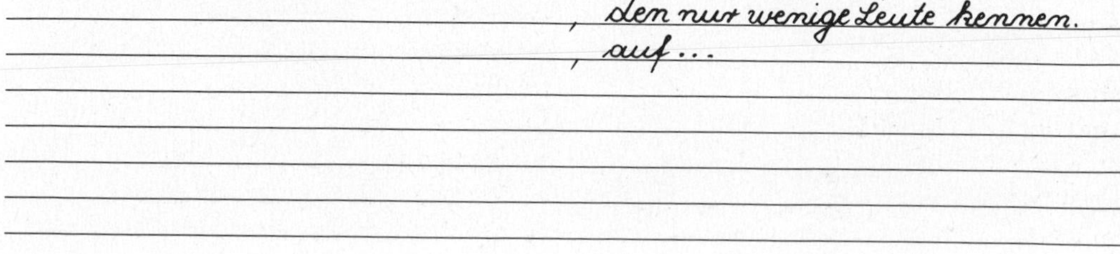

an dem, auf dem, über der, deren, dessen, den, für die, durch die, zu der, in denen, in dem, für das, auf der, denen, die, der, das

a) *Ich möchte an einem See wohnen, der nicht sehr tief ist.* (1)
, den nur wenige Leute kennen. (2)
, auf ... (3)
(4)
(5)
(6)
(7)
(8)

b) ______________________________

...

c) ...

d) ...

Ihre Grammatik. Ergänzen Sie die Sätze (1) bis (8) aus a).

	Vorfeld	$Verb_1$	Subjekt	Erg.	Angabe	Ergänzung	$Verb_2$	$Verb_1$ im Nebensatz
	Ich	möchte				an einem See	wohnen,	
(1)	der				nicht	sehr tief		ist.
(2)								
(3)								
(4)								
(5)								
(6)								
(7)								
(8)								

20. Welche Nomen passen zusammen?

Nach Übung **14** im Kursbuch

Gerät	Fleisch	Pflanze	Temperatur	Bäcker	Tonne	Abfall	Gift	Benzin	Plastik
Strom	Regen	Schallplatte	Käse	Limonade	Schnupfen	Strecke	Medikament		

a) Maschine – Gerät
b) Müll – Abfall
c) Öl – Benzin
d) Erde – Pflanze
e) Wasser – Regen
f) Energie – Strom
g) Tablette – Medikament
h) Kilogramm – Tonne
i) Gefahr – Gift
j) Kunststoff – plastik
k) 10 Grad – Temperatur
l) 30 Kilometer – Strecke trajet itinéraire
m) Musik – Schallplatte
n) Getränk – Limonade
o) Brot – Bäcker
p) Erkältung – Schnupfen
q) Wurst – Fleisch
r) Milch – Käse

Lektion 1

Nach Übung **14** im Kursbuch

21. Herr Janßen macht es andes. Schreiben Sie.

a) kein Geschirr aus Kunsstoff benutzen – nach dem Essen wegwerfen müssen
Er benutzt kein Geschirr aus Kunststoff, das man nach dem Essen wegwerfen muss.

b) Putzmittel kaufen – nicht giftig sein
c) auf Papier schreiben – aus Altpapier gemacht sein
d) kein Obst in Dosen kaufen – auch frisch bekommen können
e) Saft trinken – in Pfandflaschen geben
f) Tochter Spielzeug schenken – nicht so leicht kaputtmachen können
g) Brot kaufen – nicht in Plastiktüten verpackt sein
h) Eis essen – keine Verpackung haben
i) keine Produkte kaufen – nicht unbedingt brauchen

de matière plastique

Nach Übung **14** im Kursbuch

22. Was für Dinge sind das?

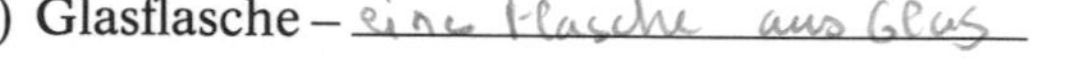

a) Blechdose – *eine Dose aus Blech*
b) Teedose – *eine Dose für Tee*
c) Holzspielzeug – *ein Spielzeug aus Holz*
d) Plastikdose – *eine Dose aus Plastik*
e) Suppenlöffel – *ein Löffel für Suppen*
f) Kunststofftasse – *eine Tasse aus Kunststoff*
g) Wassereimer – *ein Eimer für Wasser*
h) Kuchengabel – *eine Gabel für Kuchen*
i) Weinglas – *ein Glas für Wein*
j) Papiertaschentuch – *eine Taschentuch aus Papier*
k) Glasflasche – *eine Flasche aus Glas*
l) Brotmesser – *ein Messer für Brot*
m) Suppentopf – *ein Topf für Suppen*
n) Kinderspielzeug – *ein Spielzeug für Kinder*
o) Kaffeetasse – *eine Tasse für Kaffee*
p) Milchflasche – *eine Flasche für Milch*
q) Papiertüte – *eine Tüte aus Papier*
r) Kleiderschrank – *ein Schrank für Kleider*
s) Papiercontainer – *ein Container für Papier*
t) Steinhaus – *ein Haus aus Stein*
u) Steinwand – *ein Wand aus Stein*
v) Goldschmuck – *ein Schmuck aus Gold*

Nach Übung **14** im Kursbuch

23. Sagen Sie es anders.

a) Man wäscht die leeren Flaschen und füllt sie dann wieder.
Die leeren Flaschen werden gewaschen und dann wieder gefüllt.

b) Jedes Jahr werfen wir in Deutschland 30 Millionen Tonnen Abfall auf den Müll.
c) In Aschaffenburg sortiert man den Müll im Haushalt.
d) Durch gefährlichen Müll vergiften wir den Boden und das Grundwasser.
e) Ein Drittel des Mülls verbrennt man in Müllverbrennungsanlagen.
f) Altglas, Altpapier und Altkleider sammelt man in öffentlichen Containern.
g) Nur den Restmüll wirft man noch in die normale Mülltonne.
h) In Aschaffenburg kontrolliert man den Inhalt der Mülltonnen.
i) Auf öffentlichen Feiern in Aschaffenburg benutzt man kein Plastikgeschirr.
j) Vielleicht verbietet man bald alle Getränke in Dosen und Plastikflaschen.

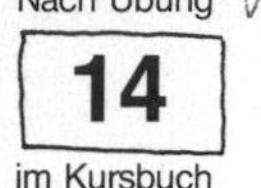

24. Was wäre, wenn?

Nach Übung **14** im Kursbuch

a) weniger Müll produzieren → weniger Müll verbrennen müssen
Wenn man weniger Müll produzieren würde, dann müsste man weniger Müll verbrennen.

b) einen Zug mit unserem Müll füllen → 12 500 Kilometer lang sein
c) weniger Verpackungsmaterial produzieren → viel Energie sparen können
d) alte Glasflaschen sammeln → daraus neue Flaschen herstellen können
e) weniger chemische Produkte produzieren → weniger Gift im Grundwasser und im Boden haben
f) Küchen- und Gartenabfälle sammeln → daraus Pflanzenerde machen können
g) weniger Müll verbrennen → weniger Giftstoffe in die Luft kommen

25. Was passt?

Nach Übung **14** im Kursbuch

mitmachen   überraschen   machen   produzieren   spielen   verbrennen

a) einen Spaziergang, eine Party, Kaffee, das Mittagessen, das Radio lauter, den Rock kürzer, ein Bücherregal — ____________

b) mit den Kindern, Tennis, Theater, Klavier, Schach — ____________

c) das Papier im Ofen, den Müll, die Zeitungen, das Holz — ____________

d) Schreibmaschinen, Autos, Müll, Papier — ____________

e) meinen Bruder, Frau Ludwig, meine Chefin, meine Kollegin — ____________

f) bei einer Arbeit, bei einem Quiz, bei einem Spiel — ____________

26. Was passt am besten?

Nach Übung **14** im Kursbuch

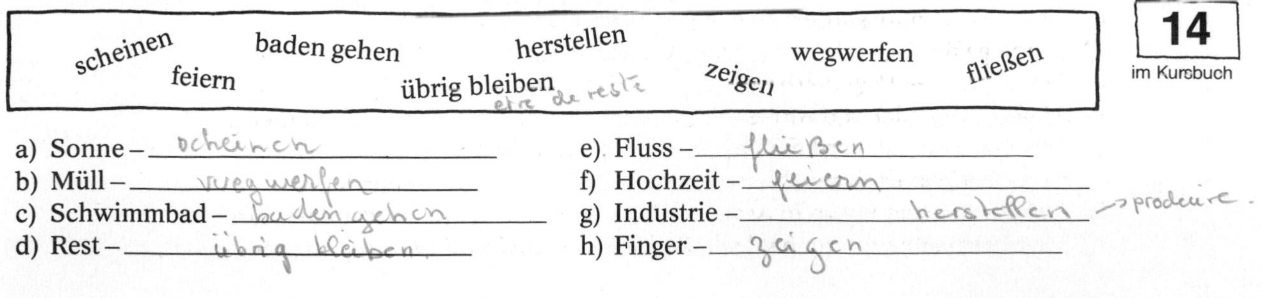

scheinen   feiern   baden gehen   übrig bleiben   herstellen   zeigen   wegwerfen   fließen

a) Sonne – ____________
b) Müll – ____________
c) Schwimmbad – ____________
d) Rest – ____________
e) Fluss – ____________
f) Hochzeit – ____________
g) Industrie – ____________
h) Finger – ____________

Lektion 2

Kernwortschatz

Verben

beantragen 20
besorgen 20
bestellen 20
dasein 27
denken 28
einigen 23
einwandern 29
empfehlen 25
erkennen 26
erledigen 21
fahren 21
fliegen 20
gelten 24
gewöhnen 28
glauben an 26
klagen 28
packen 20
planen 23
reinigen 20
reisen 24
reservieren 20
retten 23
steigen 29
üben 21
untersuchen 20
verlassen 29
vorschlagen 23
waschen 20
wiegen 20
zumachen 20

Nomen

e Apotheke, -n 20
e Art, -en 25
s Ausland 20
r Ausländer, - 26
r Ausweis, -e 20
e Änderung, -en 29
e Bahn, -en 20
r Bauer, -n 29
e Bedeutung, -en 28
e Bedienung, -en 25
e Besitzerin, -nen 26
s Betttuch, ¨-er 20
s Blatt, ¨-er 23
r Bleistift, -e 23
e Briefmarke, -n 23
e Buchhandlung, -en 25
s Camping 21
(s) Deutschland 27
e Diskussion, -en 29
e Drogerie, -n 20
s Einkommen, - 27
e Erfahrung, -en 25
e Fahrkarte, -n 20
r Fahrplan, ¨-e 20
s Fenster, - 20
r Flug, ¨-e 21
r Flughafen, ¨ 20
s Flugzeug, -e 20
r Fotoapparat, -e 23
e Fremdsprache, -n 25
e Freundschaft, -en 25
r Gast, ¨-e 25
s Gefühl, -e 27
s Handtuch, ¨-er 20
e Heimat 25
s Hotel, -s 21
e Jugendherberge, n 25
r Kaffee 20
e Kellnerin, -nen 26
r Koffer, - 20
r Kontakt, -e 25
r Krankenschein, -e 20
r Lehrling, -e 25
s Licht 20
e Liste, -n 21
s Medikament, -e 20
e Mode, -n 25
e Natur 27
r Pass, ¨-e 20
s Pech 22
e Pension, -en 26
s Pflaster 20
e Presse 29
e Regel, -n 25
e Reise, -n 20
s Salz 23
r Schirm, -e 20
r Schlüssel, - 20
r Schnaps, ¨-e 23
r Schweizer, - 20
e Schwierigkeit, -en 25
e Seife, -n 20
s Streichholz, ¨-er 23
e Tasche, -n 25
s Telefonbuch, ¨-er 23
r Tourist, -en 26
e/r Verwandte, -n (ein Verwandter) 29
s Visum, Visa 20
e Wäsche 20
e Zahnbürste, -n 20
e Zahnpasta, -pasten 20
r Zweck, -e 22

Adjektive

amerikanisch 24
berufstätig 28
durstig 26
eben 25
notwendig 23
sozial 27
vorig- 22
zuverlässig 27

Lektion 2

Adverbien

also 22	höchstens 27	raus 25	zurück 27
außerhalb 28	normalerweise 22	überhaupt 28	
endlich 22	oben 22	unten 23	

Funktionswörter

alles 25	in 21	sowohl … als auch … 25	wer 24
damit 29	nicht nur … sondern auch … 27	um … zu … 29	woher 20
daran 28	ob 24	weder … noch … 22	wohin 20
darauf 25	sondern 27		zwar … aber … 24
derselbe 28			

Ausdrücke

Angst haben 25	ein paar 24	immer mehr 29	nur noch 28
dafür sein 23	ernst nehmen 25	immer wieder 24	vorbei sein 27
die Prüfung bestehen 24	für … sein 29	noch etwas 27	was für 26
	genau das 27	noch immer 25	wie groß 27

Kerngrammatik

„zum" + Infinitiv (§ 45)

Wofür braucht man Wasser? – Wasser braucht man zum Kochen.
Die Zahnbürste ist zum Leben nicht unbedingt notwendig.
Den Fotoapparat lasse ich reparieren, der ist zum Wegwerfen zu schade.

Indirekter Fragesatz (§ 41)

Indirekte Satzfrage:	Die Leute fragen,	ob man eine Arbeitserlaubnis braucht.
Indirekte Wortfrage:	Sie möchten wissen,	wer eine Arbeitserlaubnis bekommt.
	Sag ihnen bitte,	wie man die Arbeitserlaubnis bekommt.
	Erklären Sie ihnen,	wohin man gehen muss.

Infinitiv mit „um zu"; Subjunktor „damit" (§ 40 und 44)

Herr Nendel wandert aus, damit er mehr verdienen kann.

die gleiche Person → Herr Nendel wandert aus um mehr zu verdienen.

Herr Nendel wandert aus, damit seine Frau auch eine Stelle findet.

eine andere Person → Kein Infinitiv mit „um zu" möglich!

Lektion 2

Nach Übung **2** im Kursbuch

1. Ergänzen Sie.

a) Nase : Taschentuch / Hand : ______________________
b) starke Verletzung : Verband / kleine Verletzung : ______________________
c) Hand : Seife / Zähne : ______________________
d) Frau : Bluse / Mann : ______________________
e) aufschließen : offen / abschließen : ______________________
f) wie groß? : messen / wie schwer? : ______________________
g) aufschließen : aufmachen / abschließen : ______________________
h) D : Deutscher / CH : ______________________
i) Sonne : Sonnenhut / Regen : ______________________
j) Flugzeug : Flugplan / Zug : ______________________
k) Lehrer : prüfen / Arzt : ______________________
l) Fenster : zumachen / Licht : ______________________
m) Auto : Motor / Taschenlampe : ______________________
n) eigenes Land : Inland / fremdes Land : ______________________
o) Auto : fahren / Flugzeug : ______________________
p) Bahnhof : Bahn / Flughafen : ______________________
q) kurz : Ausflug / lang : ______________________
r) mit Wasser : Kleidung waschen / chemisch : ______________________

Nach Übung **2** im Kursbuch

2. Was muss man vor einer Reise erledigen? Ordnen Sie.

Motor prüfen lassen · Wagen waschen lassen · Koffer packen · Heizung ausmachen · Fahrplan besorgen · Benzin tanken · Medikamente kaufen · Fenster zumachen · sich impfen lassen · Geld wechseln · Fahrkarten holen · Hotelzimmer reservieren · Wäsche waschen · Krankenschein holen · Reiseschecks besorgen

zu Hause	im Reisebüro	für das Auto	Gesundheit	Bank
Koffer packen	Hotelzimmer reservieren	Motor prüfen lassen	sich impfen lassen	Geld wechseln
Heizung ausmachen		Wagen waschen lassen	Medikamente kaufen	Reiseschecks besorgen
Fenster zumachen		Benzin tanken	Krankenschein holen	
Wäsche waschen				

Nach Übung **2** im Kursbuch

3. Was passt zusammen? Ordnen Sie. Einige Wörter passen zweimal.

Schirm · Herd · Flasche · Auto · Hemd · Haus · Tasche · Motor · Licht · Hotelzimmer · Auge · Koffer · Heizung · Ofen · Radio · Fernseher · Buch · Tür

ausmachen/anmachen	zumachen/aufmachen	abschließen/aufschließen

4. Ergänzen Sie.

Nach Übung **2** im Kursbuch

ein-	weg-	weiter-	mit-	zurück-	aus-

a) Die Milch war sauer. Ich musste sie leider ______________gießen.
b) Hast du Durst? Soll ich dir ein Glas Limonade ______________gießen?
c) Viel Spaß in Amerika! Am liebsten möchte ich ______________fliegen.
d) Ich bleibe drei Wochen in den USA. Am 4. Oktober fliege ich nach Hause ______________.
e) Wenn Jugendliche Streit mit ihren Eltern haben, passiert es oft, dass sie von zu Hause ______________laufen.
f) Wir haben den gleichen Weg, ich kann bis zur Kirche ______________laufen.
g) Lass uns eine Pause machen. Ich kann nicht mehr ______________laufen.
h) Du fährst doch in die Stadt. Kannst du mich bitte ______________nehmen?
i) ○ Ich habe gestern diese Strümpfe bei Ihnen gekauft, aber sie passen nicht.
□ Tut mir Leid, aber Strümpfe können wir nicht ______________nehmen.
j) Die Post war leider schon geschlossen. Ich kann das Paket erst morgen früh ______________schicken.
k) Wenn im Sommer das Hotel voll ist, müssen die Kinder des Besitzers ______________arbeiten.
l) Fußball spielen macht mir großen Spaß. Lasst ihr mich ______________spielen?
m) ○ Wollen die Kinder nicht zum Essen kommen?
□ Nein, sie wollen lieber ______________spielen.
n) Warum willst du denn diese Schuhe ______________werfen? Sie sind doch noch ganz neu!
o) Ich gehe ins Schwimmbad. Willst du ______________kommen?
p) Erich ist schon drei Wochen im Urlaub. Wann wollte er denn ______________kommen?
q) Wenn ich die Wohnung putze, will meine kleine Tochter immer ______________helfen.
r) Ich komme gleich, ich will nur noch mein Bier ______________trinken.
s) Ich habe gerade Tee gekocht. Willst du eine Tasse ______________trinken?
t) Wenn ich im Hotelzimmer bin, will ich erst duschen und dann in Ruhe meinen Koffer ______________packen.
u) Darf man ohne Visum in die USA ______________reisen?
v) Du musst jetzt schnell ______________steigen, sonst fährt der Zug ohne dich ab.
w) ○ Verzeihung, ich möchte zum Rathausplatz. Muss ich an der nächsten Haltestelle ______________steigen?
□ Nein, sie müssen noch zwei Stationen ______________fahren.

5. „Lassen" hat verschiedene Bedeutungen.

Nach Übung **4** im Kursbuch

A. Meine Eltern lassen mich abends nicht alleine weggehen.
(„lassen" = erlauben/zulassen, „nicht lassen" = verbieten)
B. Ich gehe morgen zum Tierarzt und lasse den Hund untersuchen.
„lassen" = eine andere Person soll etwas machen, das man selbst nicht machen kann oder möchte.

Lektion 2

Welche Bedeutung (A oder B) hat „lassen" in den folgenden Sätzen?

a) Am Wochenende lassen wir die Kinder abends fernsehen.
b) Wo lassen Sie Ihr Auto reparieren?
c) Die Briefe lasse ich von meiner Sekretärin schreiben.
d) Sie lässt ihren Mann in der Wohnung nicht rauchen.
e) Du musst dir unbedingt die Haare schneiden lassen. Sie sind zu lang.
f) Lass mich kochen. Ich kann das besser.
g) Lass ihn doch Musik hören. Er stört uns doch nicht.
h) Ich möchte die Bremsen prüfen lassen.
i) Bitte lass mich schlafen. Ich bin sehr müde.

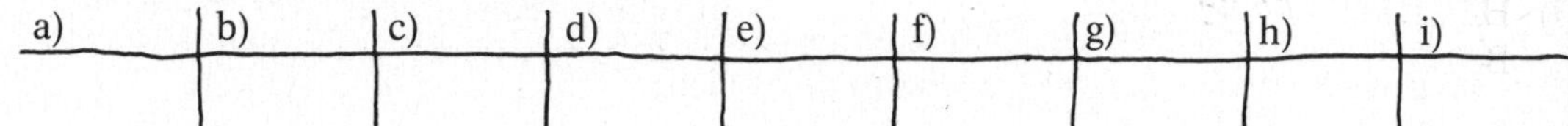

Nach Übung

im Kursbuch

6. Sagen Sie es anders.

a) Eva darf im Büro nicht telefonieren. Ihr Chef will das nicht.
Ihr Chef lässt sie im Büro nicht telefonieren.

b) Ich möchte gern allein Urlaub machen, aber meine Eltern verbieten es.
c) Frau Taber macht das Essen lieber selbst, obwohl ihr Mann gerne kocht.
d) Rolfs Mutter ist einverstanden, dass er morgens lange schläft.
e) Herr Moser geht zum Tierarzt. Dort wird seine Katze geimpft.
f) Mein Pass muss verlängert werden.
g) Den Motor kann ich nicht selbst reparieren.
h) Ich habe einen Hund. Gisela darf mit ihm spielen.
i) Ingrid hat keine Zeit die Wäsche zu waschen. Sie bringt sie in die Reinigung.
j) Herr Siems fährt nicht gern Auto. Deshalb muss seine Frau immer fahren.

Nach Übung

im Kursbuch

7. Schreiben Sie einen Text.

Herr Schulz will mit seiner Familie verreisen. Am Tag vor der Reise hat er noch viel zu tun.

Zuerst geht Herr Schulz zum Rathaus. Dort werden die Pässe und die Kinderausweise verlängert. Dann geht er zum Tierarzt. Der untersucht die Katze. In die Autowerkstatt fährt er auch noch. Die Bremsen ziehen nach links und müssen kontrolliert werden. Im Fotogeschäft repariert man ihm schnell den Fotoapparat. Später hat er noch Zeit zum Friseur zu gehen, denn seine Haare müssen geschnitten werden. Zum Schluss fährt er zur Tankstelle und tankt. Das Öl und die Reifen werden auch noch geprüft. Dann fährt er nach Hause. Er packt den Koffer selbst, weil er nicht möchte, dass seine Frau das tut. Dann ist er endlich fertig.

Schreiben Sie den Text neu. Verwenden Sie möglichst oft das Wort „lassen". Benutzen Sie auch Wörter wie „zuerst", „dann", „später", „schließlich", „nämlich", „dort" und „bei", „in", „auf", „an".

Zuerst lässt Herr Schulz im Rathaus die Pässe und die Kinderausweise verlängern. Dann geht er ...

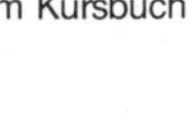

8. Was passt nicht?

Nach Übung

im Kursbuch

a) Ofen – Gas – Öl – Kohle
b) Bleistift – Schlüssel – Schreibmaschine - Kugelschreiber
c) Krankenschein – Pass – Ausweis – Visum
d) Streichholz – Zigarette – Blatt – Feuer
e) Salz – Topf – Dose – Flasche – Tasche
f) Film – Fotoapparat – Foto – Papier
g) Messer – Uhr – Gabel – Löffel
h) Seife – Metall – Plastik – Wolle
i) Handtuch – Wolldecke – Pflaster – Betttuch
j) Fahrrad – Flug – Autofahrt – Schiffsfahrt
k) Visum – Pass – Liste – Ausweis
l) Seife – Zahnpasta – Waschmaschine – Zahnbürste
m) Liste – Zweck – Grund – Ziel
n) Campingplatz – Hotel – Telefonbuch – Pension
o) notwendig – unbedingt – auf jeden Fall – normalerweise
p) oben – üben – über – unten – unter
q) Saft – Bier – Wein – Schnaps

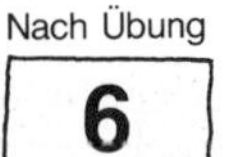

9. Ergänzen Sie.

Nach Übung **6** im Kursbuch

bestellen überzeugen erledigen beantragen planen buchen retten einigen reservieren

a) Das Restaurant ist immer voll. Wir müssen einen Tisch ______________ lassen.
b) Klaus hat seine Reise sehr genau ______________. Sogar das Taxi, das ihn vom Bahnhof zum Hotel bringen soll, hat er vorher bestellt.
c) Meine Urlaubsreisen ______________ ich immer im Reisebüro in der Bergstraße. Die Angestellten dort sind sehr nett.
d) Das Visum für dieses Land muss man vier Wochen vor der Reise ______________.
e) Der Fotoapparat, den Sie möchten, ist leider nicht da. Ich kann ihn aber ______________. Das dauert ungefähr 10 Tage.
f) Am Anfang gab es sehr viele verschiedene Meinungen. Aber zum Schluss haben wir uns doch noch ______________.
g) Also gut, ich bin einverstanden. Du hast mich ______________.
h) Auf dem Rhein gab es gestern ein großes Schiffsunglück, aber alle Menschen konnten ______________ werden.
i) Es ist zwar schon Feierabend, aber diese Arbeit müssen Sie unbedingt heute noch ______________.

10. Ergänzen Sie „nicht", „nichts" oder „kein-".

Nach Übung **6** im Kursbuch

a) Auf dem Mond braucht man ______________ Kompass, auch ein Ofen würde dort ______________ funktionieren.
b) Auf einer einsamen Insel braucht man bestimmt ______________ Telefonbuch. Auch Benzin ist ______________ notwendig, weil es dort ______________ Autos gibt. Reiseschecks muss man auch ______________ mitnehmen, denn dort kann man ______________ kaufen, weil es ______________ Geschäfte gibt.
c) In der Sahara regnet es ______________. Deshalb muss man auch ______________ Schirm mitnehmen. Dort braucht man Wasser und einen Kompass, sonst ______________.

Lektion 2

11. Ordnen Sie.

Ich schlage vor Benzin mitzunehmen.
Ich finde auch, dass wir Benzin mitnehmen müssen.
Wir sollten Benzin mitnehmen.
Ich meine, dass wir Benzin mitnehmen sollten.
Ich bin dagegen Benzin mitzunehmen.
Benzin? Das ist nicht notwendig.
Stimmt! Benzin ist wichtig.
Ich finde es wichtig Benzin mitzunehmen.
Es ist Unsinn Benzin mitzunehmen.
Ich bin auch der Meinung, dass wir Benzin mitnehmen sollten.
Wir müssen unbedingt Benzin mitnehmen. Das ist wichtig.
Benzin ist nicht wichtig, ein Kompass wäre wichtiger.
Ich bin nicht der Meinung, dass Benzin wichtig ist.
Ich würde Benzin mitnehmen.
Ich bin einverstanden, dass wir Benzin mitnehmen.

etwas vorschlagen	die gleiche Meinung haben	eine andere Meinung haben
Ich schlage vor Benzin mitzunehmen.	Ich finde auch, dass wir Benzin mitnehmen müssen.	Ich bin dagegen Benzin mitzunehmen.

Nach Übung **6** im Kursbuch

12. Sagen Sie es anders.

a) Wenn man waschen will, braucht man Wasser.
Zum Waschen braucht man Wasser.

b) Wenn man kochen will, braucht man einen Herd.
c) Wenn man Ski fahren will, braucht man Schnee.
d) Wenn man schreiben will, braucht man Papier und einen Kugelschreiber.
e) Wenn man fotografieren will, braucht man einen Fotoapparat und einen Film.
f) Wenn man telefonieren muss, braucht man oft ein Telefonbuch.
g) Wenn man liest, sollte man gutes Licht haben.
h) Wenn man schlafen will, braucht man Ruhe.
i) Wenn man wandert, sollte man gute Schuhe haben.
j) Wenn ich lese, brauche ich eine Brille.

13. Welches Fragewort passt?

a) *Wer / Wohin / Wo* kann ich eine Arbeitserlaubnis bekommen?
b) *Womit / Wie viel / Was* kann ich im Ausland am meisten Geld verdienen?
c) *Worauf / Warum / Womit* braucht man für die USA ein Visum?
d) *Wer / Woher / Woran* kann mir bei der Reiseplanung helfen?
e) *Wie / Wer / Was* finde ich im Ausland am schnellsten Freunde?
f) *Was / Wie viel / Wie* Gepäck kann ich im Flugzeug mitnehmen?
g) *Wann / Womit / Wo* lasse ich meine Katze, wenn ich im Urlaub bin?
h) *Wohin / Woher / Wofür* kann ich ohne Visum reisen?
i) *Was / Wer / Woher* bekomme ich alle Informationen?
j) *Woran / Wohin / Worauf* muss ich vor der Abreise denken?
k) *Wie / Was / Wo* muss ich machen, wenn ich im Ausland krank werde?

14. Sagen Sie es anders.

Nach Übung **7** im Kursbuch

a) Ute überlegt: Soll ich in Spanien oder in Italien arbeiten?
Ute überlegt, ob sie in Spanien oder in Italien arbeiten soll.

b) Stefan und Bernd fragen sich: Bekommen wir beide eine Arbeitserlaubnis?
c) Herr Braun möchte wissen: Wo kann ich ein Visum beantragen?
d) Ich frage mich: Wie schnell kann ich im Ausland eine Stelle finden?
e) Herr Klar weiß nicht: Wie lange darf man in den USA bleiben?
f) Frau Seger weiß nicht: Sind meine Englischkenntnisse gut genug?
g) Frau Möller fragt sich: Wie viel Geld brauche ich in Portugal?
h) Herr Wend weiß nicht: Wie teuer ist die Fahrkarte nach Spanien?
i) Es interessiert mich: Kann man in London leicht eine Wohnung finden?

Ihre Grammatik. Ergänzen Sie die Sätze b), c) und d).

	Junkt.	Vorfeld	$Verb_1$	Subjekt	Erg.	Angabe	Ergänzung	$Verb_2$	$Verb_1$ im Nebensatz
a)		Ute	überlegt						
	ob			sie			in Spanien oder in Italien	arbeiten	soll.
b)		S. und B.							
c)									
d)									

15. Wie heißen die Wörter richtig?

Nach Übung **9** im Kursbuch

a) Ich möchte gern im ANDLAUS arbeiten. Ausland
b) Er spricht keine DRACHEMSPREF. Fremdsprache
c) Ich wohne in einer JUNGBERGHEREDE.
d) Jan und ich haben eine herzliche SCHEUDFRANFT. Freundschaft
e) Er wohnt in Italien, aber seine HAMTEI ist Belgien. Heimat
f) Hast du STANG, alleine in den Urlaub zu fahren?
g) Sonja hat gestern ihre FUNGPRÜ bestanden. Prüfung
h) Thomas arbeitet noch nicht lange. Er hat erst wenig ERUNGFAHR in seinem Beruf. Erfahrung
i) Ich möchte bestellen. Ruf bitte die NUNGDIEBE.
j) In der LUNGHANDBUCH „Horn“ kann man sehr gute Reisebücher kaufen. BuchHandlung
k) Ich bezahle das Essen. Sie sind mein STAG.

Lektion 2

Nach Übung **9** im Kursbuch

16. Was können Sie auch sagen?

a) *Ich möchte meine Freunde nicht aus den Augen verlieren.*
- [A] Ich möchte meine Freunde nicht mehr sehen.
- [B] Ich möchte nicht den Kontakt zu meinen Freunden verlieren.
- [C] Ich schaue meinen Freunden immer in die Augen.

b) *Ulrike ist in die Stadt Florenz verliebt.*
- [A] Ulrike mag Florenz ganz gern.
- [B] Ulrike liebt einen jungen Mann aus Florenz.
- [C] Ulrike findet Florenz fantastisch.

c) *Die Deutschen leben um zu arbeiten.*
- [A] Für die Deutschen ist die Arbeit wichtiger als ein schönes Leben.
- [B] Die Deutschen leben nicht lange, weil sie zu viel arbeiten müssen.
- [C] In Deutschland kann man nur leben, wenn man viel arbeitet.

d) *Frankreich ist meine zweite Heimat.*
- [A] Ich habe zwei Häuser in Frankreich.
- [B] In Frankreich fühle ich mich wie zu Hause.
- [C] Ich habe einen französischen Pass.

Nach Übung **9** im Kursbuch

17. Bilden Sie Sätze mit „um zu" und „weil".

a) Warum gehst du ins Ausland? (arbeiten/wollen)
Ich gehe ins Ausland um dort zu arbeiten.
Ich gehe ins Ausland, weil ich dort arbeiten will.

b) Warum arbeitest du als Bedienung? (Leute kennenlernen/möchten)
c) Warum machst du einen Sprachkurs? (Englisch lernen/möchten)
d) Warum wohnst du in einer Jugendherberge? (Geld sparen/müssen)
e) Warum gehst du zum Rathaus? (Visum beantragen/wollen)
f) Warum fährst du zum Bahnhof? (Koffer abholen/wollen)
g) Warum fliegst du nach Ägypten? (Pyramiden sehen/möchten)

Nach Übung

im Kursbuch

18. Ergänzen Sie.

a) (Männer/tolerant) Die deutschen Frauen haben ______ ______
b) (Problem/ernst) Ich glaube, Maria hat ein ______ ______
c) (Ehemann/egoistisch) Sie hat einen ______ ______
d) (Freundschaft/herzlich) Wir haben eine ______ ______
e) (Leute/nett) Ich habe in Spanien ______ ______ getroffen.
f) (Gefühl/komisch) Zuerst war es ein ______ ______ alleine im Ausland zu sein.
g) (Junge/selbständig) Peter ist erst 14 Jahre alt, aber er ist ein ______ ______
h) (Hund/dick) Ich sehe ihn jeden Tag, wenn er mit seinem ______ ______ spazieren geht.
i) (Mutter/alt) Sie wohnt bei ihrer ______ ______

19. Ergänzen Sie.

Nach Übung **9** im Kursbuch

gleich	anders	ähnlich	verschieden	ander-	dieselbe

a)

b)

c)

a) Die Frau in Jeans ist ________________ Frau wie die im Abendkleid.

b) Frau A und Frau B sehen ganz ________________ aus, aber sie tragen die ________________ Kleider.
(Frau A sieht ________________ aus als Frau B, aber sie trägt das ________________ Kleid wie Frau B.)

c) Die eine Frau ist klein, die ________________ ist groß, aber sie tragen ________________ Kleider.

Ihre Grammatik. Ergänzen Sie.

	Hut	Bluse	Kleid	Schuhe
Das ist	derselbe der gleiche ein anderer			
Sie trägt	de den glei einen and			
Das ist die Frau mit	de dem einem			

Lektion 2

Nach Übung **13** im Kursbuch

20. Ergänzen Sie.

Einkommen · Gefühl · Bedeutung · Angst · Zweck · Schwierigkeiten · Erfahrung · Kontakt · Pech

a) Das Wort „Bank“ hat zwei verschiedene ______________.
b) Franz hat ein sehr gutes ______________. Er verdient 7500 Mark im Monat.
c) Frau Weber arbeitet schon 15 Jahre in unserer Firma. Sie hat sehr viel ______________ in ihrem Beruf.
d) Carlo wohnt schon sechs Jahre in Deutschland, aber er hat immer noch wenig ______________ mit Deutschen.
e) Herr Drechsler hat großes ______________ gehabt; drei Tage vor seinem Urlaub hatte er einen Autounfall.
f) Kannst du bitte etwas lauter sprechen? Ich habe ______________ dich richtig zu verstehen.
g) Karin hat sich gut vorbereitet, trotzdem hat sie große ______________ vor der Prüfung.
h) Ich weiß es nicht genau, aber ich habe das ______________, dass Alexandra sich verliebt hat.
i) Es hat keinen ______________ Dirk anzurufen. Er ist nicht zu Hause.

Nach Übung **13** im Kursbuch

21. Was passt zusammen?

A	Die Städte sind sowohl sauber
B	Für Mütter mit kleinen Kindern gibt es weder Erziehungsgeld
C	Die Frauen müssen entweder nach drei Monaten Babypause zurück an den Arbeitsplatz,
D	In den Städten können sowohl Autos fahren
E	Die Frauen arbeiten nicht nur im Beruf,
F	Die Deutschen haben weder Zeit für sich selbst
G	Die Männer helfen nicht nur bei der Erziehung der Kinder,
H	Entweder müssen die Frauen berufstätig sein,

1	sondern auch bei der Hausarbeit.
2	als auch Radfahrer.
3	noch für andere Leute.
4	oder die Familie hat zu wenig Geld.
5	als auch menschenfreundlich.
6	oder sie verlieren ihre Stelle.
7	sondern machen auch die ganze Hausarbeit alleine.
8	noch eine Reservierung der Arbeitsstelle.

A	B	C	D	E	F	G	H

22. Bilden Sie Sätze mit „um…zu“ oder „damit“.

Nach Übung **18** im Kursbuch

Warum ist Carlo Gottini nach Deutschland gekommen?

a) Er will hier arbeiten.
Er ist nach Deutschland gekommen um hier zu arbeiten.

b) Seine Kinder sollen bessere Berufschancen haben.
Er ist nach Deutschland gekommen, damit seine Kinder bessere Berufschancen haben.

c) Er will mehr Geld verdienen.
d) Er möchte später in Italien eine Autowerkstatt kaufen.
e) Seine Kinder sollen Deutsch lernen.
f) Seine Frau muss nicht mehr arbeiten.
g) Er möchte in seinem Beruf später mehr Chancen haben.
h) Seine Familie soll besser leben.
i) Er wollte eine eigene Wohnung haben.

23. Was passt am besten?

Nach Übung **18** im Kursbuch

Mode Regel Diskussion Schwierigkeit Bedeutung Presse Gefühl
Lohn/Einkommen Ausländer(in) Verwandte Besitzer(in) Änderung Bauer

a) hübsch aussehen – Kleidung – modern: Mode
b) Problem – Sorge – Ärger: Schwierigkeit
c) Sprache – Spiel – Grammatik: Regel
d) Arbeit – Geld verdienen – Arbeitgeber – Arbeitnehmer: Lohn Einkommen
e) Meinungen – sprechen – dafür/dagegen sein – sich streiten: Diskussion
f) Zeitung – Zeitschrift: Presse
g) Wiesen – Kühe – Hühner – Land – Gemüse – Milch – Fleisch – Eier: Bauer
h) Onkel – Tante – Bruder – Schwester – Großeltern: Verwandte
i) traurig – glücklich – mögen – hassen: Gefühl
j) gehören – Haus/Auto/… – eigen- – sein/mein/…: ______
k) einwandern – im fremden Land wohnen – aus einem anderen Land kommen: Ausländer(in)
l) anders machen – nicht wie immer machen: Änderung
m) Wort – Lexikon – erklären – nicht kennen: Bedeutung

Lektion 2

Nach Übung **18** im Kursbuch

24. Ergänzen Sie „dass“, „weil“, „damit“, „um…zu“ oder „zu“. (Bei „zu“ bleibt eine Lücke frei.)

Immer mehr Deutsche kommen in die ausländischen Konsulate, ________(a) sie auswandern wollen. Manche haben Angst ________(b) arbeitslos ________(c) werden, andere wollen ins Ausland gehen, ________(d) ihre Familien dort freier leben können. Die meisten hoffen ________(e) in ihrem Traumland reich ________(f) werden. Aber viele vergessen, ________(g) auch andere Länder wirtschaftliche Probleme haben. ________(h) zum Beispiel nach Australien auswandern ________(i) können muss man einen Beruf haben, der dort gebraucht wird. Auch in anderen Ländern ist es schwer ________(j) eine Arbeitserlaubnis ________(k) bekommen. Man sollte sich also vorher genau informieren. Man muss auch ein bisschen Geld gespart haben, ________(l) man in der ersten Zeit im fremden Land leben kann. Man kann nicht sicher sein ________(m) sofort eine Stelle ________(n) finden. Manche Auswanderer kommen enttäuscht zurück. Dieter Westphal zum Beispiel ist seit ein paar Monaten wieder in Deutschland. Er sagt: „Ich bin nach Kanada gegangen ________(o) mehr Geld ________(p) verdienen. Das Leben dort ist nicht leicht. Ich hatte keine Lust mehr ________(q) 60 Stunden ________(r) arbeiten ________(s) 580 Dollar ________(t) verdienen. Erst jetzt weiß ich, ________(u) es den Deutschen eigentlich gut geht.“

Nach Übung **18** im Kursbuch

25. Ergänzen Sie.

noch	schon	nicht mehr	noch nicht

a) Er hat gerade angefangen zu arbeiten. – Er arbeitet ________________.
b) Seine Arbeit beginnt in zwei Stunden. – Er arbeitet ________________.
c) Er macht heute später Feierabend. – Er arbeitet ________________.
d) Er hat schon Feierabend. – Er arbeitet ________________.

nichts mehr	schon etwas	noch etwas	noch nichts

e) Er hat sein Essen gerade bekommen. – Er hat ________________.
f) Er wartet auf sein Essen. – Er hat ________________.
g) Er möchte mehr essen. – Er möchte ________________.
h) Er ist satt. – Er möchte ________________.

noch immer	nicht immer	schon wieder	immer noch nicht

i) Obwohl sie wieder gesund ist, arbeitet sie nicht. – Sie arbeitet ________________.
j) Obwohl sie noch krank ist, hat sie gestern angefangen zu arbeiten. – Sie arbeitet ________________.
k) Obwohl sie müde ist, hört sie nicht auf zu arbeiten. – Sie arbeitet ________________.
l) Sie arbeitet nur manchmal. – Sie arbeitet ________________.

26. Ergänzen Sie.

Nach Übung **18** im Kursbuch

a) Hunger : hungrig / Durst : ____________
b) Anfang : anfangen / Ende : ____________
c) studieren : Student / Beruf lernen : ____________
d) Geschäft : Verkäuferin / Restaurant : ____________
e) keine Stelle haben : arbeitslos / eine Stelle haben : ____________
f) nicht weniger : mindestens / nicht mehr : ____________
g) ins Haus gehen : reingehen / das Haus verlassen : ____________
h) Bücher : Buchhandlung / Medikamente : ____________
i) jetzt : diese Woche / vor sieben Tagen : ____________
j) nach unten : fallen / nach oben : ____________

27. Ergänzen Sie die Verben und die Präpositionen.

Nach Übung **18** im Kursbuch

interessieren, sein, Kontakt finden, Schwierigkeiten haben, beschweren, sagen, helfen, hoffen, gelten, gewöhnen, denken, Angst haben, sprechen, klagen, arbeiten, denken

vor, an, zu, über, in, mit, auf, für, bei

a) Johanna hat an die Zeitschrift geschrieben, weil sie sich ______ eine Arbeitsstelle im Ausland ____________.
b) Das Gesetz ____________ nicht nur ______ Deutschland, sondern auch ______ die anderen EG-Bürger in den anderen Staaten.
c) Ludwig ____________ seit acht Jahren ______ derselben Computerfirma.
d) Doris hat ______ ihrer Freundin ______ ihren Plan ____________.
e) Frauke ____________ zuerst ein wenig ____________ ______ den Franzosen, aber dann gefiel es ihr dort doch sehr gut.
f) Am Anfang kannte sie niemanden, aber dann hat sie schnell ____________ ______ den Leuten ____________.
g) Eigentlich mag Simone England, aber sie ____________ immer noch ____________ ______ der kühlen Art der Engländer.
h) Viele Deutsche glauben, dass die Ausländer schlecht ______ sie ____________.
i) Kannst Du mir morgen ______ der Arbeit im Garten ____________?
j) Deutsche Frauen ______ sich zu viel ______ die Hausarbeit.
k) Maria Moro aus Italien meint, dass die Deutschen zu viel ______ die Arbeit und ______ Geld ____________.
l) Norbert hat sich schnell ______ das Leben in Portugal ____________.
m) Viele wandern aus, weil sie im Ausland ______ ein besseres Leben ____________.
n) Julio meint, dass die Deutschen zu viel ______ Probleme ____________, obwohl es ihnen eigentlich sehr gut geht.
o) Ich habe gehört, was du ______ meinen Plan ____________ hast.
p) Ich ____________ ______ Deine Idee, nicht dagegen.

Lektion 3

Kernwortschatz

Verben

annehmen 35
begleiten 35
beschließen 35
demonstrieren 33
entscheiden 38
entschließen 40
erinnern 39
erreichen 35
folgen 35
fordern 35
führen 35
gewinnen 34
nennen 37
öffnen 39
rufen 39
schließen 38
streiken 32
unterschreiben 34
verreisen 40
wählen 35

Nomen

e Armee, -n 38
r Aufzug, ¨e 33
e Ausreise 39
r Bau 38
r Beginn 39
r Briefumschlag, ¨e 33
r Bund 36
r Bus, -se 32
r Bürger, - 34
e DDR 38
e Demokratie, -n 37
e Demonstration, -en 34
e Deutsche Demokratische Republik 38
r Dienstag 35
e Diktatur, -en 39
r Einfluss, ¨e 38
r Empfang, ¨e 40
s Ende, -n 39
s Ereignis, -se 33
e Fabrik- en 33
r Fahrer, - 32
s Feuer 33
r Fotograf, -en 41
e Frage, -n 35
r Friede 34
s Geschäft, -e 33
e Geschichte 39
e Gesellschaft 40
e Gruppe, -n 35
s Hochhaus, ¨er 33
r Juli 35
s Kabinett, -e 35
e Katastrophe, -n 34
s Knie, - 32
e Koalition, -en 35
e Konferenz, -en 34
r König, -e 35
e Königin, -nen 35
s Krankenhaus, ¨er 32
r Krieg, -e 32
e Krise, -n 32
e Macht 39
e Mauer, -n 38
r Minister, - 35
s Mitglied, -er 36
e Nachricht, -en 32
r November 40
r Oktober 35
e Operation, -en 32
e Opposition 39
r Ort, -e 39
s Paket, -e 33
s Parlament, -e 32
e Partei, -en 35
s Päckchen, - 33
e Politik 38
e Post 33
r Präsident, -en 35
r Protest, -e 39
s Rathaus, ¨er 32
r Raucher, - 32
e Reform, -en 35
e Regierung, -en 32
s Schloss, ¨er 35
e Seite, -n 32
r Sonntag, -e 35
r Sozialdemokrat, -en 35
r Sportplatz, ¨e 32
r Staat, -en 37
s Stadion, Stadien 32
e Straßenbahn, -en 32
r Streik, -s 33
s System, -e 35
e Uhr, -en 40
e Umwelt 34
s Unglück 34
r Unterschied, -e 38
e Unterschrift, -en 39
e Verfassung 35
e Verletzung, -en 32
s Volk, ¨er 36
r Vorschlag, ¨e 35
e Wahl, -en 34
r Weg, -e 39
(s) Weihnachten 33
e Welt, -en 40
r Weltkrieg, -e 37
e Zahl, -en 35
e Zeitung, -en 32
s Ziel, -e 35
r Zoll 32

Adjektive

ausländisch 32
dankbar 40
demokratisch 39
eng 39
enttäuscht 32
international 35
kapitalistisch 39
kommunistisch 39
leer 32
liberal 37
national 36
politisch 39
sozialdemokratisch 37
sozialistisch 37
verletzt 32
völlig 38
wahrscheinlich 35
westlich 39
wirtschaftlich 38

Adverbien

allerdings 39
beinahe 40
bisschen 40
lange 35
noch 35

Funktionswörter

außer 32
gegen 32
jedoch 39
ohne 32
während 38
wegen 32

Ausdrücke

ein Gespräch führen 35
immer größer 38
noch größer 35
vor allem 38
wie oft 37

Kerngrammatik

Präpositionen mit festem Kasus (§ 13)

Präpositionen	Kasus
für, gegen, ohne	*Akkusativ*
außer, mit, nach, seit, von	*Dativ*
während, wegen	*Genitiv (oder Dativ)*

Ausdrücke mit Präpositionen

Ausdrücke	Kasus
Angst haben vor einverstanden sein mit Erfolg haben mit verheiratet sein mit überzeugt sein von zufrieden sein mit	*Dativ*
enttäuscht sein über froh sein über ideal sein für Lust haben auf traurig sein über typisch sein für Zeit haben für	*Akkusativ*

Lektion 3

Nach Übung **5** im Kursbuch

1. Was ist hier passiert?

a) In Stuttgart ist ein Bus gegen einen Zug gefahren.

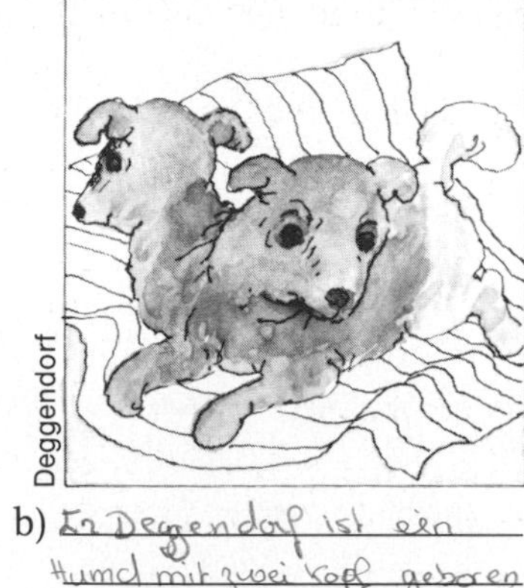

b) In Deggendorf ist ein Hund mit zwei Kopf geboren

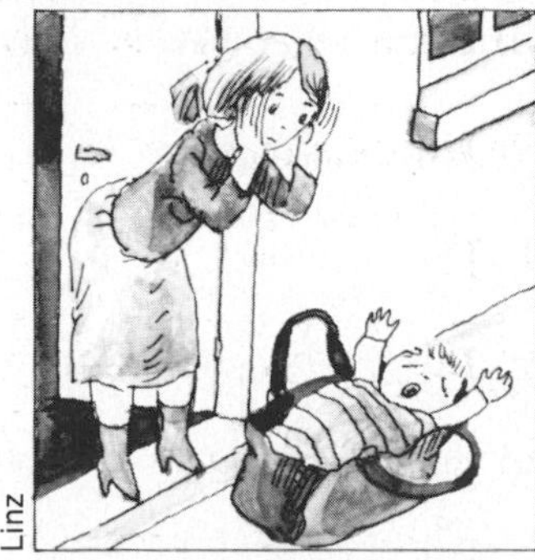

c) In Linz hat ein

d) ______________________

New York

e) ______________________

f) ______________________

Nach Übung **5** im Kursbuch

2. Was passt zusammen?

Aufzug – Beamter – Briefumschlag – Bus – Gas – Kasse – Lebensmittel – Öl – Wohnung – Päckchen – Paket – Pass – Stock – Straßenbahn – Strom – U-Bahn – Verkäufer – Zoll

a) Grenze	b) Heizung	c) Hochhaus	d) Post	e) Supermarkt	f) Verkehr

Nach Übung **5** im Kursbuch

3. Sagen Sie es anders. Verwenden Sie die Präpositionen „ohne“, „mit“, „gegen“, „außer“, „für“ und „wegen“.

a) Das Auto fährt, aber es hat kein Licht.
Das Auto fährt ohne Licht.

b) Ich habe ein Päckchen bekommen. In dem Päckchen war ein Geschenk.

____

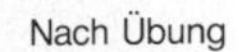

c) Wir hatten gestern keinen Strom. Der Grund war ein Gewitter.

____

d) Diese Kamera funktioniert mit Sonnenenergie. Sie braucht keine Batterie.

____

e) Ich konnte gestern nicht zu dir kommen. Der Grund war das schlechte Wetter.

____

f) Jeder in meiner Familie treibt Sport. Nur ich nicht.

____

g) Der Arzt hat mein Bein operiert. Ich hatte eine Verletzung am Bein.

____

h) Ich bin mit dem Streik nicht einverstanden.

____

i) Die Industriearbeiter haben demonstriert. Sie wollen mehr Lohn.

____

j) Man kann nicht nach Australien fahren, wenn man kein Visum hat.

____

4. Ihre Grammatik. Ergänzen Sie.

Nach Übung

im Kursbuch

	ein Streik	eine Reise	ein Haus	Probleme
für	einen Streik			
gegen				
mit				
ohne				
wegen				
außer				

5. Was kann man nicht sagen?

Nach Übung 7 im Kursbuch

a) einen Besuch *machen / anmelden / geben / versprechen*
b) eine Frage *haben / verstehen / anrufen / erklären*
c) einen Krieg *anfangen / abschließen / gewinnen / verlieren*
d) eine Lösung *besuchen / finden / zeigen / suchen*
e) eine Nachricht *bekommen / kennen lernen / schicken / verstehen*
f) ein Problem *erklären / sehen / vorschlagen / verstehen*
g) einen Streik *verlieren / vorschlagen / wollen / verlängern*
h) einen Unterschied *machen / sehen / beantragen / kennen*
i) einen Vertrag *unterschreiben / abschließen / unterstreichen / feiern*
j) eine Wahl *gewinnen / feiern / verlieren / finden*
k) einen Weg *bekommen / kennen / gehen / finden*

Lektion 3

Nach Übung **7** im Kursbuch

6. Wie heißt das Nomen?

a) meinen ______
b) ändern ______
c) antworten ______
d) ärgern ______
e) beschließen ______
f) demonstrieren ______
g) diskutieren ______
h) erinnern ______
i) fragen ______
j) besuchen ______
k) essen ______
l) fernsehen ______
m) operieren ______
n) reparieren ______
o) regnen ______
p) schneien ______
q) spazieren gehen ______
r) sprechen ______
s) streiken ______
t) untersuchen ______
u) verletzen ______
v) vorschlagen ______
w) wählen ______
x) waschen ______
y) wohnen ______
z) wünschen ______

Nach Übung **7** im Kursbuch

7. Ergänzen Sie: „für", „gegen", „mit", „über", „von", „vor" oder „zwischen".

a) Im Fernsehen hat es eine Diskussion ______ Umweltprobleme gegeben.
b) Deutschland hat einen Vertrag ______ Frankreich abgeschlossen.
c) Viele Menschen haben Angst ______ einem Krieg.
d) Der Präsident ______ Kamerun hat die Schweiz besucht.
e) 30 000 Bürger waren auf der Demonstration ______ die neuen Steuergesetze.
f) Der Wirtschaftsminister hat den Vertrag ______ wirtschaftliche Kontakte ______ Algerien unterschrieben.
g) Die Ausländer sind froh ______ das neue Gesetz.
h) Die Gewerkschaft ist ______ dem Vorschlag der Arbeitgeber zufrieden.
i) Der Unterschied ______ der CDU und der CSU ist nicht groß.
j) Dieses Problem ist typisch ______ die deutsche Politik.

Nach Übung **11** im Kursbuch

8. Welche Wörter werden definiert?

Schulden | Partei | Steuern | Wähler | Koalition
Monarchie | Minister | Mehrheit | Wahlrecht | Abgeordneter

a) die meisten Stimmen = ______
b) das Recht ein Parlament zu wählen = ______
c) eine politische Gruppe = ______
d) eine Regierung aus mehreren politischen Gruppen = ______
e) ein Mitglied eines Parlaments = ______
f) das Geld, das die Bürger dem Staat geben müssen = ______
g) ein Mitglied einer Regierung = ______
h) das Geld, das man von jemand geliehen hat = ______
i) alle Bürger, die ein Parlament wählen können = ______
j) ein politisches System, in dem ein König der Staatschef ist = ______

9. Was passt?

Nach Übung **11** im Kursbuch

Minister	Ministerpräsident	Landtag	Bürger	Präsident	Finanzminister

a) Bundesrepublik : Bundestag / Bundesland : ______
b) Partei : Mitglied / Volk : ______
c) Fabrik : Buchhalter / Staat : ______
d) Monarchie : König / Republik : ______
e) Bundesregierung : Bundeskanzler / Landesregierung : ______
f) Parlament : Abgeordneter / Regierung : ______

10. Ergänzen Sie.

Nach Übung **12** im Kursbuch

seit	zwischen	nach	in	von ... bis	wegen	während	vor	für	gegen

a) ______ 1969 gab es keine politischen Kontakte zwischen der Bundesrepublik und der DDR.
b) Die Bundesrepublik und die DDR gab es ______ 1949.
c) ______ 1949 ______ 1963 war Konrad Adenauer Bundeskanzler.
d) Erst ______ dem „Kalten Krieg“ gab es politische Gespräche zwischen den beiden deutschen Staaten.
e) ______ 1949 und 1969 war die Zeit des „Kalten Krieges“.
f) ______ Jahr 1956 bekamen die beiden deutschen Staaten wieder eigene Armeen.
g) ______ des Ost-West-Konflikts gab es 1949 zwei deutsche Staaten.
h) Die Sowjetunion war 1952 ______ einen neutralen deutschen Staat.
i) Die West-Alliierten und die Bundesregierung waren 1952 ______ einen neutralen deutschen Staat.
j) ______ des „Kalten Krieges“ gab es keine politischen Gespräche zwischen der DDR und der Bundesrepublik.

11. „Wann?“ oder „wie lange?“ Welche Frage passt?

Nach Übung **12** im Kursbuch

a) Anna hat vor zwei Tagen ein Baby bekommen.
b) Es hat vier Tage geschneit.
c) Während des Krieges war er in Südamerika.
d) Es regnet immer gegen Mittag.
e) Nach zweiundzwanzig Jahren ist er nach Hause gekommen.
f) Bis zu seinem sechzigsten Geburtstag war er gesund.
g) Ich habe eine halbe Stunde im Regen gestanden.
h) Er ist zweiundzwanzig Jahre in Afrika gewesen.
i) In drei Tagen hat er sein Abitur.
j) Seit drei Tagen hat er nichts gegessen.

	wann?	wie lange?
a)		
b)		
c)		
d)		
e)		
f)		
g)		
h)		
i)		
j)		

Lektion 3

Nach Übung **12** im Kursbuch

12. Setzen Sie die Sätze ins Passiv.

a) In der DDR bestimmte die Sowjetunion die Politik.
In der DDR wurde die Politik von der Sowjetunion bestimmt.

b) Konrad Adenauer unterschrieb das Grundgesetz der BRD.
c) 1952 schlug die Sowjetunion einen Friedensvertrag vor.
d) Die West-Alliierten nahmen diesen Plan nicht an.
e) 1956 gründeten die DDR und die BRD eigene Armeen.
f) Seit 1953 feierte man den „Tag der deutschen Einheit".
g) In Berlin baute man 1961 eine Mauer.
h) Man schloss die Grenze zur Bundesrepublik.
i) Politische Gespräche führte man seit 1969.
j) Im Herbst 1989 öffnete man die Grenze zwischen Ungarn und Österreich.

Nach Übung **12** im Kursbuch

13. Schreiben Sie die Zahlen.

a) neunzehnhundertachtundsechzig *1968*
b) achtzehnhundertachtundvierzig 1848
c) neunzehnhundertsiebzehn 1917
d) siebzehnhundertneunundachtzig 1789
e) achtzehnhundertdreißig 1830
f) sechzehnhundertachtzehn 1618
g) neunzehnhundertneununddreißig 1939
h) tausendsechsundsechzig 1066
i) vierzehnhundertzweiundneunzig 1492

Nach Übung **13** im Kursbuch

14. Welche Sätze sagen dasselbe, welche nicht dasselbe?

a) Meine Mutter kritisiert immer meine Freunde. /
Meine Mutter ist nie mit meinen Freunden zufrieden.

b) Wenn man das Abitur hat, hat man bessere Berufschancen. /
Mit Abitur hat man bessere Berufschancen.

c) Man sollte mehr Krankenhäuser bauen. Das finde ich auch. /
Man sollte mehr Krankenhäuser bauen. Ich bin auch dagegen.

d) Wenn es keine Kriege geben würde, wäre die Welt schöner. /
Ohne Kriege wäre die Welt schöner.

e) Er erklärt, dass das Problem sehr schwierig ist. /
Er erklärt das schwierige Problem.

f) Niemand hat einen guten Vorschlag. /
Jemand hat einen schlechten Vorschlag.

g) Während des „Kalten Krieges" gab es nur Wirtschaftskontakte. /
Im „Kalten Krieg" gab es nur Wirtschaftskontakte.

	dasselbe	nicht dasselbe
a)		X
b)	X	
c)		X
d)	X	
e)	X	
f)		X
g)	X	

15. Was können Sie auch sagen?

Nach Übung **13** im Kursbuch

a) *Er ist vor zwei Tagen angekommen.*
A Er ist seit zwei Tagen hier.
B Er ist für zwei Tage hier.
C Er kommt in zwei Tagen an.

b) *Gegen Abend kommt ein Gewitter.*
A Es ist Abend. Deshalb kommt ein Gewitter.
B Am Abend kommt ein Gewitter.
C Ich bin gegen ein Gewitter am Abend.

c) *Mein Vater ist über 60.*
A Mein Vater wiegt mehr als 60 kg.
B Mein Vater fährt schneller als 60 km/h.
C Mein Vater ist vor mehr als 60 Jahren geboren.

d) *Während meiner Reise war ich krank.*
A Auf meiner Reise war ich krank.
B Seit meiner Reise war ich krank.
C Wegen meiner Reise war ich krank.

e) *Seit 1952 wurden die DDR und die BRD immer verschiedener.*
A Vor 1952 waren die DDR und die BRD ein Staat.
B Nach 1952 wurden die Unterschiede zwischen der DDR und der BRD immer größer.
C Bis 1952 waren die BRD und die DDR zwei verschiedene Staaten.

f) *In zwei Monaten heiratet sie.*
A Ihre Heirat dauert zwei Monate.
B Sie heiratet für zwei Monate.
C Es dauert noch zwei Monate. Dann heiratet sie.

g) *Mit 30 hatte er schon 5 Häuser.*
A Er hatte schon 35 Häuser.
B Als er 30 Jahre alt war, hatte er schon 5 Häuser.
C Vor 30 Jahren hatte er 5 Häuser.

h) *Erst nach 1978 gab es Kontakte zwischen den beiden Staaten.*
A Vor 1978 gab es keine Kontakte zwischen den beiden Staaten.
B Seit 1978 gab es keine Kontakte zwischen den beiden Staaten mehr.
C Schon vor 1978 gab es Kontakte zwischen den beiden Staaten.

i) *In Deutschland dürfen alle Personen über 18 Jahre wählen.*
A Vor 18 Jahren durften in Deutschland alle Personen wählen.
B Nur Personen, die wenigstens 18 Jahre alt sind, dürfen in Deutschland wählen.
C In Deutschland dürfen alle Personen nach 18 Jahren wählen.

16. Sagen Sie es anders. Benutzen Sie „dass", „ob" oder „zu".

Nach Übung **13** im Kursbuch

a) Die Studenten haben beschlossen: Wir demonstrieren.
Die Studenten haben beschlossen zu demonstrieren.

b) Die Abgeordneten haben kritisiert: Die Steuern sind zu hoch.
Die Abgeordneten haben kritisiert, dass die Steuern zu hoch sind.

c) Sandro möchte wissen: Ist Deutschland eine Republik?
Sandro möchte wissen, ob Deutschland eine Republik ist

d) Der Minister hat erklärt: Die Krankenhäuser sind zu teuer.
Der Minister hat erklärt, dass die Krankenhäuser zu teuer sind

e) Die Partei hat vorgeschlagen: Wir bilden eine Koalition.
Die Partei hat vorgeschlagen eine Koalition zu bilden

f) Die Menschen hoffen: Die Situation wird besser.
Die Menschen hoffen dass die Situation besser wird

g) Herr Meyer überlegt: Soll ich nach Österreich fahren?

____

h) Die Regierung hat entschieden: Wir öffnen die Grenzen.

____

i) Die Arbeiter haben beschlossen: Wir streiken.

____

j) Der Minister glaubt: Der Vertrag wird unterschrieben.

____

Nach Übung **16** im Kursbuch

17. Was passt zusammen?

a)	Ich erinnere mich gut
b)	1989 kam es in der DDR
c)	In unserer Familie sorgt der Vater
d)	Die meisten Leute waren dankbar
e)	Manche Leute hatten Probleme
f)	Viele Leute glauben nicht
g)	Bei der Demonstration ging es
h)	Die meisten DDR-Bürger waren glücklich
i)	1989 wurde der Weg
j)	Die Unterschiede

1.	an eine schöne Zukunft.
2.	für den freundlichen Empfang.
3.	in den Westen frei.
4.	mit dem Staat und seinen Behörden.
5.	an meine Kindheit.
6.	über die neue Freiheit.
7.	zwischen der BRD und der DDR waren groß.
8.	für die Kinder.
9.	um freie Wahlen.
10.	zu Massendemonstrationen.

a)	b)	c)	d)	e)	f)	g)	h)	i)	j)

Nach Übung **16** im Kursbuch

18. Setzen Sie ein: „ein“, „einen“, „einem“, „einer“.

a) Maria ist vor __________ Woche angekommen.
b) Werner möchte in __________ neuen Beruf arbeiten.
c) Carlo ist wegen __________ Frau nach Deutschland gekommen.
d) In der Diskussion geht es um __________ politisches Problem.
e) Was ist der Unterschied zwischen __________ Diktatur und __________ demokratischen Staat?
f) Seit __________ Jahr sind alle Grenzen offen.
g) Wir haben die gute Nachricht durch __________ Freund bekommen.
h) Ohne __________ richtiges Parlament gibt es keine Demokratie.
i) Gerd und Lena haben sich während __________ Demonstration kennengelernt.
j) In __________ Monat fahre ich nach Berlin.

19. Setzen Sie ein: „der“, „die“, „das“, „den“, „dem“.

Nach Übung **16** im Kursbuch

a) Viele Leute sind mit ______ Regierung nicht einverstanden.
b) Wir haben ein Gespräch über ______ Probleme der Arbeiter geführt.
c) Viele Leute haben Angst vor ______ Krieg.
d) Außer ______ Finanzminister sind alle Regierungsmitglieder für ______ neue Gesetz.
e) Während ______ Zeit des „Kalten Krieges“ gab es nur Wirtschaftskontakte zwischen ______ beiden deutschen Staaten.
f) Hier kann jeder seine Meinung über ______ Staat sagen.
g) Wegen ______ Verletzung kann der Bundeskanzler nicht ins Ausland fahren.
h) Martina freut sich auf ______ neue Arbeit.
i) Die Leute waren dankbar für ______ neue Freiheit.
j) Die Leute denken oft an ______ Zeit vor dem 9. November 1989.

20. Bilden Sie ganze Sätze.

Nach Übung **16** im Kursbuch

In Schlagzeilen fehlen meistens Artikel und Verben. Machen Sie aus den Schlagzeilen ganze Sätze. Benutzen Sie folgende Verben:

werden – unterschreiben – gewählt werden – es gibt – feiern – führen – bekommen – finden – sein

(Es gibt mehrere mögliche Formulierungen. Vergleichen Sie Ihre Lösung mit dem Lösungsschlüssel.)

a) Wegen Armverletzung: Boris Becker zwei Wochen im Krankenhaus.
Wegen seiner Armverletzung liegt Boris Becker zwei Wochen im Krankenhaus.
b) Ausländer: bald Wahlrecht?
______
c) Regierungen Chinas und Frankreichs: Politische Gespräche.
______
d) Bundeskanzler mit Vorschlägen des Finanzministers nicht einverstanden.
______
e) Neues Parlament in Sachsen.
______
f) Nach Öffnung der Grenze: Tausende auf Straßen von Berlin.
______
g) Regierung: Lösung der Steuerprobleme.
______
h) Vertrag über Kultur zwischen Russland und Deutschland.
______
i) Zu viel Müll in Deutschlands Städten.
______
j) Wetter ab morgen wieder besser.
______

Lektion 4

Kernwortschatz

Verben

aufgeben 53
ausziehen 44
backen 48
beeilen 48
bieten 46
danken 44
einfallen 47
gehören 45
holen 49
regieren 48
schicken 44
treffen 49
umziehen 53
verabreden 52
verwenden 52
vorbeikommen 50
wandern 52
warten 50
wünschen 44
ziehen 53

Nomen

(s) Afrika 53
r Anfang, ¨-e 52
e/r Angehörige, -n 45
r Aufenthalt, -e 46
e Bäckerei, -en 48
e Bedingung, -en 46
s Bett, -en 46
e Bevölkerung 47
e Bibliothek, -en 46
r Blick, -e 51
e Bürste, -n 49
e Erinnerung, -en 51
s Fahrrad, ¨-er 48
e Freiheit, -en 44
s Glück 44
r Handwerker, - 48
s Heim, -e 46
e Hilfe, -n 46
r Hof, ¨-e 48
s Holz 49
e Idee, -n 53
s Interesse, -n 46
e/r Jugendliche, -n (ein Jugendlicher) 47
r Junge, -n 53
e Kirche, -n 46
r Kuchen, - 48
r Kugelschreiber, - 49
e Lage, -n 46
e Liebe 50
s Messer, - 49
r Moment, -e 49
s Möbel, - 46
s Museum, Museen 53
e Nachbarin, -nen 49
e Nähe 45
s Paar, -e 50
s Regal, -e 48
e Rente, -n 46
r Schluss 52
s Schwimmbad, ¨-er 46
e Steckdose, -n 48
r Tanz, ¨-e 46
r Tänzer, - 52
e Tätigkeit, -en 53
r Tod 52
e Toilette, -n 46
e Veranstaltung, -en 46
r Verein, -e 49
s WC, -s 46
s Werkzeug, -e 49
e Wohngemeinschaft, -en 45
r Zettel, - 48

Adjektive

besonder- 47
ernst 48
evangelisch 46
hell 46
lieb 52
modern 46
nächst- 44
offenbar 50
privat 46
schnell 47
schrecklich 51
ständig- 48

Adverbien

bald 44
bitte 46
da 50
doch 44
eigentlich 48
einmal 44
erst 51
genug 47
heute 48
inzwischen 53
mal 44
natürlich 44
nein 45
selber 44
so 46
sogar 46
vorher 48
wirklich 50
wohl 49

Funktionswörter

ab 46
bei 51
beide 50
bevor 48
einer 51
etwas 48
neben 48

Lektion 4

Ausdrücke

allein bleiben 45	Gott sei Dank 50	noch mal 51	zu Fuß 48
gar nicht 44	nicht ganz 48	von Beruf sein 53	

Kerngrammatik

Verben mit Reflexivpronomen (Kursbuch 1, § 25)

Im Akkusativ:	sich ärgern	Ich ärgere	mich	über Paul.
	sich ausziehen	Willst du	dich	nicht ausziehen?
	sich waschen	Er wäscht	sich	täglich dreimal!
	sich beschweren	Wir sollten	uns	über dieses Essen beschweren.
	sich unterhalten	Worüber habt ihr	euch	unterhalten?
	sich … fühlen	Sie fühlen	sich	trotz ihrer 65 Jahre noch jung.
Im Dativ:	sich helfen	Ich kann	mir	immer selbst helfen.
	sich etw. wünschen	Was wünschst du	dir	zum Geburtstag?
	sich etw. kochen	Er kocht	sich	gerade sein Essen.
	sich etw. waschen	Wir müssen	uns	unsere Wäsche selbst waschen.
	sich etw. kaufen	Warum kauft ihr	euch	kein neues Auto?
	sich etw. leihen	Sie haben	sich	meinen Computer geliehen.

Unbetonte Ergänzungen: Reihenfolge (§ 47)

Ich brauche den Wagen.
Kannst du mir den heute Abend leihen?
Kannst du ihn mir heute Abend leihen?

Lisa braucht die Lampe.
Kannst du ihr die bis heute Abend reparieren?
Kannst du sie ihr bis heute Abend reparieren?

Eva und Peter brauchen das Werkzeug.
Kannst du ihnen das gleich bringen?
Kannst du es ihnen gleich bringen?

Wir brauchen die Tennisbälle
Kannst du uns die mitbringen?
Kannst du sie uns mitbringen?

Ich brauche einen Videorekorder.
Können Sie mir einen leihen?

Lisa braucht eine Kaffeemaschine.
Kannst du ihr eine kaufen?

Eva und Peter brauchen ein Zelt.
Kannst du ihnen eins schenken?

Wir brauchen Tennisbälle.
Kannst du uns welche mitbringen?

Reziprokpronomen (§ 9)

Sie haben sich beim Tanzen getroffen. (Sie hat ihn getroffen, er hat sie getroffen.)
Sie haben sich besucht. (Sie hat ihn besucht, er hat sie besucht.)
Sie haben sich geliebt. (Sie hat ihn geliebt, er hat sie geliebt.)

Lektion 4

Nach Übung **1** im Kursbuch

1. Ergänzen Sie: „auf“, „für“, „mit“, „über“, „von“ oder „zu“.

a) Die Großeltern können ________ die Kinder aufpassen, wenn die Eltern abends weggehen.
b) Man muß den Eltern ________ alles danken, was sie getan haben.
c) Viele Leute erzählen immer nur ________ früher.
d) Viele Eltern sind ________ ihre Kinder enttäuscht, wenn sie im Alter allein sind.
e) Die Großeltern warten oft ________ Besuch von ihren Kindern.
f) Ich unterhalte mich gern ________ meinem Großvater ________ Politik.
g) Ich meine, die alten Leute gehören ________ uns.
h) Die Kinder spielen gern ________ den Großeltern.
i) Großmutter regt sich immer ________ Ingrids Kleider auf.
j) Ich finde es interessant, wenn meine Großeltern ________ ihrer Jugendzeit erzählen.

Nach Übung **1** im Kursbuch

2. Stellen Sie Fragen.

a) Ich denke gerade *an meinen Urlaub.*	Woran denkst du gerade?
b) Im Urlaub fahre ich *nach Schweden.*	________
c) Ich freue mich schon *auf den Besuch der Großeltern.*	________
d) Der Mann hat *nach der Adresse des Altersheims* gefragt.	________
e) Ich möchte mich *über das laute Hotelzimmer* beschweren.	________
f) Ich denke oft *über mein Leben* nach.	________
g) Ich komme *aus der Schweiz.*	________
h) Ich habe mein ganzes Geld *für Bücher* ausgegeben.	________
i) Karin hat uns lange *von ihrer Reise* erzählt.	________
j) Viele Leute sind *über die Politik der Regierung* enttäuscht.	________

Nach Übung **2** im Kursbuch

3. Ergänzen Sie: „mir“ oder „mich“?

a) Ich wasche ________ nur mit klarem Wasser.
b) Ich sehe ________ manchmal gern alte Fotos an.
c) Am Wochenende ruhe ich ________ meistens aus.
d) Ich rege ________ nicht über die jungen Leute auf.
e) Ich ziehe ________ gern modern an.
f) Ich möchte ________ über das Essen beschweren.
g) Ich bestelle ________ gern einen guten Wein.
h) Ich kann ________ einfach nicht entscheiden.
i) Entschuldigen Sie ________ bitte!
j) Ich kaufe ________ gern ein gutes Buch.
k) Um die anderen Leute kümmere ich ________ nicht.
l) Ich langweile ________ oft.
m) Einmal im Jahr leiste ich ________ einen Urlaub.
n) Ich wünsche ________ nicht, sehr alt zu werden.
o) Ich setze ________ am liebsten auf mein altes Sofa.
p) Auf ________ kann man sich immer verlassen.
q) Das habe ich ________ gut überlegt.
r) Ich glaube, ich habe ________ nicht sehr verändert.
s) Hier fühle ich ________ wohl.
t) Ich koche ________ mein Essen fast immer selbst.

4. Ergänzen Sie: „sie" oder „ihnen".

Nach Übung **2** im Kursbuch

a) Was kann man für alte Menschen tun, die allein sind?
Man kann
_______________ besuchen,
_______________ Briefe schreiben,
_______________ auf einen Spaziergang mitnehmen,
_______________ Pakete schicken,
_______________ zuhören, wenn sie ihre Sorgen erzählen,
_______________ manchmal anrufen.

b) Was muss man für alte Menschen tun, die sich nicht allein helfen können?
Man muss
_______________ morgens anziehen,
_______________ abends ausziehen,
_______________ die Wäsche waschen,
_______________ das Essen bringen,
_______________ waschen,
_______________ im Haus helfen,
_______________ ins Bett bringen.

5. Alt sein heißt oft allein sein. Ergänzen Sie: „sie", „ihr" oder „sich".

Nach Übung **2** im Kursbuch

Frau Möhring fühlt _______(a) oft allein.
Sie hat niemanden, der _______(b) zuhört, wenn sie Sorgen hat oder wenn sie _______(c) unterhalten will.
Sie muss _______(d) selbst helfen, weil niemand _______(e) hilft.
Niemand besucht _______(f), niemand schreibt _______(g), niemand ruft _______(h) an.
Aber ab nächsten Monat bekommt sie einen Platz im Altersheim.
Sie freut _______(i) schon, dass sie dann endlich wieder unter Menschen ist.

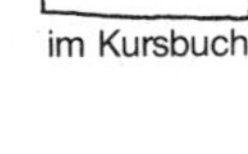

6. Sagen Sie es anders.

Nach Übung **3** im Kursbuch

a) Ist das Ihr Haus? *Gehört das Haus Ihnen?*
b) Ist das der Schlüssel von Karin? _______________
c) Ist das euer Paket? _______________
d) Du kennst doch Rolf und Ingrid. Ist das ihr Wagen? _______________
e) Ist das sein Ausweis? _______________
f) Herr Baumann, ist das Ihre Tasche? _______________
g) Das ist mein Geld! _______________
h) Sind das eure Bücher? _______________
i) Sind das Ihre Pakete, Frau Simmet? _______________
j) Gestern habe ich Linda und Bettina getroffen. Das sind ihre Fotos. _______________

7. Kursbuch S. 44: Lesen Sie noch einmal den Brief von Frau Simmet. Schreiben Sie:

Nach Übung **3** im Kursbuch

Familie Simmet wohnt seit vier Jahren mit der Mutter von Frau Simmet zusammen, weil ihr Vater gestorben ist. Ihre Mutter kann ...

Lektion 4

Nach Übung **6** im Kursbuch

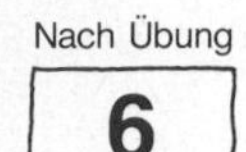

8. Was passt zusammen?

-abend	-versicherung	-heim	-amt	-jahr	-raum
-tag	-paar	-schein	-haus	-platz	

a) Senioren- / Alten- / Pflege- / Studenten- ______
b) Renten- / Kranken- / Pflege- / Lebens- ______
c) All- / Arbeits- / Geburts- / Feier- ______
d) Feier- / Lebens- / Sonn- ______
e) Arbeits- / Park- / Sport- ______
f) Kranken- / Eltern- / Gast- / Kauf- / Rat- ______
g) Kranken- / Führer- ______
h) Arbeits- / Sozial- ______
i) Hobby- / Koffer- / Maschinen- ______
j) Ehe- / Liebes- ______
k) Früh- / Ehe- / Lebens- ______

Nach Übung **7** im Kursbuch

9. Lebensläufe.

a) Ergänzen Sie.

Mein Name ist Franz Kühler. Ich bin am 14. 3. 1927 in Essen geboren. Mein Vater war Beamter, meine Mutter Hausfrau. Die Volksschule habe ich in Bochum besucht, von 1933 bis 1941. Danach habe ich eine Lehre als Industriekaufmann gemacht. 1944 bin ich noch Soldat geworden. Nach dem Krieg habe ich meine spätere Frau kennen gelernt: Helene Wiegand. Am 16. 8. 1949 haben wir geheiratet. Unsere beiden Söhne Hans und Norbert sind 1951 und 1954 geboren. Bei der Firma Bolte & Co. in Gelsenkirchen bin ich 1956 Buchhalter geworden. In diesem Beruf habe ich später noch bei den Firmen Hansmann in Dortmund, Wölke in Kamen und zuletzt bei der Firma Jellinek in Essen gearbeitet. Meine Frau ist 1987 gestorben. 1992 bin ich in Rente gegangen. Ich wohne jetzt in einer Altenwohnung im „Seniorenpark Essen-Süd“. Meine Söhne leben im Ausland. Ich bekomme 1800 Mark Rente im Monat.

Name:	______
Geburtsdatum:	______
Geburtsort:	______
Familienstand:	______
Kinder:	______
Schulausbildung:	______
Berufsausbildung:	______
früherer Beruf:	Buchhalter
letzte Stelle:	______
Alter bei Anfang der Rente:	______
Rente pro Monat:	______
jetziger Aufenthalt:	______

b) Schreiben Sie einen Text: Es gibt mehrere mögliche Formulierungen. Vergleichen Sie Ihre Lösung mit dem Schlüssel zu dieser Übung.

Name: *Gertrud Hufendiek*
Geburtsdatum: *21. 1. 1935*
Geburtsort: *Münster*
Familienstand: *ledig*
Kinder: *keine*
Schulausbildung: *Volksschule 1941–1945; Realschule 1945–1951*
Berufsausbildung: *Lehre als Kauffrau*
früherer Beruf: *Exportkauffrau*
letzte Stelle: *Fa. Piepenbrink, Bielefeld*
Alter bei Anfang der Rente: *58*
Rente pro Monat: *1600 Mark*
jetziger Aufenthalt: *Seniorenheim „Auguste-Viktoria", Bielefeld*

Mein Name ist ... Ich bin am ... in ... ______________________________

____

10. Wie heißt das Gegenteil?

Nach Übung **9** im Kursbuch

Minderheit	Ursache	Scheidung	Friede	Nachteil	Jugend	Junge
Erwachsener	Freizeit	Gesundheit	Tod	Stadtmitte		

a) Alter – ____________
b) Mehrheit – ____________
c) Arbeit – ____________
d) Stadtrand – ____________
e) Vorteil – ____________
f) Jugendlicher – ____________
g) Heirat – ____________
h) Leben – ____________
i) Krieg – ____________
j) Krankheit – ____________
k) Konsequenz – ____________
l) Mädchen – ____________

11. Was können Sie auch sagen?

a) *Die Mehrheit der Bevölkerung ist über 30.*
- A Die meisten Einwohner des Landes sind älter als 30 Jahre.
- B Die meisten Einwohner des Landes sind Rentner.
- C Die meisten Einwohner des Landes sind ungefähr 30 Jahre alt.

b) *Die Kosten für die Rentenversicherung steigen.*
- A Die Rentenversicherung wird leichter.
- B Die Rentenversicherung wird teurer.
- C Die Rentenversicherung wird billiger.

c) *Herr Meyer hat eine Pflegeversicherung.*
- A Herr Meyer wird von einer Versicherung gepflegt.
- B Herr Meyer hat eine Versicherung, die später seine Pflege bezahlt.
- C Herr Meyer hat eine private Krankenversicherung.

d) *Alte Menschen brauchen Pflege.*
- A Alte Menschen müssen versorgt werden.
- B Alte Menschen müssen verlassen werden.
- C Alte Menschen brauchen eine gute Versicherung.

e) *Alte Leute haben oft den Wunsch nach Ruhe.*
- A Alte Leute brauchen selten Ruhe.
- B Alte Leute wollen immer nur Ruhe.
- C Alte Leute möchten oft Ruhe haben.

f) *Die Industrie muss mehr Artikel für alte Menschen herstellen.*
- A Die Industrie muss mehr Altenheime bauen.
- B Die Industrie soll keine Artikel für junge Menschen mehr herstellen.
- C Die Industrie muss mehr Waren für alte Menschen produzieren.

Lektion 4

Nach Übung **10** im Kursbuch

12. Wie heißen die fehlenden Wörter?

Pflaster, Handwerker, Farbe, Regal, Seife, Bleistift, Werkzeug, Bürste, Zettel, Steckdose

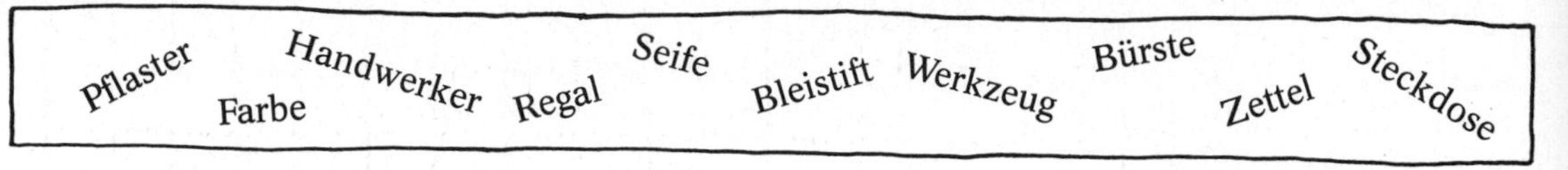

Heute will Herr Baumann endlich das ________(a) für die Küche bauen. Das ist nicht schwer für ihn, weil er ________(b) ist. Zuerst macht er einen Plan. Dazu braucht er einen ________(c) und einen ________(d). Dann holt er das Holz und das ________(e). Um die Teile zu schneiden braucht er Strom. Wo ist denn bloß eine ________(f)? Au! Jetzt hat er sich in den Finger geschnitten und braucht ein ________(g). Er ist fast fertig, nur die ________(h) fehlt noch. Das Regal soll grün werden. Zum Schluss ist Herr Baumann ganz schmutzig. Er geht zum Waschbecken, nimmt die ________(i) und eine ________(j) und wäscht sich die Hände.

Nach Übung **11** im Kursbuch

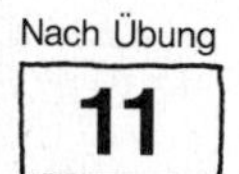

13. Was passt zusammen?

a) Auf dem Tisch liegt mein Füller.
b) Heute habe ich Zeit die Uhr zu reparieren.
c) Uli hat seinen Pullover bei uns vergessen.
d) Wir haben das Problem nicht verstanden.
e) Dein neues Haus ist sicher sehr schön.
f) Die Wörterbücher sind noch im Wohnzimmer.
g) Ich habe mir eine Kamera gekauft.
h) Das Fotobuch hat Maria sehr gut gefallen.

1. Erklärst du uns das bitte?
2. Gibst du ihn mir mal?
3. Holst du sie mir?
4. Kannst du mir die mal holen?
5. Schenken wir es ihr?
6. Soll ich dir die mal zeigen?
7. Soll ich ihm den schicken?
8. Wann willst du es uns zeigen?

a)	b)	c)	d)	e)	f)	g)	h)

Nach Übung **11** im Kursbuch

14. Wo steht das Pronomen?

a) Diese Suppe schmeckt toll. Kochst du ___–___ mir ___die___ auch mal? (die)
b) Das ist mein neuer Mantel. Meine Eltern haben ________ mir ________ geschenkt. (ihn)
c) Diese Frage ist sehr schwierig. Kannst du ________ Hans ________ vielleicht erklären? (sie)
d) Ich möchte heute abend ins Kino gehen, aber meine Eltern haben ________ mir ________ verboten. (das)
e) Diese Lampe nehme ich. Können Sie ________ mir ________ bitte einpacken? (sie)
f) Ich brauche die Streichhölzer. Gibst du ________ mir ________ mal? (die)
g) Wie findest du die Uhr? Willst du ________ deiner Freundin ________ nicht zum Geburtstag schenken? (sie)
h) Wir haben hier einen Brief in dänischer Sprache. Können Sie ________ uns ________ bitte übersetzen? (den)
i) Die Kinder wissen nicht, wie man den Fernseher anmacht. Zeigst du ________ ihnen ________ mal? (es)
j) Das sind französische Zigaretten. Ich habe ________ meinem Lehrer ________ aus Frankreich mitgebracht. (sie)

Nach Übung **11** im Kursbuch

15. Ihre Grammatik. Ergänzen Sie.

a) Können Sie mir bitte die Grammatik erklären?
b) Können Sie mir die Grammatik bitte genauer erklären?
c) Können Sie mir die bitte erklären?
d) Können Sie sie mir bitte erklären?
e) Ich habe meinem Bruder gestern mein neues Auto gezeigt.
f) Holst du mir bitte die Seife?
g) Ich suche dir gern deine Brille.
h) Ich bringe dir dein Werkzeug sofort.
i) Zeig mir das doch mal!
j) Ich zeige es dir gleich.
k) Geben Sie mir die Lampe jetzt?
l) Holen Sie sie sich doch!
m) Dann können Sie mir das Geld ja vielleicht schicken.
n) Diesen Mantel habe ich ihr vorige Woche gekauft.

	Vorfeld	Verb$_1$	Subjekt	Ergänzung			Angabe	Ergänzung	Verb$_2$
				Akkusativ (Personal-pronomen)	Dativ (Nomen/ Pers.-Pron.)	Akkusativ (Nomen/ Definit-Pron.)			
a)		Können	Sie		mir		bitte	die Grammatik	erklären?
b)									
c)									
d)									
e)									
f)									
g)									
h)									
i)									
j)									
k)									
l)									
m)									
n)									

Lektion 4

Nach Übung
12
im Kursbuch

16. Was hat Herr Schibilsky, Rentner, 66, gestern alles gemacht? Schreiben Sie.

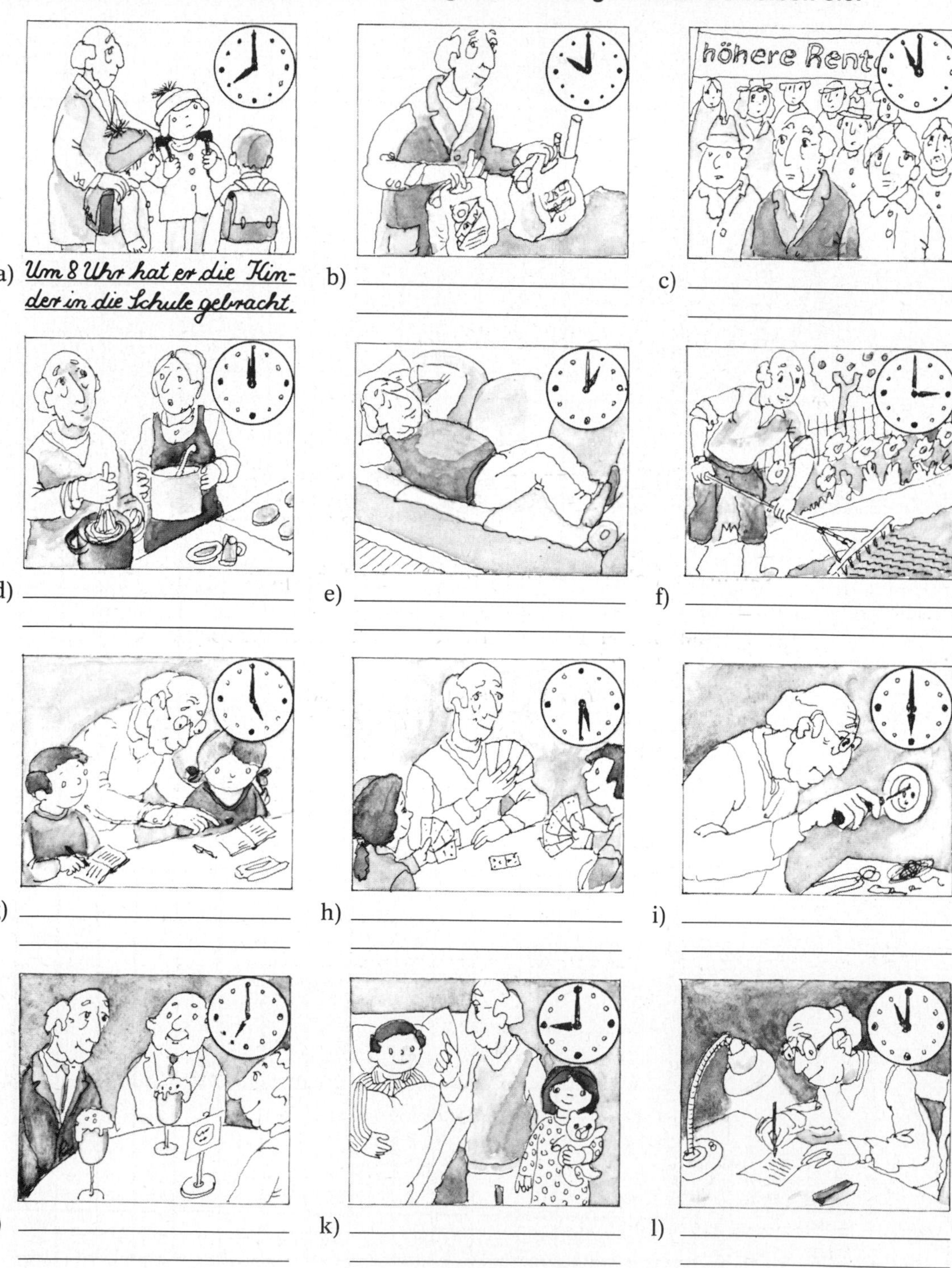

a) *Um 8 Uhr hat er die Kinder in die Schule gebracht.*

b) ______

c) ______

d) ______

e) ______

f) ______

g) ______

h) ______

i) ______

j) ______

k) ______

l) ______

17. Setzen Sie die Sätze ins Präteritum.

Nach Übung **14** im Kursbuch

a) Xaver hat immer nur Ilona geliebt.
Xaver liebte immer nur Ilona.

b) Das hat er seiner Frau auf einer Postkarte geschrieben.
c) Viele Männer haben ihr die Liebe versprochen.
d) Sie haben in ihrer Dreizimmerwohnung gesessen.
e) Sie haben ihre alten Liebesbriefe gelesen.
f) Mit 18 haben sie sich kennengelernt.
g) Xaver ist mit einem Freund vorbeigekommen.
h) Die Jungen haben zugehört, wie die Mädchen gesungen haben.
i) Dann haben sie sich zu ihnen gesetzt.
j) 1916 haben sie geheiratet.
k) Die Leute im Dorf haben über sie geredet.
l) Aber sie haben es verstanden.
m) Jeden Sonntag ist er in die Berge zum Wandern gegangen.
n) Sie hat gewusst, dass Mädchen dabei gewesen sind.
o) Darüber hat sie sich manchmal geärgert.
p) Sie hat ihn nie gefragt, ob er eine Freundin gehabt hat.

18. Ergänzen Sie: „erzählen", „reden", „sagen", „sprechen", „sich unterhalten".

Nach Übung **15** im Kursbuch

a) Der Großvater ________________ den Kindern oft Märchen.
b) ________________ du auch Englisch?
c) Gestern haben Karl und Elisabeth uns von ihrer Reise nach Ägypten ________________.
d) Karin hat Probleme in der Schule. Hast du dich schon mal mit ihr darüber ________________?
e) ________________ mir, was du jetzt machen willst!
f) Du ________________ immer soviel! Kannst du nicht mal einen Augenblick lang still sein?
g) Was haben Sie gerade zu ihrem Nachbarn ________________?
h) Die Situation ist sehr schlimm. Man kann von einer Katastrophe ________________.
i) Worüber wollen wir uns denn jetzt ________________?
j) Heinz ist Punk. Es ist klar, dass die Kollegen über ihn ________________.

19. Ergänzen Sie: „sich setzen", „sitzen", „stehen", „liegen".

Nach Übung **15** im Kursbuch

a) Mein Zimmer ist sehr niedrig. Man kann kaum darin ________________.
b) Bitte ________________ Sie sich doch!
c) Anja ________________ schon im Bett.
d) Ich ________________ nicht so gern im Sessel, sondern lieber auf einem Stuhl.
e) Potsdam ________________ bei Berlin.
f) Wo ________________ die Weinflasche denn?
g) Es gab keine Sitzplätze mehr im Theater. Deshalb mussten wir ________________.
h) Im Deutschkurs hat Angela sich zu mir ________________.
i) Im Restaurant habe ich neben Carlo ________________.
j) Deine Brille ________________ im Regal.

Lektion 4

Nach Übung **16** im Kursbuch

20. Sagen Sie es anders.

a) Sie hat ihn in der U-Bahn kennen gelernt, er hat sie in der U-Bahn kennen gelernt.
Sie haben sich in der U-Bahn kennen gelernt.

b) Ich liebe dich, du liebst mich.
c) Er besucht sie, sie besucht ihn.
d) Ich helfe ihnen, sie helfen mir.
e) Ich höre Sie, Sie hören mich.
f) Du brauchst ihn, er braucht dich.
g) Er mag sie, sie mag ihn.
h) Er hat ihr geschrieben, sie hat ihm geschrieben.
i) Ich sehe Sie bald, Sie sehen mich bald.
j) Er wünscht sich ein Auto, sie wünscht sich ein Auto.

Nach Übung **16** im Kursbuch

21. Sagen Sie es anders. Benutzen Sie „als“, „bevor“, „bis“, „während“, „weil“, „wenn“.

a) Bei Regen gehe ich nie aus dem Haus. *Wenn es regnet, gehe ich nie aus dem Haus.*
b) Vor seiner Heirat hat er viele Mädchen gekannt.
c) Wegen meiner Liebe zu dir schreibe ich dir jede Woche einen Brief.
d) Bei Schnee ist die Welt ganz weiß.
e) Es dauert noch ein bisschen bis zum Anfang des Films.
f) Bei seinem Tod haben alle geweint.
g) Während des Streiks der Kollegen habe ich gearbeitet.

Nach Übung **17** im Kursbuch

22. Sagen Sie es anders. Verbinden Sie die Sätze mit dem Relativpronomen.

a) Frau Heidenreich ist eine alte Dame. Sie war früher Lehrerin.
Frau Heidenreich ist eine alte Dame, die früher Lehrerin war.

b) Sie hat einen Verein gegründet. Dieser Verein vermittelt Leihgroßmütter.
c) Frau H. hat Freundinnen eingeladen. Den Freundinnen hat sie von ihrer Idee erzählt.
d) Die älteren Damen kommen in Familien. Diese Familien brauchen Hilfe.
e) Frau H. hat sich früher um ein kleines Mädchen gekümmert. Es lebte in der Nachbarschaft.
f) Eine Dame ist ganz zu einer Familie gezogen. Bei der Familie war sie vorher Leihgroßmutter.
g) Eine Dame kam in eine andere Familie. Diese Familie suchte nur jemanden für die Hausarbeit.
h) Es gibt viele alte Menschen. Ihnen fehlt eine richtige Familie.
i) Alle Leute brauchen einen Menschen. Für den Menschen können sie da sein.
j) Manchmal gibt es Probleme. Über die Probleme kann man aber in der Gruppe reden.

Nach Übung **17** im Kursbuch

23. Ergänzen Sie die Sätze.

a) Manche Leute arbeiten, obwohl ...
b) Frau Heidenreich hat einen Verein für Leihgroßmütter gegründet um ... zu ...
c) Herr Schulz hat sich immer einsam gefühlt. Deshalb...
d) Frau Meyer ist schon zum zweitenmal verwitwet. Trotzdem...
e) Wir können die alten Leute nicht ins Altersheim schicken, denn...
f) Herr Müller wohnt in einem Altersheim, aber...
g) Herr Bauer ist schon seit einem Jahr Rentner. Trotzdem...
h) Herr und Frau Dengler sind 65 Jahre verheiratet, und...

sich immer noch lieben
sich immer wieder Arbeit suchen
Familien ohne Großmutter helfen
noch einmal heiraten wollen
sich dort wohl fühlen
Rentner sein
zu uns gehören
eine Heiratsanzeige aufgeben

Lektion 5

Kernwortschatz

Verben

atmen 60
aufmachen 61
bauen 57
beschreiben 58
bleiben 57
einschlafen 60
essens 60
fallen 57
fehlen 57
heben 60
kommen 60
laufen 60
lesen 57
liegen 56
merken 60
mögen 62
nähen 60
nehmen 60
ordnen 56
schenken 62
schütten 60
sehen 56
springen 57
stehen 56
stellen 61
tragen 56
tun 61
verändern 56
wohnen 60
zählen 56

Nomen

r Abend, -e 61
s Alter 62
e Arbeiterin, -nen 61
r August 61
e Autorin, -nen 58
e Badewanne, -n 60
e Bank, ¨-e 60
e Bäuerin, -nen 59
s Bier, -e 56
e Blume, -n 56
s Blut 60
s Boot, -e 56
r Brief, ¨-e 56
s Brot, -e 60
e Brust, ¨-e 60
s Buch, ¨-er 58
r Dezember 59
s Ding, -e 60
e Erlaubnis 61
s Essen 60
r Fisch, -e 56
e Freude, -n 62
s Frühstück 62
r Garten, ¨- 58
s Gedicht, -e 56
s Gemüse 58
s Glas, ¨-er 56
s Gras 61
e Hand, ¨-e 56
e Hausfrau, -en 59
s Herz, -en 57
r Hund, -e 56
r Hunger 58
e Kartoffel, -n 60
e Katze, -n 58
s Lebensmittel, - 61
e Leute (Plural) 59
s Mehl 58
r Mensch, -en 56
e Milch 60
s Militär 59
e Nacht, ¨-e 59
r Name, -n 58
r Nationalsozialist, -en 61
r Nazi, -s 61
s Obst 58
r Raum, ¨-e 61
s Rezept, -e 58
r Roman, -e 58
r Satz, ¨-e 56
s Schwein, -e 60
r Soldat, -en 61
e Stadt, ¨-e 56
e Stunde, -en 56
e Suppe, -n 62
r Tipp, -s 58
r Titel, - 56
e Torte, -n 58
e Tür, -en 61
s Vieh 61
r Vogel, ¨- 56
e Wand, ¨-e 56
e Wolke, -n 56
r Zufall, ¨-e 62

Adjektive

amtlich 61
breit 56
bunt 56
einzig- 59
frisch 58
ganz 58
geboren 59
gerade 60
hart 60
häufig 62
krank 59
laut 56
müde 61
offiziell 58
sauer 62
tief 56
weiblich 60

Adverbien

anders 56
außerdem 58
daher 61
diesmal 58
dort 56
drinnen 60
gestern 56
hier 56
hin- 61
morgens 61
nun 61
schon 56
selbst 56
wieder 61
zusammen 61

Lektion 5

Funktionswörter

als 57	bis 60	nichts 61	unter 56
an 56	hinter 61	niemand 61	von 56
ander- 60	jemand 60	oder 56	wo 61
aus 58	nach 59	und 58	zu 56

Ausdrücke

fertig sein 60	Leid tun 56	nicht genug 60	nicht mehr 60

Kerngrammatik

Diese Lektion hat keinen spezifischen grammatikalischen Schwerpunkt.

Zu Lektion
1
Wiederholung

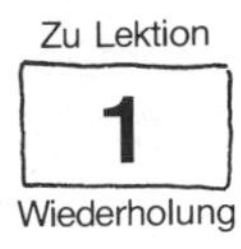

1. Wie heißen diese Dinge?

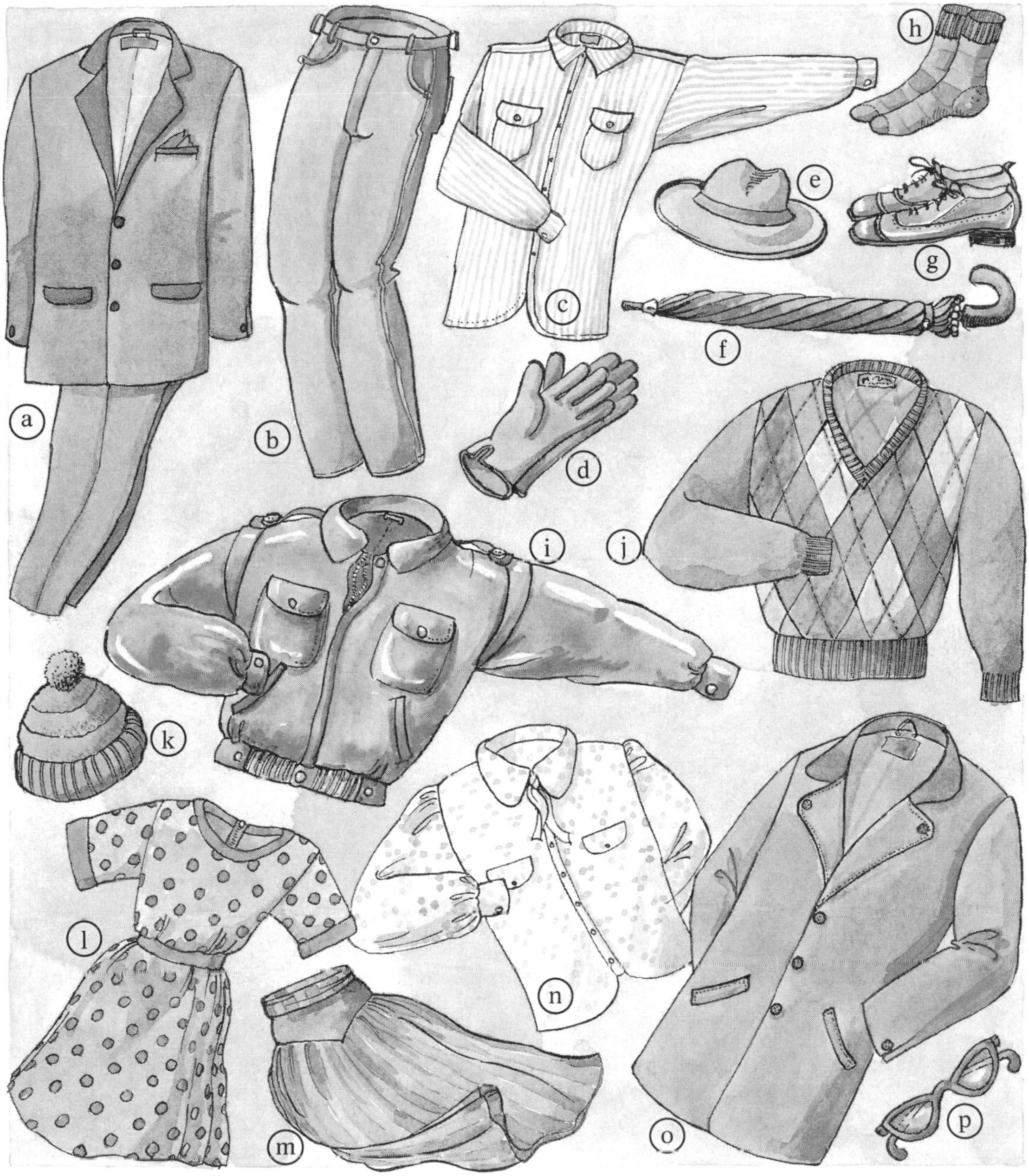

a) ______	e) ______	i) ______	m) ______
b) ______	f) ______	j) ______	n) ______
c) ______	g) ______	k) ______	o) ______
d) ______	h) ______	l) ______	p) ______

Lektion 5

Zu Lektion **1** Wiederholung

2. Wie sind die Menschen?

traurig vorsichtig pünktlich schmutzig ehrlich gefährlich
langweilig lustig neugierig dumm freundlich dick ruhig

a) Erich wiegt zuviel. Er ist zu ______________.
b) Viele Leute haben Angst vor Punks. Sie glauben, Punks sind ______________.
c) Meine kleine Tochter wäscht sich nicht gern. Sie ist meistens ______________.
d) Herr Berg kommt nie zu spät und nie zu früh. Er ist immer ______________.
e) Peter erzählt selbst sehr wenig, er hört lieber zu. Er ist ein sehr ______________ Mensch.
f) Jörg lacht selten. Meistens sieht er sehr ______________ aus.
g) Veronika fährt immer langsam und passt gut auf. Sie ist eine ______________ Autofahrerin.
h) Erich lügt nicht. Er ist immer ______________.
i) Die Gespräche mit Eva sind uninteressant und ______________. Ich könnte dabei manchmal einschlafen.
j) Über Bert haben wir schon oft gelacht. Alle finden ihn sehr ______________.
k) Holger will immer alles wissen. Er ist ziemlich ______________.
l) Susanne ist eine gute Kellnerin. Sie ist immer nett und ______________.
m) Kurt ist nicht sehr intelligent. Er ist ziemlich ______________.

Zu Lektion **1** Wiederholung

3. Ergänzen Sie.

a) Das weiß________ Hemd, die blau________ Hose und der grau________ Mantel passen gut zusammen.
b) Sie trägt eine rot________ Hose mit einer blau________ Bluse.
c) Ich mag keine schwarz________ Schuhe. Braun________ Schuhe gefallen mir besser.
d) Zieh einen warm________ Pullover an, draußen ist es ziemlich kalt.
e) Für die Hochzeit hat sie sich extra ein neu________ Kleid gekauft.
f) Bring bitte den schwarz________ Rock, das rot________ Kleid, die braun________ Hose und die weiß________ Blusen in die Reinigung.
g) Eine grün________ Bluse und ein blau________ Rock passen nicht zusammen.
h) In dem rot________ Rock mit der weiß________ Bluse sieht Irene sehr hübsch aus.
i) Mit diesem hässlich________ Kleid und mit den komisch________ Schuhen kannst du nicht zu der Feier gehen. Das ist unmöglich.
j) Ein rot________ Kleid mit schwarz________ Strümpfen sieht gut aus.
k) Gestern habe ich Sonja zum ersten Mal in einem hübsch________ Kleid gesehen. Sonst trägt sie immer nur Hosen.
l) Mit schmutzig________ Schuhen darfst du nicht in die Wohnung gehen.
m) Die schwarz________ Schuhe sind kaputt.
n) Ihr Mann trug eine grau________ Hose mit einem gelb________ Pullover.

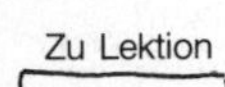

4. Was passt nicht?

Zu Lektion **2** Wiederholung

a) Chefin – Arbeitgeber – Kantine – Handwerker – Arbeiter – Beamtin – Arbeitnehmer – Kaufmann – Verkäuferin – Kollege – Soldat
b) Schulklasse – Studentin – Schüler – Lehrling – Lehrer
c) Gehalt – Lohn – Rente – Steuern – Stelle
d) Diplomprüfung – Examen – Ausbildung – Prüfung – Test
e) Betrieb – Job – Firma – Geschäft – Büro – Fabrik – Werk
f) Sprachkurs – Lehre – Studium – Ausbildung – Unterricht – Beruf
g) Grundschule – Universität – Gymnasium – Wissenschaft – Kindergarten

5. Sagen Sie es anders. Verwenden Sie Nebensätze mit „weil", „wenn" oder „obwohl".

Zu Lektion **2** Wiederholung

a) Gerda hat erst seit zwei Monaten ein Auto. Trotzdem ist sie schon eine gute Autofahrerin.
Obwohl Gerda erst seit zwei Wochen ein Auto hat, ist sie schon eine gute Autofahrerin.
b) Das Auto fährt nicht gut. Es war letzte Woche in der Werkstatt.
c) Ich fahre einen Kleinwagen, denn der braucht weniger Benzin.
d) In zwei Jahren verdient Doris mehr Geld. Dann kauft sie sich ein Auto.
e) Jens ist zu schnell gefahren. Deshalb hat die Polizei ihn angehalten.
f) Nächstes Jahr wird Andrea 18 Jahre alt. Dann möchte sie den Führerschein machen.
g) Thomas hat noch keinen Führerschein. Trotzdem fährt er schon Auto.

6. Was passt?

Zu Lektion **3** Wiederholung

Sendung – Zuschauer – Orchester – Maler – Fernseher – Kino – Bild/Zeichnung – Schauspieler – singen – Eintritt – Künstler

a) hören : Radio / sehen : ____________________
b) fotografieren : Foto / zeichnen : ____________________
c) Theater : Veranstaltung / Fernsehen : ____________________
d) tanzen : Tänzer / malen : ____________________
e) Fußball spielen : Mannschaft / Musik spielen : ____________________
f) Musik : spielen / Lied : ____________________
g) Konzert : Musiker / Film : ____________________
h) Theaterstück spielen : Schauspieler / Theaterstück sehen : ____________________
i) Handwerk : Handwerker / Kunst : ____________________
j) Oper, Konzert, Theaterstücke : im Theater / Filme : ____________________
k) Wohnung : Miete / Museum : ____________________

Lektion 5

Zu Lektion 3 Wiederholung

7. Sagen Sie es anders.

Erinnern Sie sich noch an Frau Bauer? Sie hat ihre Freundin Christa gefragt, was sie machen soll. Das sind Christas Antworten.

a) Er kann dir doch im Haushalt helfen. *Er könnte dir* ______________________
b) Back ihm doch keinen Kuchen mehr. *Ich würde ihm* ______________________

c) Kauf dir doch wieder ein Auto.
d) Er muss sich eine neue Stelle suchen.
e) Er soll sich neue Freunde suchen.
f) Ärgere dich doch nicht über ihn.
g) Er kann doch morgens spazieren gehen.
h) Sag ihm doch mal deine Meinung.
i) Er soll selbst einkaufen gehen.
j) Sprich doch mit ihm über euer Problem.

Zu Lektion 3 Wiederholung

8. Was passt wo? (Einige Ergänzungen passen zu verschiedenen Verben.)

von seiner Krankheit		für die schlechte Qualität		für eine Schiffsreise
vom Urlaub	mit der Schule	für den Brief	über ihren Hund	auf den Sommer
von seinem Bruder	mit der Untersuchung	um eine Zigarette		für meine Tochter
auf das Wochenende	auf den Urlaub	auf eine bessere Regierung		um Auskunft
mit dem Frühstück	um die Adresse	um eine Antwort		für die Verspätung
auf besseres Wetter	mit der Arbeit	von ihrem Unfall		über die Regierung
auf das Essen	für ein Haus	um Feuer	über den Sportverein	auf Sonne

a) sich ______________ ärgern
______________ aufregen
… unterhalten

b) ______________ … aufhören

c) ______________ … bitten

d) sich ______________ … entschuldigen

e) ______________ … sprechen
erzählen

f) sich ______________ … freuen

g) ______________ … hoffen

h) ______________ … sparen

Zu Lektion
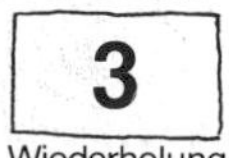
Wiederholung

9. In welchen Sätzen kann oder muss man „sich" ergänzen, in welchen nicht?

a) Sie hat ________ den Mantel ausgezogen.
b) Sie hat ________ die Wohnung aufgeräumt.
c) Sie hat ________ ein Steak gegessen.
d) Sie hat ________ ein Steak bestellt.
e) Sie hat ________ ein Auto geliehen.
f) Sie hat ________ das Fahrrad bezahlt.
g) Sie hat ________ die Zähne geputzt.
h) Sie hat ________ die Hände gewaschen.
i) Sie hat ________ den Termin vergessen.
j) Sie hat ________ an den Termin nicht erinnert.
k) Sie hat ________ einen Platz reservieren lassen.
l) Sie hat ________ das Auto noch nicht angemeldet.
m) Sie hat ________ für den Sprachkurs angemeldet.
n) Sie hat ________ ein gutes Essen gekocht.
o) Sie hat ________ schnell Deutsch gelernt.
p) Sie hat ________ eine Halskette gewünscht.
q) Sie hat ________ eine Zeitung gelesen.
r) Sie hat ________ eine Wohnung gemietet.

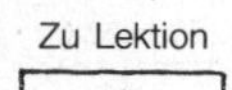

10. Was passt nicht?

Zu Lektion **4** Wiederholung

a) Die Arbeit ist *anstrengend – angenehm – arm – gefährlich – interessant.*
b) Ludwig arbeitet *selbständig – sozial – schnell – langsam – alleine.*
c) Die Fabrik produziert *Exporte – Autos – Waschmaschinen – Lastwagen – Kleidung.*
d) In der Firma werden *Lampen – Batterien – Glühbirnen – Spiegel – Jobs* hergestellt.

11. Wo passen die Wörter am besten?

Zu Lektion **4** Wiederholung

Wirtschaft	Handel	Besitzer	Geld	Energie	Arbeitnehmer	Auto	Industrie

a) Diesel – Benzin – Öl – Gas: ______
b) Import – Export – Kaufmann – verkaufen: ______
c) Fabrik – Technik – Maschinen – Arbeiter – produzieren: ______
d) Lohn – Gehalt – Rente – Steuern: ______
e) Handel – Industrie – Export – Import – kapitalistisch – Konkurrenz: ______
f) Job – Lohn – arbeiten – kündigen – streiken – arbeitslos: ______
g) Benzin – Motor – Bremse – Tankstelle – Werkstatt – Panne: ______
h) Chef – Arbeitgeber – reich – Firma – Fabrik: ______

12. Sagen Sie es anders.

Zu Lektion **4** Wiederholung

Man hat vergessen

a) das Auto zu waschen. *Das Auto wurde nicht gewaschen.*
b) das Fahrlicht zu reparieren. *Das Fahrlicht* ______
d) die Reifen zu wechseln. ______
d) den neuen Spiegel zu montieren. ______
c) die Handbremse zu prüfen. ______
f) die Sitze zu reinigen. ______
g) das Blech am Wagenboden zu schweißen. ______

13. Ergänzen Sie.

Zu Lektion **5** Wiederholung

sich unterhalten	kennenlernen	sich aufregen	sich streiten	heiraten
küssen	lügen	flirten	lieben	

a) Mann, Frau, Kirche, Ring: ______
b) Menschen, neu, sich vorstellen: ______
c) Problem, sich nicht verstehen, laut sprechen: ______
d) Menschen, Mund, Gesicht, sich mögen: ______
e) Menschen, sich sehr gern haben: ______
f) über etwas sprechen, Gespräch: ______
g) sich ärgern, laut sein, nervös sein, schimpfen: ______
h) nicht die Wahrheit sagen, nicht ehrlich sein: ______
i) Mann, Frau, sympathisch finden, anschauen, nett sein, sich unterhalten: ______

Lektion 5

Zu Lektion **5** Wiederholung

14. Ordnen Sie.

Tante Angestellte Ehemann Bekannte Tochter Bruder Vater Chef Opa Mutter Sohn Schwester Freundin Großmutter Kollegin Nachbar Eltern Onkel

verwandt	nicht verwandt
Mutter	

Zu Lektion

Wiederholung

15. Sagen Sie es anders. Verwenden Sie einen Infinitivsatz oder einen „dass"-Satz. Manchmal sind auch beide möglich.

a) Ski fahren kann man lernen. Versuch es doch mal! Es ist nicht schwierig.
Versuch doch mal Ski fahren zu lernen. Es ist nicht schwierig.

b) Im nächsten Sommer fahre ich wieder mit dir in die Türkei. Das verspreche ich dir.
c) Bei diesem Wetter willst du das Auto waschen? Das hat doch keinen Zweck.
d) Ich suche meinen Regenschirm. Kannst du mir dabei helfen?
e) Johanna und Albert haben viel zu früh geheiratet. Das ist meine Meinung.
f) Es schneit nicht mehr. Es hat aufgehört.
g) Ich möchte gerne ein bisschen Fahrrad fahren. Hast du Lust?
h) Heute gehe ich nicht schwimmen. Ich habe keine Zeit.
i) Du solltest weniger rauchen, finde ich.

Zu Lektion **6** Wiederholung

16. Ordnen Sie.

Katze Nebel Küste Rasen Park Wald Wolke Regen Schnee Kalb Hund Wind Pferd Gebirge See Sonne Schwein Hügel Insel Tal Vieh Eis Feld Strand Baum Fluss Berg Blume Fisch Klima Gras Huhn Ufer Vogel Kuh schneien regnen Gewitter Bach Meer

Tiere	Pflanzen	Landschaft	Wetter

17. Ergänzen Sie.

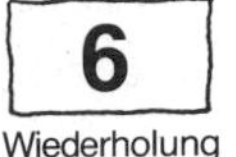

Zu Lektion 6 Wiederholung

a) Das ist meine Schwester, ________ jetzt in Afrika lebt.
b) Das ist das Haus, ________ ________ ich lange gewohnt habe.
c) Das ist mein Bruder Bernd, ________ ________ ich dir gestern erzählt habe.
d) Hier siehst du den alten VW, ________ ich zwölf Jahre gefahren habe.
e) Das ist der Mann, ________ ________ ich den ersten Kuss bekommen habe.
f) Das sind Freunde, ________ ________ ich vor zwei Jahren im Urlaub war.
g) Das sind die Nachbarn, ________ ________ Kinder ich manchmal aufpasse.
h) Und hier ist die Kirche, ________ ________ ich geheiratet habe.
i) Hier siehst du einen Bekannten, ________ ________ Schwester ich studiert habe.
j) Das ist die Tante, ________ alten Schrank ich bekommen habe.
k) Hier siehst du meine Großeltern, ________ jetzt im Altersheim wohnen.

18. Was passt nicht?

Zu Lektion 7 Wiederholung

a) *ausziehen:* den Mantel, aus der Wohnung, aus der Stadt, die Jacke
b) *beantragen:* einen Pass, ein Visum, einen Ausweis, eine Frage, eine Erlaubnis
c) *bestehen:* die Untersuchung, den Test, das Examen, die Prüfung, das Diplom
d) *fliegen:* in den Urlaub, nach Paris, mit einem kleinen Flugzeug, über den Wolken, mit dem Auto
e) *verstehen:* die Sprache, kein Wort, den Text, den Fernseher, das Problem, die Frage, Frau Behrens, den Film
f) *vorschlagen:* einen Plan, eine Lösung des Problems, eine Reise nach Berlin, eine Schwierigkeit, ein neues Gesetz
g) *reservieren:* das Gepäck, ein Hotelzimmer, einen Platz im Flugzeug, eine Theaterkarte
h) *packen:* den Koffer, eine Reisetasche, das Hemd in den Koffer, das Auto in die Garage

19. Ergänzen Sie.

Zu Lektion 7 Wiederholung

a) Hand : Seife / Zähne : ________________
b) Geschirr : spülen / Wäsche : ________________
c) Seife, Waschmittel, Zahnpasta, ... : Drogerie / Medikamente : ________________
d) Hände : waschen / Zähne : ________________
e) Auto : Benzin / Waschmaschine : ________________

f) Licht : Schalter / Feuer : ______________________
g) Fleisch braten : Pfanne / Suppe kochen : ______________________
h) einen Tag : Ausflug / mehrere Tage : ______________________
i) zwischen zwei Zimmern : Tür / zwischen zwei Staaten : ______________________
j) Montag bis Freitag : Arbeitstage / Samstag und Sonntag : ______________________
k) Hotel : Zimmer / Campingplatz : ______________________
l) Suppe : Löffel / Fleisch : ______________________ und Messer
m) Wörter : Lexikon / Telefonnummern : ______________________
n) klein : Dorf / groß : ______________________
o) sieben Tage : Woche / 365 Tage : ______________________
p) das eigene Land : Heimatland / das fremde Land : ______________________

Zu Lektion **7** Wiederholung

20. Ergänzen Sie die Fragesätze.

Birgits Freund Werner hatte einen Autounfall. Eine Freundin ruft sie an und möchte wissen, was passiert ist. Birgit weiß selbst noch nichts. Was sagt Birgit?

a) ○ Wurde Werner schwer verletzt?
   □ Ich weiß auch noch nicht, *ob er* ______________________
b) ○ Wie lange muss er im Krankenhaus bleiben?
   □ Der Arzt konnte mir nicht sagen, *wie lange* ______________________
c) ○ Wo ist der Unfall passiert?
   □ Ich habe noch nicht gefragt, ______________________
d) ○ War noch jemand im Auto?
   □ Ich kann dir nicht sagen, ______________________
e) ○ Wohin wollte er denn fahren?
   □ Er hat mir nicht erzählt, ______________________
f) ○ Ist der Wagen ganz kaputt?
   □ Ich weiß nicht, ______________________
g) ○ Kann man ihn schon besuchen?
   □ Ich habe den Arzt noch nicht gefragt, ______________________
h) ○ Bezahlt die Versicherung die Reparatur des Wagens?
   □ Ich habe die Versicherung noch nicht gefragt, ______________________

21. Welches Verb passt nicht?

Zu Lektion **8** Wiederholung

a) verlieren – fordern – streiken – verlangen – demonstrieren
b) erklären – erinnern – beschreiben – zeigen
c) diskutieren – sprechen – erzählen – sagen – lachen
d) kontrollieren – prüfen – kritisieren – testen – untersuchen
e) passieren – geschehen – los sein – hören
f) trinken – schreiben – lesen – hören – sprechen
g) stehen – liegen – hängen – schaffen – stellen – legen
h) schaffen – feiern – Erfolg haben – klappen – gewinnen
i) hören – sehen – fühlen – erinnern – schmecken
j) fehlen – weg sein – nicht da sein – finden
k) bringen – treffen – holen – nehmen
l) lachen – weinen – sterben – Spaß haben – traurig sein

22. Schlagzeilen aus der Presse. Ergänzen Sie die Präpositionen.

Zu Lektion **8** Wiederholung

zwischen – mit – unter – bei – gegen – durch – während – von … nach – von … bis – aus – über – seit – nach – in – auf – bis

a) Autobahn ______ das Rothaargebirge wird doch nicht gebaut
b) Ostern: Wieder viel Verkehr ______ unseren Straßen
c) 1000 Arbeiter ______ VW entlassen
d) U-Bahn ______ Bornum ______ List fertig: 40 000 fahren jetzt täglich ______ der Erde
e) ______ Bremen und Glasgow gibt es jetzt eine direkte Flugverbindung
f) Autobahn A 31 jetzt ______ Amsterdam fertig
g) Flüge ______ den Atlantik werden billiger
h) Lastwagen ______ Haus gefahren. Fahrer schwer verletzt ______ Krankenhaus
i) Theatergruppe ______ China zu Gast ______ Düsseldorf
j) Parken im Stadtzentrum ______ 9.00 ______ 18.00 Uhr jetzt ganz verboten
k) Halbe Preise bei der Bahn für Jugendliche ______ 25 und für Rentner ______ 60
l) Apotheker streiken: ______ der Feiertage kein Notdienst?
m) Stadt muss sparen: Weniger U-Bahnen ______ Mitternacht
n) Probleme in der Landwirtschaft: ______ fünf Wochen kein Regen
o) Der Sommer beginnt: ______ zwei Wochen öffnen die Schwimmbäder
p) Aktuelles Thema bei der Frauenärzte-Konferenz: ______ 40 Jahren noch ein Kind?
q) Stadtbibliothek noch ______ Montag geschlossen
r) Alkoholprobleme in den Betrieben: Viele trinken auch ______ der Arbeitszeit

Lektion 5

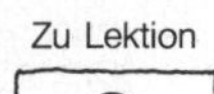

Zu Lektion 8 Wiederholung

23. Ergänzen Sie.

Katastrophe · Demokratie · Bürger · Krieg · Zukunft · Soldaten · Kabinett · Präsident · Partei · Gesetze · Nation

a) Volk, Bevölkerung : Bürger / Armee, Militär : ________________

b) Firma : Chef / Staat : ________________

c) Verein : Mitglieder / Staat : ________________

d) Sport : Verein / Politik : ________________

e) zwischen Menschen : Streit / zwischen Staaten : ________________

f) Fußballspieler : Mannschaft / Minister : ________________

g) wenige Menschen bestimmen : Diktatur / das Volk entscheidet : ________________

h) Spiel: Regel / Staat : ________________

i) Verwandte : Familie / Bürger : ________________

j) gestern : Geschichte / morgen : ________________

k) schlimm : Problem / besonders schlimm : ________________

Zu Lektion 9 Wiederholung

24. Was passt?

a) Kopf : denken / Herz : ________________

b) Bett : liegen / Stuhl : ________________

c) Brief : schreiben / Telefon : ________________

d) Sache : wissen / Person : ________________

e) Geschirr : spülen / Wäsche : ________________

f) Mund : sprechen / Ohr : ________________

g) Geschichte : erzählen / Lied : ________________

h) wissen : antworten / wissen wollen : ________________

i) traurig sein : weinen / sich freuen : ________________

j) sauber machen : putzen / Ordnung machen : ________________

Zu Lektion 9 Wiederholung

25. Ordnen Sie.

sich verbrennen · sich gewöhnen · sich interessieren · sich bewerben · sich unterhalten · sich begrüßen · sich erinnern · sich verstehen · sich beeilen · sich beschweren · sich schlagen · sich besuchen · sich treffen · sich anrufen · sich duschen · sich ärgern · sich anziehen · sich setzen · sich streiten · sich ausruhen · sich verabreden · sich einigen

man macht es allein	man macht es zusammen mit einer anderen Person

26. Ergänzen Sie die Pronomen.

Zu Lektion **9** Wiederholung

a) ○ Bernd, soll ich ___dir___ das Essen warm machen?
   □ Nein danke, ich mache ________ ________ selber warm.
b) ○ Kinder, soll ich ________ die Hände waschen?
   □ Nein, wir waschen ________ ________ selber.
c) ○ Kann deine Tochter ________ die Schuhe selber anziehen?
   □ Ja, sie kann ________ ________ selber anziehen, aber sie braucht dafür sehr viel Zeit. Deshalb ziehe ich ________ ________ meistens an. Das geht schneller.
d) ○ Frau Herbart, soll ich ________ Ihre Jacke bringen?
   □ Nein danke, ich hole ________ ________ selber.
e) ○ Mama, wir sind durstig. Kannst du ________ zwei Flaschen Saft geben?
   □ Nein, ihr müsst ________ ________ selber aus dem Kühlschrank holen.
f) ○ Haben Ines und Georg ________ dieses tolle Auto wirklich gekauft?
   □ Nein, es gehört nicht ihnen, sie haben ________ ________ geliehen.

27. Ergänzen Sie.

Zu Lektion **10** Wiederholung

weiblich	Gemüse	drinnen	springen	Badewanne	Hunger	Autor	Monate
	Titel			Gras	Boot	Vieh	
Wolke	nähen	Geburt	zählen	atmen	schütten	Soldat	Rezept

a) Mensch : Name / Buch : ________
b) Straße : Auto / Fluss : ________
c) 6 + 5 = 11 : rechnen / 1, 2, 3, 4, 5, … : ________
d) trinken : Durst / essen : ________
e) Ende : Tod / Anfang : ________
f) Haus : bauen / Kleider : ________
g) Saft, Wasser, Wein : gießen / Zucker, Mehl, Salz : ________
h) im Garten : draußen / im Haus : ________
i) Mann : männlich / Frau : ________
j) schwimmen und baden : Schwimmbad / sich baden und waschen : ________
k) 2 Kilometer, 2 Stunden : gehen / 6 Meter weit, 2 Meter hoch : ________
l) Straße : Stein / Wiese : ________
m) Wasser : trinken / Luft : ________
n) Haus bauen : Bauplan / kochen : ________
o) im Haus, in der Wohnung : Haustiere / im Stall auf dem Bauernhof : ________
p) Bild, Zeichnung : Maler / Roman, Gedicht : ________
q) Feuer : Rauch / Regen : ________
r) Apfel : Obst / Gurke : ________
s) Dienstag, Donnerstag : Tage / August, Dezember : ________
t) Polizei : Polizist / Militär : ________

Lektion 5

Zu Lektion **10** Wiederholung

28. Ordnen Sie.

a) Ort und Raum

auf der Brücke — über unserer Wohnung — aus Berlin — oben — neben der Schule — nach Italien — dort — draußen — drinnen — gegen den Stein — vom Einkaufen — hinter der Tür — nach links — bei Dresden — aus der Schule — bei Frau Etzard — rechts im Schrank — im Restaurant — unten — ins Hotel — aus dem Kino — hier — zwischen der Kirche und der Schule — aus dem Haus — zu Herrn Berger — vor dem Haus — am Anfang der Straße — vom Arzt — bis zur Kreuzung — von der Freundin

wo?	woher?	wohin?

b) Zeit

bald — damals — danach — dann — dauernd — am folgenden Tag — in der Nacht — schon drei Wochen — früher — gestern — gleich — um halb acht — heute — immer — häufig — irgendwann — oft — am letzten Montag — manchmal — eine Woche lang — im nächsten Jahr — meistens — morgens — jetzt — regelmäßig — seit gestern — selten — sofort — später — ständig — täglich — jeden Abend — letzte Woche — vorher — während der Arbeit — zuerst — zuletzt — dienstags — den ganzen Tag — sechs Stunden — vor dem Mittagessen — bis morgen

wann?	wie lange (schon/noch)?	wie häufig?

Zu Lektion **10** Wiederholung

29. Was passt am besten?

Glas — Tip — laufen — frisch — tief — krank — breit — hart — Milch — einschlafen — oder — müde — Wand — schenken — selbst — Brot — geboren — Satz

a) schmal – ______	g) Flasche – ______	m) Käse – ______
b) hoch – ______	h) alt – ______	n) Mehl – ______
c) und – ______	i) Rat – ______	o) aufwachen – ______
d) Mauer – ______	j) gestorben – ______	p) stehen – ______
e) allein – ______	k) gesund – ______	q) schlafen – ______
f) Wort – ______	l) weich – ______	r) Geburtstag – ______

Lektion 6

Kernwortschatz

Verben

ausziehen 69
bauen 67
behaupten 70
beweisen 70
erkundigen 70
erscheinen 73
existieren 71
fahren 67
kündigen 70
mieten 71
mitteilen 71
packen 75
radfahren 67
reparieren 71
schwer machen 74
streichen 71
suchen 70
umziehen 70
wohnen 67
zusammengehören 75

Nomen

r Altbau, -ten 67
e Aussicht 67
r Balkon, -s 71
r Baum, ¨e 67
r Besitzer, - 70
e Birne, -n 71
r Blick 68
s Boot, -e 67
e Brücke, -n 67
r Dialekt, -e 75
s Dorf, ¨er 67
e Ecke, -n 67
s Eigentum 68
e Entfernung, -en 67
s Feld, -er 67
r Fluss, ¨e 67
r Garten, ¨ 67
e Gegend, -en 67
s Gesetz, -e 70
Großeltern (Plural) 75
e Hälfte, -n 72
s Haus, ¨er 67
e Heimat 75
e Heizung, -en 71
r Herbst 72
s Hochhaus, ¨er 67
r Hof, ¨e 67
e Insel, -n 68
e Jugend 75
r Komfort 68
r Kreis, -e 75
e Kreuzung, -en 71
e Kultur, -en 75
e Lage, -n 71
e Lampe, -n 71
s Leder 72
r Lift, -s 68
s Loch, ¨er 71
r Makler, - 71
e Maurer, -n 67
s Meer, -e 70
r Mietvertrag, ¨e 70
r Misthaufen, - 67
s Möbel, - 72
r Neubau, -ten 67
r Ofen, ¨ 71
r Park, -s 67
r Raum, ¨e 70
s Recht, -e 70
s Regal, -e 72
r Schirm, -e 67
r Schrank, ¨e 72
e Schwierigkeit, -en 70
e Sonne, -n 67
r Strand, ¨e 67
s Tal, ¨er 68
e Tür, -en 71
r Turm, ¨e 67
r Untermieter, - 70
r Vermieter, - 70
s Vieh 67
r Vorort, -e 67
r Wald, ¨er 67
e Wand, ¨e 72
e Wärme 75
r Weg, -e 67
e Wiese, -n 67
r Wohnort, -e 75
e Wohnung, -en 70
r Wohnwagen, - 68
s Zentrum, Zentren 69
s Zimmer, - 71
r Zustand, ¨e 71

Adjektive

bequem 72
beschädigt 71
breit 72
dicht 71
direkt 67
frei 71
gemütlich 74
herrlich 67
hoch 67
kaputt 71
lebendig 74
leicht 75
meist- 72
möbliert 70
nahe 67
offen 68
schief 71
traurig 74
vergangen 72

Adverbien

links 74
mitten 68
nebenan 67
nirgends 68
rechts 74

Funktionswörter

aufgrund 72
außerhalb 67
dabei 72
davor 68
entlang 67
gegenüber 67
innerhalb 67
vorbei 67

Ausdruck

noch lange nicht 75

Lektion 6

Kerngrammatik

Zusammengesetzte Nomen (§ 1a und 1b)

Nomen + Nomen:
der Berggipfel
die Parkbank
das Gartentor

Nomen + n + Nomen
der Sonnenschirm
der Bauernhof
die Blumenwiese

Nomen + s + Nomen
der Meeresstrand
der Aussichtsturm

Nomen ohne e + Nomen
der Kirchturm

Verb und Nomen (§ 1c)

Verbstamm + Nomen
das Wohnhaus
das Fahrrad
das Surfbrett
der Wanderweg
das Paddelboot
das Ruderboot

Verbstamm + e + Nomen
der Badestrand
die Haltestelle
die Anlegestelle

Präpositionen in Ortsangaben (§ 15)

mit Akkusativ:

um quer durch	den die das	…

um	den die das	… herum

mit Genitiv:

außerhalb innerhalb	des der des	…

mit Dativ:

gegenüber	dem der dem	…

entlang nahe bei ab	dem der dem	…

am an der	…	vorbei entlang

Konjunktiv II (§ 24)

ich	hätte	wäre	könnte	müsste	käme	gäbe	sähe
du	hättest	wärest	könntest	müsstest	kämest	gäbest	sähest
er	hätte	wäre	könnte	müsste	käme	gäbe	sähe
wir	hätten	wären	könnten	müssten	kämen	gäben	sähen
ihr	hättet	wärt	könntet	müsstet	kämt	gäbt	sähet
sie	hätten	wären	könnten	müssten	kämen	gäben	sähen

Passiv mit Modalverb (§ 27d)

Die Wand muss noch diese Woche tapeziert werden.
Die Fenster müssen sofort gestrichen werden.
Das Dach kann nicht mehr repariert werden.
Der Teppich sollte unbedingt erneuert werden.

Nach Übung **1** im Kursbuch

1. Zusammengesetzte Nomen.

A. Setzen Sie zuerst die Artikel ein. Bilden Sie dann zusammengesetzte Nomen.

a) großer Platz; Abfall sammeln: *die* *Müll*deponie
b) ganz oben; klettern; weiter Blick: *der* ____gipfel
c) blühen; Gras, Pflanzen: ____ ____wiese
d) Gipfel; nicht laufen, sondern fahren: ____ ____bahn
e) sitzen; Wege; Rasen, Bäume, Pflanzen: ____ ____bank
f) Rasen; Eingang; Grenze: ____ ____tor
g) Früchte; wachsen; Blätter; Holz: ____ ____baum
h) Strom produzieren; Fluss: ____ ____kraftwerk
i) über Fluss / Tal / Straße fahren; schnell: ____ ____bahn
j) schönes Wetter; heiß; draußen sitzen: ____ ____schirm
k) Tiere; Landwirt; Haus: ____ ____hof
l) Wasser; Sand; flaches Ufer: ____ ____strand
m) Gebäudeteil; hoch; Glocken; Uhr: ____ ____turm
n) gut und weit sehen; hoch; Gebäude: ____ ____turm
o) Kinder; Pause; spielen; Schule: ____ ____hof
p) keine Autos; laufen; Natur; Wald: ____ ____weg
q) im Sommer; Wasser; Sand; Sonne; liegen: ____ ____strand
r) Schiff; Haltestelle: ____ ____stelle
s) segeln; kein Boot: ____ ____brett
t) Bus; stoppen: ____ ____stelle
u) Schiff; kein Motor; nicht segeln: ____ ____boot

Aussichts, Berg, Bauern, Blumen, Auto, Garten, Kirch, ~~Müll~~, Meeres, Obst, Berg, Sonnen, Park, Schul, Wasser

anlegen, surfen, wandern, baden, rudern, halten

B. Ordnen Sie die Nomen.

a) Nomen + Nomen

die Mülldeponie

b) Nomen + „-n-“ / „-en-“ + Nomen

der Sonnenschirm

c) Nomen + „-s-“ / „-es-“ + Nomen

der Meeresstrand

d) Nomen ohne „-e“ am Ende + Nomen

der Kirchturm

e) Verbstamm + Nomen

der Wanderweg

f) Verbstamm + „-e-“ + Nomen

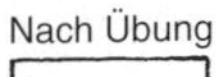

der Badestrand

Lektion 6

Nach Übung **1** im Kursbuch

2. Ergänzen Sie mit dem Artikel und dem Nomen.

a) Obst, das von selbst vom Baum auf die Erde gefallen ist: _____ Fall_____
b) Blume, die so gelb wie Butter ist: _____ Butter_____
c) Müll, den die Industrie verursacht hat: _____ Industrie_____
d) Meer, das hoch im Norden liegt: _____ Eis_____
e) Kleine Kirche, die in einem Dorf steht: _____ Dorf_____
f) Platz in der Mitte eines Dorfes: _____ Dorf_____
g) Blume, die in einer Wiese wächst: _____ Wiesen_____
h) Dach auf einem Kirchturm: _____ Kirchturm_____
i) Große Menge von Müll: _____ Müll_____
j) Insel, auf der man gut Ferien machen kann: _____ Ferien_____
k) Ufer eines Flusses: _____ Fluss_____
l) Brücke an einer Staatsgrenze: _____ Grenz_____
m) Dach, das vor der Sonne schützen soll: _____ Sonnen_____
n) Insel, wo immer die Sonne scheint: _____ Sonnen_____
o) Gemüse, das im Frühling gewachsen ist: _____ Frühlings_____
p) Die Person, die neben jemandem auf einer Bank sitzt: _____ Bank_____
_____ Bank_____

Nach Übung **2** im Kursbuch

3. Ergänzen Sie die Präpositionen und Definitartikel.

an	auf	durch	in	über	um	unter	zu

a) *auf den* Berggipfel steigen
b) *auf dem* Gipfel eine Pause machen
c) _____ Haltestelle warten
d) _____ Haltestelle gehen
e) _____ Haltestelle vorbeifahren
f) _____ Wald spazieren gehen
g) _____ Wald nach Hause fahren
h) _____ Fluß baden
i) _____ Fluß entlanggehen
j) _____ Brücke fahren
k) _____ Sonnenschirm liegen
l) _____ Strand liegen und sich sonnen
m) _____ Insel wohnen
n) _____ Insel herum segeln
o) _____ Hauptstraße auf die andere Seite gehen
p) _____ Hauptstraße parken
q) _____ Hauptstraße wohnen
r) _____ Marktplatz gehen
s) _____ Marktplatz spielen
t) _____ Marktplatz wohnen
u) _____ Marktplatz auf die andere Seite gehen
v) _____ Marktplatz herumgehen

Nach Übung

im Kursbuch

4. Ergänzen Sie.

a) im Garten : der Rasen / in der Natur: _____
b) klein : der Bach / groß: _____
c) Bohnen, Erbsen, Kohl : das Gemüse / Äpfel, Kirschen, Orangen: _____
d) im Haus : die Tür / im Garten, im Hof: _____
e) groß : das Schiff / klein: _____
f) Kälte : der Mantel / Regen: _____

g) Menschen : das Haus / Vieh: ______
h) Stein : die Mauer / Holz, Metall: ______
i) Bauernhof : die Felder / zu Hause: ______
j) Arbeiter : die Fabrik / Bauer: ______
k) Müll : die Deponie / Mist: ______
l) klein : der Hügel / groß: ______
m) Auto fahren : die Straße / wandern: ______
n) nachts : der Mond / am Tag: ______
o) Erdbeeren : die Pflanze / Äpfel: ______
p) Bahnhof : die Bahn / Haltestelle: ______

5. Schreiben Sie zehn Sätze zur Zeichnung auf Seite 66 im Kursbuch.

Nach Übung **2** im Kursbuch

Zum Beispiel:

a) *Auf dem Berg steht ein Aussichtsturm.*
b) *Neben der Kirche ...*
c) ______
d) ______
e) ______
f) ______
g) ______
h) ______
i) ______
j) ______
k) ______

(Zu dieser Übung finden Sie im Schlüssel keine Lösung. Sie können Ihre Lehrerin oder Ihren Lehrer bitten, die Sätze zu lesen und zu korrigieren.)

6. Wiederholung: Perfekt. Was haben Sie heute gemacht?

Nach Übung **2** im Kursbuch

a) sich sonnen – am Strand — *Ich habe mich am Strand gesonnt.*
b) spazieren gehen – im Park — *Ich bin ...*
c) steigen – auf den Aussichtsturm ______
d) angeln – am See ______
e) rudern – auf dem Meer ______
f) Obst pflücken – im Garten ______
g) Sandburg bauen – am Strand ______

h) fahren –
am Fluß entlang ______________________
i) baden –
im Meer ______________________
j) jemanden kennen lernen –
am Strand ______________________
k) sich duschen –
im Schwimmbad ______________________
l) Geld finden –
auf der Straße ______________________
m) frühstücken –
im Café ______________________
n) schreiben –
einen Brief nach Hause ______________________
o) fotografieren –
im Museum ______________________
p) sich einen Film ansehen –
im Kino ______________________
q) parken –
vor dem Hotel ______________________
r) sich ausruhen –
im Hotelzimmer ______________________

Nach Übung 3 im Kursbuch

7. Ergänzen Sie die Sätze mit den folgenden Wörtern.

entlang	innerhalb	außerhalb	um … herum	nebenan	gegenüber	um

a) Wir wohnen nicht in der Stadt.
Wir wohnen ______________.
b) Meine Eltern wohnen im nächsten Haus.
Sie wohnen ______________.
c) Nachts gehe ich nicht gern durch den Park; da ist es mir zu dunkel.
Ich gehe nachts lieber ________ den Park ______________.
d) Etwa in der Mitte des Parks liegt ein See.
Der See liegt ______________ des Parks.
e) Wir laufen jetzt schon zwei Stunden auf dieser Straße!
Wir laufen jetzt schon zwei Stunden diese Straße ______________!
f) Die Post ist auf der anderen Seite der Straße.
Die Post ist ______________.
g) Vor, hinter und neben der Kirche stehen Bäume.
________ die Kirche stehen viele Bäume.

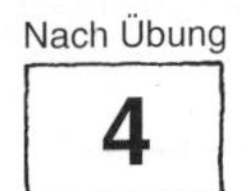

8. Wiederholung: Attributives Adjektiv. Ergänzen Sie die Endungen.

→ Arbeitsbuch 1: Seiten 128–130

Nach Übung **4** im Kursbuch

Nicht alle Menschen wohnen in Häusern.

a) Ich habe ein hübsch___ Haus in der Stadt, aber meistens lebe ich auf einem groß___ Schiff. Das gehört mir. Auf dem Schiff ist eine komplett___ Wohnung: ein toll___ Wohnzimmer mit Blick über das ganze Schiff, ein klein___ Schlafzimmer und eine modern___ Küche. Sogar ein richtig___ Bad mit warm___ Wasser gibt es auf dem Schiff.

b) Ich habe fast jeden Tag einen neu___ Schlafplatz. Wenn gut___ Wetter ist, suche ich mir eine bequem___ Bank in einem schön___ Park oder auf einem ruhig___ Friedhof. Bei schlecht___ Wetter schlafe ich im Sommer unter einer groß___ Flußbrücke. In kalt___ Winternächten kann man draußen nicht schlafen. Dann muss ich in ein Wohnheim gehen. Dort gefällt es mir eigentlich nicht, aber es gibt ein warm___ Zimmer und warm___ Essen.

c) Mein Haus ist ein elf Meter lang___ Wohnwagen. Er hat ein gemütlich___ Wohnzimmer, ein separat___ Schlafzimmer und eine klein___ Küche mit fließend___ warm___ Wasser. In einem speziell___ Wagen haben wir ein klein___ Bad mit einer normal___ Dusche und einer normal___ Toilette. Sogar eine modern___ Waschmaschine ist in dem Wagen.

9. Ihre Grammatik.

Nach Übung **4** im Kursbuch

Unregelmäßige Verben haben Konjunktiv II-Formen, die den Formen des Prätertums sehr ähnlich sind. Beachten Sie also genau die Unterschiede:

Infinitiv	*Präteritum:* er ...	*Konjunktiv II:* er ...
rufen	rief	riefe
treffen	traf	träfe

A. Ergänzen Sie die Tabelle.

	kommen	treffen	bleiben	gehen	stehen
ich	*kam* *käme*				*stand* *stände / stünde*
du	*kamst* *kämst*				
er, sie es, man	*kam* *käme*				
wir	*kamen* *kämen*				
ihr	*kamt* *kämt*				
sie, Sie	*kamen* *kämen*				

B. Schreiben Sie die Formen für „er“ / „sie“ / „es“.

a) nehmen *nahm* ______ *nähme* ______
b) schlafen ______ ______
c) bringen ______ ______
d) denken ______ ______
e) fahren ______ ______
f) fliegen ______ ______
g) laufen ______ ______
h) liegen ______ ______
i) tragen ______ ______
j) stehen ______ ______
k) geben ______ ______
l) behalten ______ ______

Nach Übung **4** im Kursbuch

10. Was wünscht sich der Mann? Schreiben Sie.

In der Alltagssprache verwendet man statt des Konjunktivs II meistens die Form *„würde“ + Infinitiv*. Nur bei einigen unregelmäßigen Verben werden die eigentlichen Formen des Konjunktiv II manchmal gebraucht. Der Konjunktiv II der Verben „sein“ und „haben“ wird nie mit *„würde“ + Inifinitiv* umschrieben.

Ich wünschte mir, …

a) *sie käme immer pünktlich.* ______ (immer pünktlich kommen)
b) *sie* ______ (mich jeden Tag anrufen)
c) ______ (öfter mit mir ausgehen)
d) ______ (weniger Geld für ihr Auto ausgeben)
e) ______ (mir jede Woche einen Brief schreiben)
f) ______ (öfter mit mir spazieren gehen)
g) ______ (jeden Tag vorbeikommen)
h) ______ (immer mit mir zusammenbleiben)
i) ______ (mich nie allein lassen)
j) ______ (morgens früher aufstehen)
k) ______ (ein Kind bekommen)
l) ______ (mich attraktiv finden)
m) ______ (sich nicht mit anderen Männern treffen)
n) ______ (meine Probleme verstehen)
o) ______ (anderen Männern nicht so gut gefallen)
p) ______ (mehr Zeit für mich haben)
q) ______ (etwas freundlicher sein)

Nach Übung **4** im Kursbuch

11. Ergänzen Sie.

→ Kursbuch 1: Seiten 163 und 167; Arbeitsbuch 1: Übung 24 auf Seite 157

können	dürfen	müssen	sein	haben

Wohnen in einem modernen Hochhaus. Was wäre gut? Was wäre nicht so gut?

a) Man ______ eine herrliche Aussicht. Man ______ sehr weit sehen.
b) Man ______ keine großen Hunde haben.
c) Man ______ immer ruhig sein, weil noch viele andere Leute im Haus wohnen.

d) Man __________ viel Komfort, z. B. eine Tiefgarage, ein Schwimmbad auf dem Dach, Zentralheizung und immer warmes Wasser.
e) Man __________ immer lange auf den Aufzug warten.
f) Man __________ keinen Garten, sondern nur einen Balkon.
g) Man __________ vielleicht oft allein, weil die Atmosphäre in einem Hochhaus meistens sehr unpersönlich ist.
h) Man __________ keinen Lärm machen, weil das die Nachbarn stören würde.
i) Man __________ keinen Hausflur putzen, weil es in Hochhäusern einen Hausmeister gibt.

12. Ergänzen Sie.

Nach Übung 5 im Kursbuch

~~auf~~ darauf vor neben davor daneben unter darunter hinter dahinter darauf

Das kleine Haus *auf* ______ der Wiese ist unser Haus. Der Turm ________ ist ein alter Wasserturm. Die Garage habe ich letztes Jahr angebaut; rechts ________ ist immer noch der Misthaufen (eines unserer Hühner spaziert gerade ________ herum), und ________ dem Misthaufen steht unser Apfelbaum. Wenn du genau hinsiehst, dann kannst du sogar sehen, dass ein Amselpärchen ________ ein Nest gebaut hat.
Links ________ unserem Haus habe ich den großen Sonnenschirm aufgestellt. Der Mann, der ________ sitzt und Zeitung liest, bin ich! ________ mir steht der Tisch, den du mir geschenkt hast, und das dunkle Ding ________ dem Tisch ist unsere Katze. Mein Gartenhaus kannst du leider nicht sehen, denn die Garage steht genau ________. ...

Lektion 6

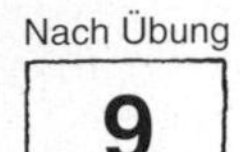

Nach Übung **9** im Kursbuch

13. Schreiben Sie einen Dialog.

Hallo, Carlo, was ist denn passiert? Du siehst ja so traurig aus!

Na ja, ich muss schon wieder umziehen.

Du weißt doch, was das Gesetz sagt: Wenn der Vermieter das Zimmer für sich oder seine Familie braucht, kann er dem Mieter kündigen.

Kannst du nichts dagegen machen?

Mein Vermieter braucht das Zimmer für seinen Sohn, sagt er. Deshalb hat er mir gekündigt.

Was? Du wohnst doch erst seit sechs Monaten in deinem neuen Zimmer!

Das weiß ich auch nicht. Informiere dich doch mal beim Mieterverein. Der kann dir vielleicht helfen.

Aber das wusste er doch bestimmt schon vor einem halben Jahr. Das hätte er dir sagen müssen, dass du nur so kurz bei ihm wohnen kannst!

Das finde ich auch. Aber hilft mir das, wenn ich es nicht beweisen kann?

Hallo, Carlo, was ist ___

Nach Übung **11** im Kursbuch

14. Sagen Sie es anders.

Man kann den Vertrag innerhalb eines Monats kündigen.

Der Vertrag kann innerhalb eines Monats gekündigt werden.

a) Man sollte den Vertrag vorher genau prüfen.
b) Man darf in der Wohnung keine laute Musik machen.
c) Man muss den Vermieter informieren.
d) Man muss das Wohnzimmer renovieren.
e) Man kann die Wohnung sofort mieten.
f) Man darf die Türen nicht streichen.
g) Man sollte die Miete pünktlich zahlen.
h) Man muss die Wände neu streichen.
i) Das muss man beweisen.

15. Wiederholung: Nomen zum Thema Wohnen.

Nach Übung **11** im Kursbuch

1 2 3 SOFA 4 5 6 7 8 9 10 11 12 13 14

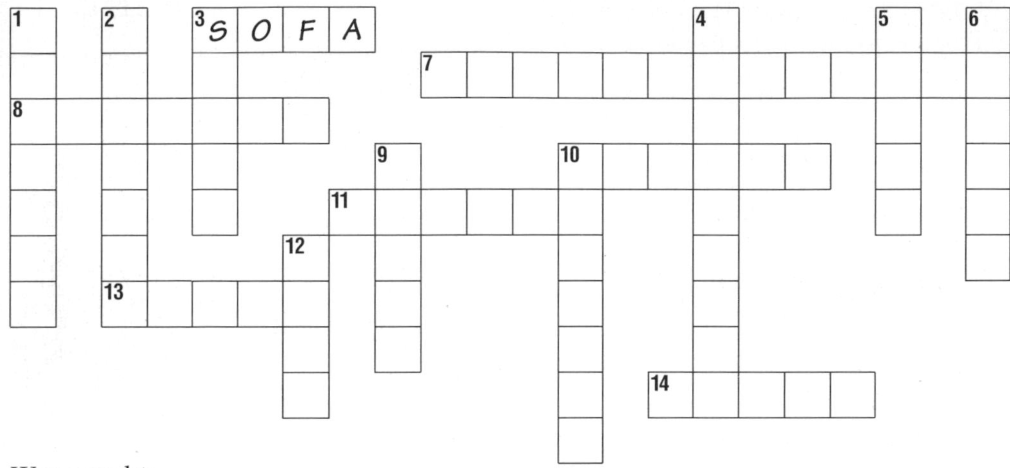

Waagerecht:
3 Darauf kann man zusammen mit anderen sitzen: das *Sofa* **7** Darin werden schmutzige Kleider sauber: die ______ **8** Damit wird die Wohnung auch im Winter gemütlich: die ______ **10** Damit bekleidet man eine Wand: die ______ **11** Darin wird man im Stehen sauber: die ______ **13** Damit kann man die Nacht zum Tag machen: die ______ **14** Darin hat man nicht nur seine Bücher: das ______

Senkrecht:
1 Darin bleiben saubere Kleider sauber: der ______ **2** Darin kann man sehen, wie gut man aussieht: der ______ **3** Darauf sitzt man beim Essen: der ______ **4** Darin wird man im Liegen sauber: die ______ **5** Daran sitzt man beim Essen: der ______ **6** Darin kann man besonders bequem sitzen: der ______ **9** Wenn dieses Wort vor 1 senkrecht steht, bleiben darin Lebensmittel länger frisch („Ü"=„UE"): der ______... **10** Darauf kann man ganz leise gehen: der ______ **12** Darin wacht man morgens auf: das ______

16. Fragen an einen Makler. Was passt zusammen?

Nach Übung **11** im Kursbuch

a) Hat die Wohnung einen Balkon?
b) Ist das Haus alt?
c) Ist die Wohnung möbliert?
d) Ab wann könnte ich die Wohnung mieten?
e) Sind die Tapeten neu?
f) Liegt das Haus im Zentrum?
g) Wohnt der Besitzer auch im Haus?
h) Bietet die Wohnung einen schönen Ausblick?
i) In welchem Stockwerk liegt die Wohnung?

1. Ja, aber er ist sehr nett.
2. Nein, die Wände müssen frisch gestrichen werden.
3. Im vierten. Aber es gibt einen Lift.
4. Nein, aber Sie dürfen den Garten benutzen,
5. Nein, in einem Vorort.
6. Sie wird in vier Wochen frei.
7. Nein, es ist ein Neubau.
8. Oh ja; Sie können die Berge sehen.
9. Nein, aber die Küche ist komplett mit Kühlschrank und Herd.

Lektion 6

Nach Übung **11** im Kursbuch

17. Wiederholung: Nomen. Notieren Sie die Nomen mit Artikel.

a) der Schalter
b) ____ ________
c) ____ ________
d) ____ ________
e) ____ ________
f) ____ ________
g) ____ ________
h) ____ ________
i) ____ ________
j) ____ ________
k) ____ ________
l) ____ ________
m) ____ ________
n) ____ ________
o) ____ ________

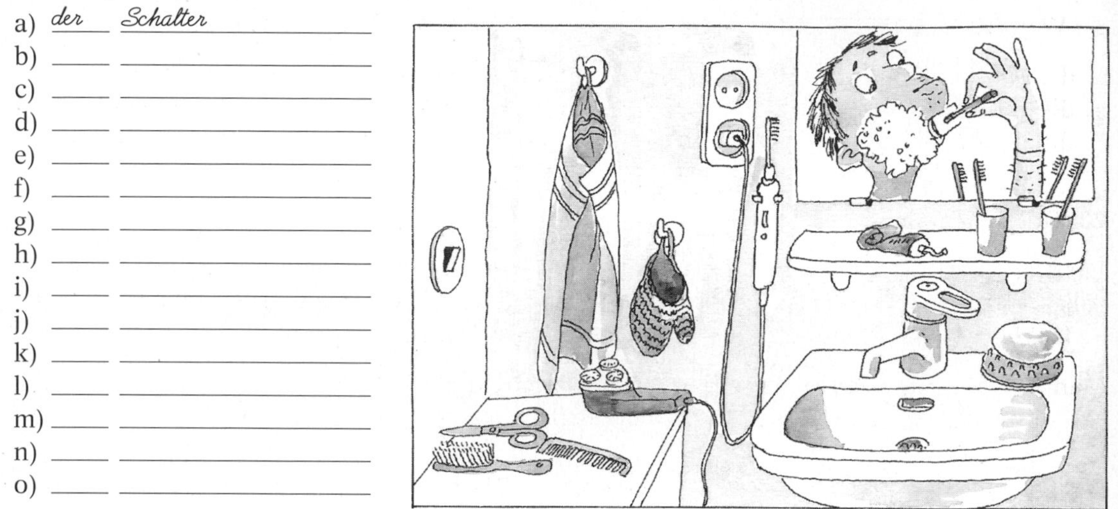

Nach Übung **12** im Kursbuch

18. Lesen Sie.

Lesen Sie den folgenden Text.

Er öffnete die Tür und trat in Jakobs Zimmer. Es war klein und einfach eingerichtet. Genau in der Mitte der Wand war das Fenster. Rechts stand in der Ecke ein Ofen. Vor dem Ofen lag ein alter Teppich auf dem Fußboden.
Unter dem Fenster stand ein kleiner Schrank; darauf sah er den Plattenspieler, den er Jakob zu seinem letzten Geburtstag geschenkt hatte, und einen großen Wecker. Links neben dem Fenster hing ein Bild an der Wand, es zeigte das Gesicht eines kleinen Kindes. In der linken Ecke stand Jakobs Bett. Von der niedrigen Holzdecke hing eine runde Lampe aus japanischem Reispapier. Sie hing so tief herunter, dass man um sie herumgehen musste.

Das Bild zeigt dasselbe Zimmer zwanzig Jahre später. Was wurde verändert?

1. Der Ofen ...
2. ________
3. ________
4. ________
5. ________
6. ________

19. Welche Verben sind in den Nomen „versteckt"?

Nach Übung **12** im Kursbuch

die Wohnung → *wohnen* ______ die Kleidung → *sich kleiden* ______

a) die Bedienung
b) die Erkältung
c) die Heizung
d) die Meinung
e) die Ordnung
f) die Prüfung
g) die Rechnung
h) die Regierung
i) die Reinigung
j) die Sendung
k) die Verbindung
l) die Zeichnung

20. Das Partizip I.

Nach Übung **14** im Kursbuch

Für das Partizip I fügt man ein „-d" an den Infinitiv eines Verbs. Oft wird es ähnlich wie ein Adjektiv gebraucht. Das Partizip I kommt häufig in Wörterbucherklärungen vor, z.B.:

Heimatfilm, der: *im ländlichen Milieu spielender Film*

Man könnte diese Erklärung auch mit einem Relativsatz geben:

Heimatfilm, der: *Film, der im ländlichen Milieu spielt*

A. Sagen Sie es anders. Verwenden Sie einen Relativsatz.

a) **Heimatlied,** das: die Heimat besingendes Lied
Lied, das die ______

b) **Vorort,** der: am Rand einer Stadt liegender Stadtteil
Stadtteil, ______

c) **Sonnenschirm,** der: vor der Sonne schützender Schirm
Schirm, ______

d) **Sonnenblume,** die: hoch wachsende Blume mit gelber Blüte
Blume mit gelber Blüte, ______

e) **Geldschrank,** der: nur mit einer Zahlenkombination zu öffnender Schrank
______

f) **Flussbrücke,** die: über einen Fluss führende Brücke
______

B. Wie heißen die Infinitive?

a) der gerade abfahrende Zug *abfahren*
b) die arbeitenden Menschen ______
c) die badenden Kinder ______
d) die morgen beginnenden Ferien ______
e) ein schon lange bestehender Vertrag ______
f) der dauernde laute Lärm ______
g) die einsteigenden Passagiere ______
h) das fehlende Geld ______
i) die immer noch feiernden Gäste ______
j) auf der folgenden Seite ______
k) die endlos fragende Journalistin ______
l) eine gut funktionierende Maschine ______

Hinweis: Sie müssen das Partizip I nicht selbst verwenden. Es reicht, wenn Sie es verstehen.

Lektion 6

Nach Übung **14** im Kursbuch

21. Ergänzen Sie. Wiederholen Sie die Artikel im Genitiv.

→ Arbeitsbuch 1: Übungen 11 und 12 auf Seite 118

a) Heimatsprache = Sprache d____ Landesteils, der jemandes Heimat ist
b) Heimatmuseum = Museum mit Sammlungen d____ engeren Heimat
c) Heimatforscher = Forscher, der sich mit der Erforschung d____ heimatlichen Landschaft beschäftigt
d) Ansichtskarte = Postkarte mit Bildern e____ Landschaft oder e____ Stadt.
e) Tante = Schwester d____ Mutter oder d____ Vaters oder Ehefrau e____ Onkels
f) Minister = Mitglied e____ Regierung, Chef e____ Ministeriums
g) Dialekt = spezielle Sprache e____ Landesteils
h) Diktatur = Regierungsform e____ Staates, in der eine Person oder eine kleine Gruppe von Menschen alles allein bestimmt
i) Erdgeschoss = Stockwerk e____ Hauses, das auf der Höhe d____ Straße liegt
j) Examen = Prüfung am Ende e____ Studiums, e____ Kurses oder e____ Ausbildung
k) Kantine = Restaurant für die Angestellten e____ Betriebs
l) Schlafzimmer = das Zimmer e____ Hauses oder e____ Wohnung, in dem man schläft
m) Monat = einer d____ zwölf Teile e____ Jahres

Nach Übung **15** im Kursbuch

22. Was können Sie auch sagen?

a) Die Wohnung ist altmodisch möbliert.
[A] Alle Möbel in der Wohnung sind kaputt oder beschädigt.
[B] Die Möbel in der Wohnung sind bequem und gemütlich.
[C] Die Möbel sind unmodern.

b) Mein Untermieter ist ein netter Mensch.
[A] Mein Untermieter ist höflich und freundlich.
[B] Mein Untermieter ist glücklich.
[C] Mein Untermieter wirkt immer sehr lebendig.

c) In einem Hochhaus fühlen sich viele Menschen einsam.
[A] In einem Hochhaus wohnen die meisten Menschen allein.
[B] In einem Hochhaus haben die Mieter wenig Kontakt miteinander.
[C] Es ist traurig, in einem Hochhaus zu wohnen.

d) Meine Nachbarn sind kalt.
[A] Meine Nachbarn sind tot.
[B] Meine Nachbarn sind unpersönlich und abweisend.
[C] Meine Nachbarn frieren immer.

e) Mein Vermieter ist sehr neugierig.
[A] Mein Vermieter interessiert sich zu sehr für alles, was ich mache.
[B] Mein Vermieter kauft alles, was neu und teuer ist.
[C] Mein Vermieter ist ein moderner Mensch.

f) Die Menschen waren früher ärmer, aber dafür glücklicher.
[A] Obwohl die Menschen früher weniger Geld hatten, waren sie fröhlicher.
[B] Die Menschen waren früher zufriedener, weil sie arm waren.
[C] Früher gab es keine reichen Leute. Deshalb waren alle glücklich.

23. Ergänzen Sie. Wiederholen Sie das Relativpronomen.
→ Übungen 19 und 21 auf Seite 12–14; Kursbuch 2: Seite 12–13

Nach Übung **15** im Kursbuch

Heimat ist ...
a) der Staat, ______ mir am besten gefällt.
b) der Staat, ______ ich am meisten liebe.
c) der Staat, in ______ ich gern lebe.
d) der Staat, ______ Sprache ich spreche.

e) die Region, ______ mir am besten gefällt.
f) die Region, ______ ich am meisten liebe.
g) die Region, in ______ ich gern lebe.
h) die Region, ______ Sprache ich spreche.

i) das Land, ______ mir am besten gefällt.
j) das Land, ______ ich am meisten liebe.
k) das Land, in ______ ich gern lebe.
l) das Land, ______ Sprache ich spreche.

Im Urlaub besuche ich ...
m) die Länder, ______ mir am besten gefallen.
n) die Länder, ______ ich am meisten liebe.
o) die Länder, in ______ ich eigentlich gern leben würde.
p) die Länder, ______ Sprache ich spreche.

24. Unbestimmte Relativpronomen.

Nach Übung **15** im Kursbuch

Wenn ein Relativsatz sich auf etwas Unbestimmtes bezieht (z.B. „das", „alles", „manches", „vieles", „nichts") oder auf Orts- und Richtungsangaben („da", „dort", „überall"; „dahin", „dorthin", „überallhin"), dann verwendet man ein Fragewort als Relativpronomen:

Wir können alles haben, was wir möchten.

Solche unbestimmten Relativsätze sind auch ohne Bezugswort möglich: Wir können haben, was wir möchten. Wir können wohnen, wo es uns passt. Wir können reisen, wohin wir wollen.

Ergänzen Sie die Sätze mit den Relativpronomen „wo", „was" oder „wohin".

a) Wir können alles tragen, ______ uns gefällt.
b) Meine Heimat ist dort, ______ ich mich wohl fühle.
c) Das, ______ für unsere Eltern noch unvorstellbar war, ist für uns Realität geworden.
d) Ich will an keinem Ort leben, ______ man nicht Auto fahren kann.
e) Wir können vieles haben, ______ man kaufen kann.
f) Ich komme, ______ du möchtest.

25. Was paßt zusammen?

Nach Übung **15** im Kursbuch

a) Ich miete das Haus,
b) Ich mache nur,
c) Ich reise,
d) Ich kenne einen See,
e) Wir bleiben da,
f) Ich nehme die Wohnung,
g) Es gibt viele Wohnungen,
h) Ich lebe in einer Stadt,

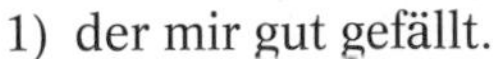

1) der mir gut gefällt.
2) in der es mir gefällt.
3) das mir am besten gefällt.
4) deren Lage mir am besten gefällt.
5) was mir gefällt.
6) wohin es mir gefällt.
7) wo es uns gefällt.
8) die mir gefallen.

Lektion 7

Kernwortschatz

Verben

abbiegen 78
abnehmen 85
abschleppen 78
ankommen 78
annehmen 83
anstrengen 87
beachten 78
beantragen 84
beobachten 87
beschließen 86
betragen 82
bremsen 78
buchen 87
denken 85
erfahren 81
eröffnen 78
erreichen 78
fliehen 78
fließen 80
frieren 80
fürchten 85
glauben 83
hassen 87
hupen 78
klettern 78
klopfen 78
kriegen 86
landen 78
melden 82
mitnehmen 84
regeln 78
schieben 78
sichern 86
sinken 85
spazieren gehen 78
stecken 86
steigen 85
stellen 80
stoßen 78
teilnehmen 87
überholen 78
übernachten 82
überqueren 78
überweisen 84
umtauschen 86
verabschieden 78
verbessern 85
verbrauchen 85
verbringen 82
verhaften 78
verhindern 83
verlassen 78
vermuten 83
verschlechtern 85
wachsen 85
wandern 78
widersprechen 81
wundern 86
zunehmen 84
zusammenstoßen 78

Nomen

e Ampel 78
e Ansichtskarte- n 86
r Auftrag, ¨e 84
e Ausfahrt, -en 82
e Ausreise 82
e Autobahn, -en 78
r Bau 85
r Bürger, - 84
r Campingplatz, ¨e 87
s Dutzend, -e 86
e Eisenbahn, -en 78
e Einbahnstraße, -n 78
Europa 84
e Fähre, -n 77
s Fahrrad, ¨er 80
e Fahrt, -en 80
s Fenster, - 86
e Form, -en 83
e Freiheit, -en 84
e Freizeit 83
r Friseur, -e 90
s Gebäude, - 85
e Gefahr, -en 85
s Geld 84
s Gepäck 86
s Geschäft, -e 84
e Grenze, -n 78
e Hitze 87
e Höhe 84
s Institut, -e 83
e Jacke, -n 92
e Katze, -n 78
r Kofferraum, ¨e 84
r Konsum 83
r Kontinent, -e 87
e Kurve, -n 80
r Lastwagen, - 84
r Liter, -s 78
r LKW, -s 78
r Markt, ¨e 84
s Mittel, - 83
r Mond, -e 78
e Muttersprache, -n 86
r Norden 80
e Person, -en 85
r Professor, -en 83
r Punkt, -e 81
s Recht, -e 84
e Reise, -n 87
s Reisebüro, -s 87
e Richtung, -en 82
s Schild, -er 78
s Schloss, ¨er 80
s Schwimmbad, ¨er 86
e Seite, -n 80
r Stau, -s 78
e Steuer, -n 84
e Strecke, -n 82
r Student, -en 84
r Süden 80
e Tankstelle, -n 85
s Tor, -e 80
e Überschrift, -en 84
e Umleitung, -en 82
r Unfall, ¨e 82
e Unterkunft, ¨e 87
r Urlaub 82
r Verbrecher, - 85
r Verkehr 82
e Voraussetzung, -en 84
e Vorfahrt 78
e Vorschrift, -en 84
r Wagen, - 84
e Wahl, -en 84
e Zahl, -en 85
s Zelt, -e 87
r Zug, ¨e 78
e Zukunft 83
r Zweck, -e 84

Lektion 7

Adjektive

aktiv 83	fremd 87	östlich 80	südlich 80
berufstätig 83	froh 85	reich 86	voll 86
europäisch 84	herzlich 86	steil 80	wesentlich 84

Adverbien

abwärts 80	danach 79	irgendwo 83	schließlich 79
allerdings 84	draußen 80	nun 80	unterwegs 82
ausnahmsweise 87	erst 79	rückwärts 86	zuerst 82

Kerngrammatik

Futur I (§ 20)

„Immer aktiv“ – so wird das Motto des Freizeitmenschen heißen.
Die Menschen werden mehr lesen.

Das wird eines der Hauptprobleme der Zukunft werden.
Der Freizeitmensch wird sich zum Warte-Profi entwickeln müssen.

„hin-“ (§ 17)

hin +	auf	+ Verb	Wir steigen hinauf zur Marksburg.
	ein		So sind wir durch das Stadttor nach Linz hineingefahren.
	über		Wir sind mit der Autofähre nach Andernach hinübergefahren.
	unter		Der Blick hinunter auf den Rhein war wunderschön.

Präpositionale Attribute (§ 37b)

die Frau mit den zwei Koffern
der Junge mit dem Fahrrad
eine Wohnung für eine große Familie

Präpositionen in Ortsangaben (§ 15c)

vom	… aus
von der	

ab	dem	…
	der	

„brauchen“ als Modalverb (§ 30b)

Sie brauchen keine Ansichtskarten zu schreiben.
Sie brauchen kein schweres Gepäck zu tragen.
Sie brauchen kein Geld umzutauschen.

Hervorhebung im Vorfeld (§ 39)

○ Sollen wir am Wochenende dein Zimmer tapezieren?

↓

□ Arbeiten muß ich schon während der Woche. Am Wochenende ruhe ich mich lieber aus.

Lektion 7

Nach Übung **1** im Kursbuch

1. Wiederholung: Adjektiv.

→ Arbeitsbuch 1: Übungen 5, 7, 9 und 17 auf den Seiten 126–127 und 130

A. Schreiben Sie die Artikel zu den Nomen in der rechten Spalte.
B. Ergänzen Sie die Sätze a) bis z) mit den passenden Endungen.

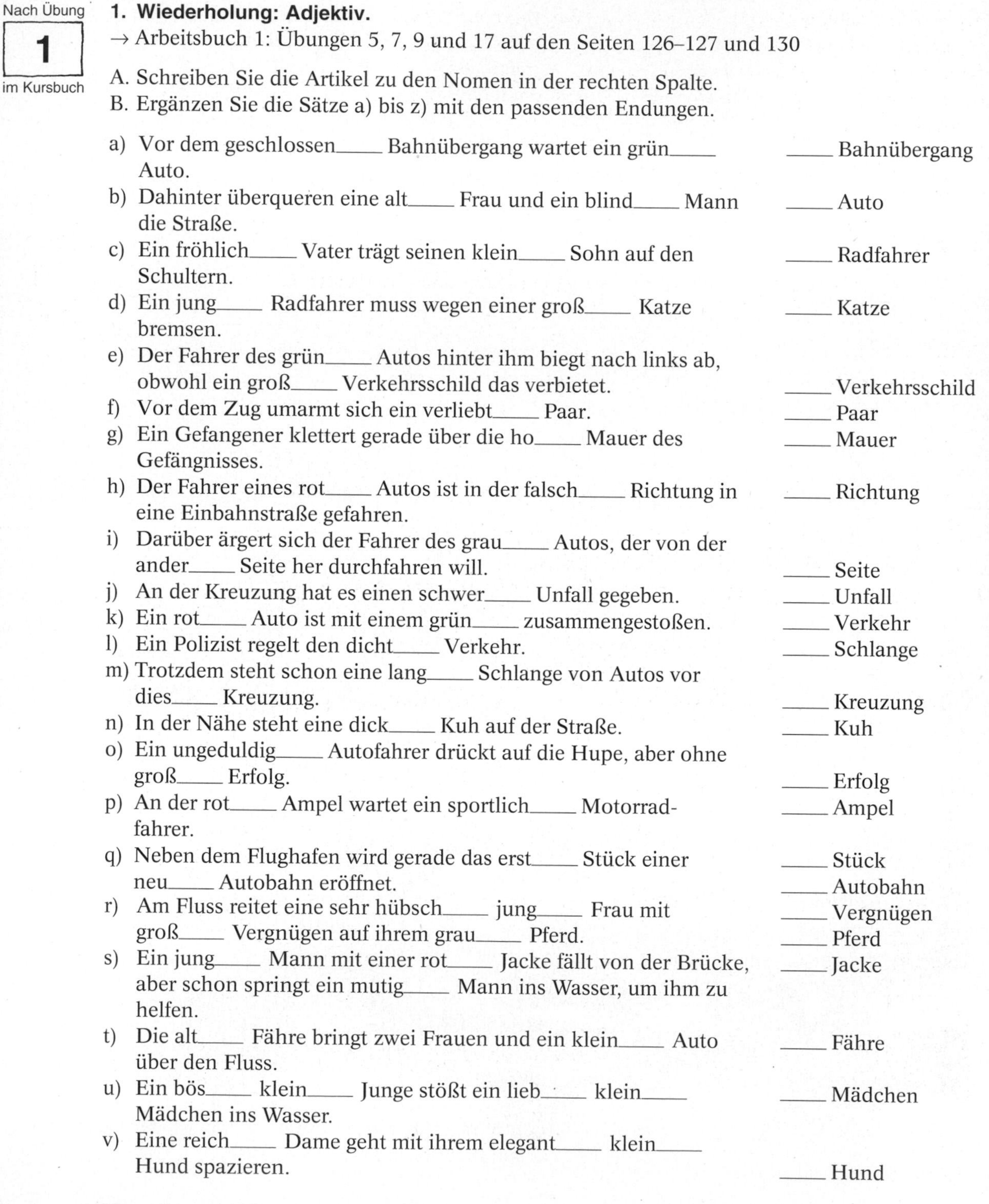

a) Vor dem geschlossen___ Bahnübergang wartet ein grün___ Auto.
b) Dahinter überqueren eine alt___ Frau und ein blind___ Mann die Straße.
c) Ein fröhlich___ Vater trägt seinen klein___ Sohn auf den Schultern.
d) Ein jung___ Radfahrer muss wegen einer groß___ Katze bremsen.
e) Der Fahrer des grün___ Autos hinter ihm biegt nach links ab, obwohl ein groß___ Verkehrsschild das verbietet.
f) Vor dem Zug umarmt sich ein verliebt___ Paar.
g) Ein Gefangener klettert gerade über die ho___ Mauer des Gefängnisses.
h) Der Fahrer eines rot___ Autos ist in der falsch___ Richtung in eine Einbahnstraße gefahren.
i) Darüber ärgert sich der Fahrer des grau___ Autos, der von der ander___ Seite her durchfahren will.
j) An der Kreuzung hat es einen schwer___ Unfall gegeben.
k) Ein rot___ Auto ist mit einem grün___ zusammengestoßen.
l) Ein Polizist regelt den dicht___ Verkehr.
m) Trotzdem steht schon eine lang___ Schlange von Autos vor dies___ Kreuzung.
n) In der Nähe steht eine dick___ Kuh auf der Straße.
o) Ein ungeduldig___ Autofahrer drückt auf die Hupe, aber ohne groß___ Erfolg.
p) An der rot___ Ampel wartet ein sportlich___ Motorrad-fahrer.
q) Neben dem Flughafen wird gerade das erst___ Stück einer neu___ Autobahn eröffnet.
r) Am Fluss reitet eine sehr hübsch___ jung___ Frau mit groß___ Vergnügen auf ihrem grau___ Pferd.
s) Ein jung___ Mann mit einer rot___ Jacke fällt von der Brücke, aber schon springt ein mutig___ Mann ins Wasser, um ihm zu helfen.
t) Die alt___ Fähre bringt zwei Frauen und ein klein___ Auto über den Fluss.
u) Ein bös___ klein___ Junge stößt ein lieb___ klein___ Mädchen ins Wasser.
v) Eine reich___ Dame geht mit ihrem elegant___ klein___ Hund spazieren.

___ Bahnübergang
___ Auto
___ Radfahrer
___ Katze
___ Verkehrsschild
___ Paar
___ Mauer
___ Richtung
___ Seite
___ Unfall
___ Verkehr
___ Schlange
___ Kreuzung
___ Kuh
___ Erfolg
___ Ampel
___ Stück
___ Autobahn
___ Vergnügen
___ Pferd
___ Jacke
___ Fähre
___ Mädchen
___ Hund

w) Auf dem schmal___ Bergweg wandert ein Mann mit einem grün___ Hut.
x) Eine groß___ Familie zieht in ihre neu___ Wohnung ein.
y) Im zweit___ Stock dieses Hauses verlässt eine Frau ihren weinend___ Mann.
z) Unter dem groß___ Baum, auf den ein groß___ Junge geklettert ist, schließt eine zufrieden___ Frau ihr neu___ Auto ab.

___ Weg
___ Hut
___ Familie
___ Wohnung
___ Stock
___ Baum

2. Wer ist das?

Nach Übung **1** im Kursbuch

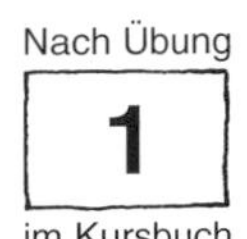

a) Wer ist Nr. 1? Es gibt verschiedene Lösungen. Hier einige Beispiele:

der Mann auf dem Berg (mit der Kamera)
der Mann mit der Kamera
der Mann, der auf dem Berg sitzt und fotografiert
der Mann auf dem Berg, der fotografiert

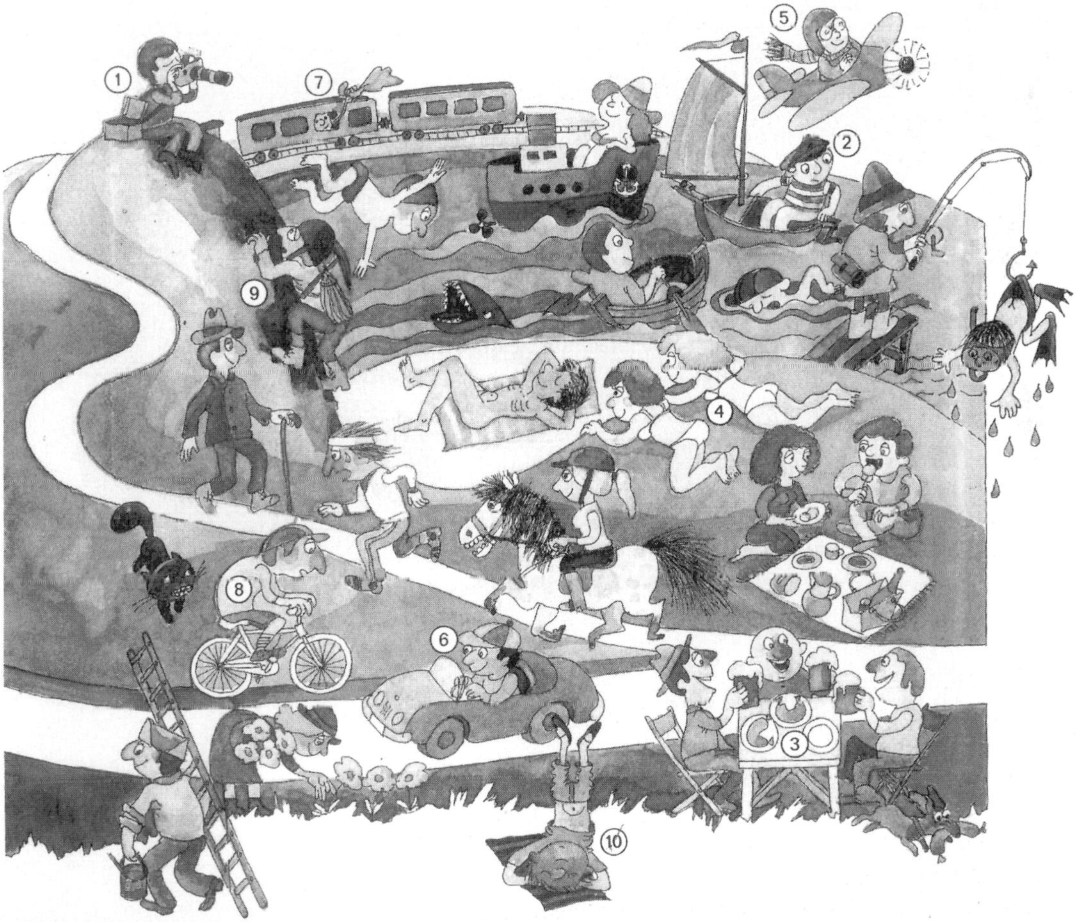

Ebenso Nr. 2 bis Nr. 10.

Nach Übung **2** im Kursbuch

3. Ein Fahrradunfall. In welcher Reihenfolge ergeben die Sätze einen sinnvollen Text?

a) Einmal bin ich mit dem Fahrrad durch die Stadt gefahren.
b) Aber mein Fahrrad musste ich danach schieben, weil es kaputt war.
c) Und natürlich wurde ich jetzt erst recht nass, weil ich es zu Fuß nicht schaffte, vor dem Gewitter zu Hause zu sein.
d) Ich sah sie erst, als es schon fast zu spät war.
e) Da war plötzlich eine Katze vor mir auf der Straße.
f) Ich bremste, so stark ich konnte, und dann fiel ich vom Rad.
g) Zum Glück ist mir dabei nichts passiert.
h) Seither bin ich beim Radfahren wieder etwas vorsichtiger geworden.
i) Ich fuhr ziemlich schnell, weil ein Gewitter kam und ich nicht nass werden wollte.

Nach Übung **2** im Kursbuch

4. Schreiben Sie.

a) mit dem Auto fahren ... einen LKW überholen wollen ... mit einem anderen Auto zusammenstoßen ... die Polizei rufen ... das Auto in die Werkstatt bringen

____
____
____
____
____

b) im Park spazierengehen ... eine kleine Katze im Baum sehen ... auf den Baum steigen ... nicht mehr hinuntersteigen können ... um Hilfe rufen

____
____
____
____
____

c) mit der Eisenbahn wegfahren wollen ... ein Taxi zum Bahnhof nehmen ... im Stau stehen ... aussteigen ... zu Fuß gehen ... gerade noch den Zug erreichen

____
____
____
____
____

5. Was passt zusammen?

Nach Übung **3** im Kursbuch

a) Mein Freund Stefan und ich …
b) Am Anfang der Fahrt sind wir zwölf Kilometer bergab …
c) Ich bin immer hundert Meter hinter Stefan geblieben, …
d) Auf der Straße nach Leutesdorf …
e) Dann sind wir nach Koblenz gefahren, …
f) Um zur Jugendherberge in der Festung Ehrenbreitstein zu kommen, …
g) Wir haben die ganze Nacht gefroren, …
h) Bevor wir den steilen Berg wieder hinuntergefahren sind, …
i) Vom Schiff aus haben wir Burg Katz und Burg Maus gesehen, …
j) Die Marksburg haben wir besichtigt, …
k) Man hat einen schönen Blick auf den Rhein, …

1 … weil es in der Jugendherberge sehr kalt war.
2 … wo die Mosel in den Rhein fließt.
3 … wenn man nachts von der Burg hinuntersieht.
4 … haben in den Osterferien eine schöne Radtour gemacht.
5 … haben wir noch gut gefrühstückt.
6 … ins Rheintal hinuntergefahren.
7 … als wir über den Rhein nach St. Goar gefahren sind.
8 … gab es wenig Autoverkehr.
9 … mussten wir unsere Fahrräder einen steilen Berg hinaufschieben.
10 … weil wir in den vielen Kurven stark bremsen mussten.
11 … weil es dort viele Dinge aus dem 16. Jahrhundert zu sehen gibt.

6. Ergänzen Sie die Präpositionen „in", „an", „auf", „über", „nach", „durch" und, wenn nötig, den Definitartikel.

Nach Übung **3** im Kursbuch

a) Sie sind von einem Berg ____________ Rheintal hinuntergefahren.
b) Wir haben ____________ Rheintal Urlaub gemacht.
c) Man kann ____________ Rhein gut Fahrrad fahren.
d) Er ist mit der Fähre ____________ Fluss nach Andernach gefahren.
e) Wir wollen am Nachmittag ____________ Fluss segeln.
f) Kann man direkt ____________ Fluss parken?
g) Wir sind mit dem Rad ____________ Fluss gefahren.
h) Wollt ihr mit dem Rad ____________ Berg fahren?
i) Sie wollen ____________ Fluss baden.
j) Er ist von einer Brücke ____________ Fluss gefallen.
k) Wir machen oben ____________ Berg eine Pause.
l) Sie sind gestern ____________ Bacharach gefahren und haben dort übernachtet.
m) Sie haben ____ ____________ Bacharach übernachtet.
n) Seid ihr ____________ Siebengebirge gefahren, um dort Urlaub zu machen?
o) Meine Eltern wohnen ____________ Siebengebirge.
p) Sie sind ____________ Stadttor in die Stadt gefahren.
q) Wir treffen uns morgen ____________ alten Stadttor.

Lektion 7

Nach Übung **3** im Kursbuch

7. „Hinaus", „hinunter", „hinein", „hindurch", „hinüber". Ergänzen Sie.

a) Du kennst bestimmt das alte Stadttor in Linz. Da sind wir ______________ gefahren.
b) Wir sind vom Eichenberg ins Rheintal ______________ gefahren.
c) In Leutesdorf mussten wir über den Rhein fahren. Dort gibt es keine Brücke, und wir fuhren deshalb mit einer Fähre ______________.
d) Die Jugendherberge lag auf einem hohen Berg. Deshalb mussten wir abends unsere Fahrräder ______________ schieben. Dafür konnten wir dann am nächsten Morgen bequem ______________ fahren.
e) Wir sind durch das Stadttor in die Stadt ______________ gefahren.
f) Die Burg war geschlossen. Wir konnten leider nicht ______________ gehen.
g) Hier in der Burg dürfen Sie nicht rauchen. Bitte gehen Sie ______________ vor das Burgtor.

Ihre Grammatik. Ergänzen Sie.

Präposition + Nomen	hin + Präposition (= Präpositionalpronomen)
Sie fahren …	Sie fahren …
durch das Stadttor	*hindurch*
vom Eichenberg ins Rheintal	______________
über den Rhein	______________
auf den Berg	______________
in die Stadt	______________
aus der Garage nach draußen	______________

Nach Übung **3** im Kursbuch

8. Was passt zusammen?

a) Warum schiebt ihr denn die Räder?
b) Warum winken die Leute denn?
c) Vor dieser Kurve musst du unbedingt bremsen!
d) Wohin kommen wir, wenn wir dem Fluss folgen?
e) Hast du heute Nacht auch gefroren?
f) Bevor wir zur Burg hinaufsteigen, möchte ich in eine Wirtschaft gehen, etwas trinken und mich ausruhen!

1 Das weiß ich auch nicht. Lass uns mal in die Landkarte schauen.
2 Sei nicht so faul!
3 Der Weg ist zu steil zum Fahren.
4 Ich glaube, sie wollen uns begrüßen.
5 Ganz furchtbar! Das nächste Mal gehen wir in ein Hotel oder in ein Gasthaus!
6 Warum? Bist du da schon mal hingefallen?

Nach Übung **3** im Kursbuch

9. Perfekt mit „haben" oder „sein"?

A. Ergänzen Sie die Sätze.

a) Norbert und Stephan ______________ mit dem Rad durch das Rheintal gefahren.
b) Sie ______________ abends in der Disco getanzt.
c) Sie ______________ nach Stockholm geflogen.
d) Sie ______________ viele Postkarten geschrieben.

e) Sie ______________ morgens immer früh aufgestanden.
f) Sie ______________ die Fahrräder auf den Berg geschoben.
g) Sie ______________ gestern spät aufgewacht.
h) Sie ______________ in der Jugendherberge gegessen.
i) Sie ______________ an die Tür geklopft.
j) Sie ______________ ins Wasser gesprungen.
k) Sie ______________ die Fähre nicht erreicht.
l) Sie ______________ auf die Fähre gewartet.
m) Sie ______________ falsch abgebogen.
n) Sie ______________ das Hotel um neun Uhr verlassen.
o) Sie ______________ auf eine Mauer geklettert.
p) Sie ______________ das Auto abgeschleppt.
q) Sie ______________ in der Stadt spazieren gegangen.
r) Sie ______________ einen LKW überholt.
s) Sie ______________ im Gebirge gewandert.
t) Sie ______________ gestern in die Wohnung eingezogen.
u) Sie ______________ das Zimmer abgeschlossen.
v) Sie ______________ lange geschlafen.
w) Sie ______________ spät eingeschlafen.
x) Sie ______________ das Kind aus dem Wasser gezogen.
y) Sie ______________ in eine neue Wohnung gezogen.
z) Sie ______________ in den Fluss gesprungen.

B. Ordnen Sie die Verben, die das Perfekt mit „sein" bilden.

Bewegung *fahren* ______________ ______________

______________ ______________

______________ ______________

______________ ______________

____

Veränderung eines Zustands *aufstehen* ______________

____

____

10. „Liegen", „legen", „sitzen", „setzen", „stehen", „stellen", „hängen" oder „stecken"? Was passt?

Nach Übung **3** im Kursbuch

a) ○ Hast du die Hemden schon in den Koffer ______________ ?
☐ Nein, die ______________ noch im Schrank.
b) ○ Wo ist der Haustürschlüssel?
☐ Der ______________ im Schloss.
c) ○ Weißt du, wo die Kinder sind?
☐ Die ______________ schon im Auto.
d) ○ Wer hat die Campingstühle vor die Tür gestellt?
☐ Ich weiß es nicht. Sie ______________ schon seit gestern da.

e) ○ Ist Peter vom Fußballspielen zurück?
   □ Ja, er ____________________ schon in der Badewanne.
f) ○ Hast du den Kleinen schon auf die Toilette ____________________ ?
   □ Nein, er wollte nicht.
g) ○ Sind die Wolldecken im Auto?
   □ Nein, die habe ich gewaschen und zum Trocknen in den Garten ____________________ .

Nach Übung 3 im Kursbuch

11. Welcher Satz passt zu welchem Bild?

a) Er stellt das Fahrrad auf den Hof.
b) Das Fahrrad steht auf dem Hof.
c) Er setzt das Kind auf einen Stuhl.
d) Das Kind sitzt auf einem Stuhl.
e) Er legt das Buch auf den Tisch.
f) Das Buch liegt auf dem Tisch.
g) Er hängt die Uhr an die Wand.
h) Die Uhr hängt an der Wand.
i) Er steckt den Brief in den Briefkasten.
j) Der Brief steckt im Briefkasten.

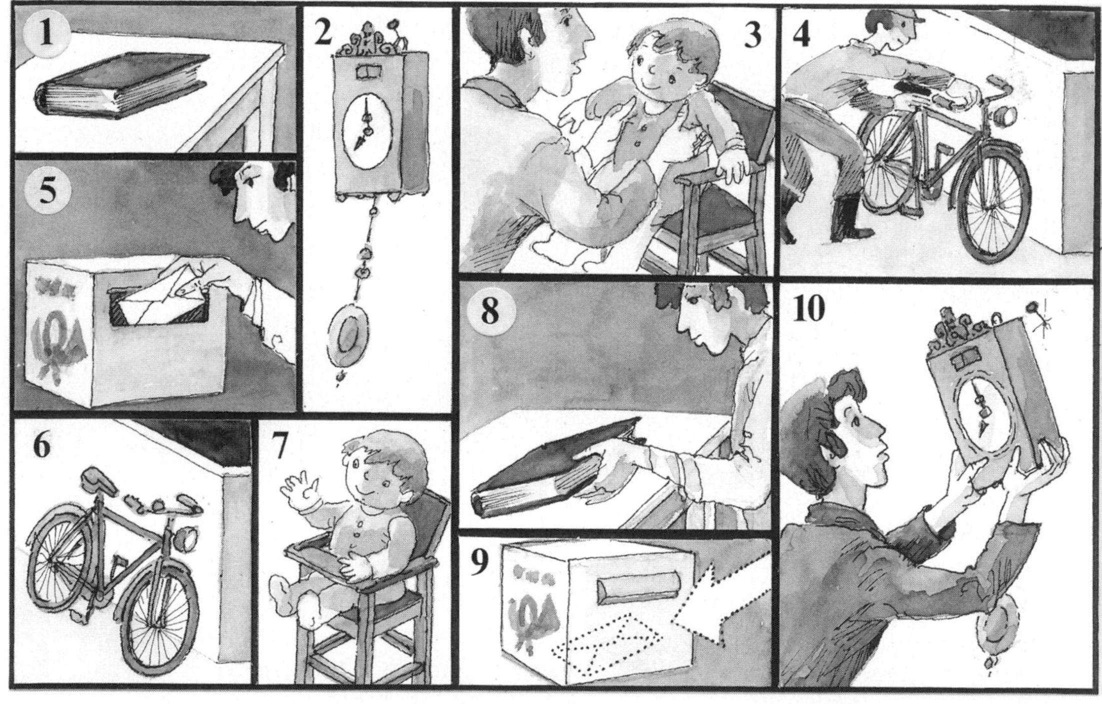

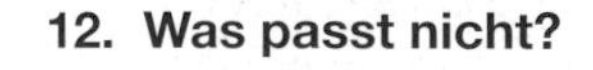

Nach Übung

7
im Kursbuch

12. Was passt nicht?

a) Ampel: rot – blau – grün – gelb
b) Verkehr: Vorfahrt – Einbahnstraße – Ampel – Burg – Schild – Stau
c) Autobahn: LKW – Auto – Reisebus – Motorrad – Fahrrad
d) Eisenbahn: Zug – Fähre – Bahnhof – Abfahrt – Fahrkarte – Fahrplan
e) Grenze: Mond – Pass – Ausweis – Polizei – Ausland
f) Schloss: König – Kunst – Kultur – Sehenswürdigkeiten – Kurve – Tor

13. Welches Verb passt wo?

Nach Übung 7 im Kursbuch

stoßen schieben eröffnen regeln anhalten überqueren verhaften abschleppen zusammenstoßen

a) ein Auto von der Straße | ___
ein Fahrrad auf der steilen Bergstraße

b) ein Auto nach einem Unfall | ___
ein Fahrzeug, das im Halteverbot steht

c) eine neue Autobahn | ___
eine Ausstellung
eine Messe

d) auf der Kreuzung den Verkehr | ___
ein Problem mit der Versicherung
die Temperatur an der Heizung

e) jemanden ins Wasser | ___
ein Glas vom Tisch

f) mit einem anderen Auto | ___
mit einem Menschen auf der Straße

g) den Fluss auf einer Brücke | ___
den Marktplatz

h) einen Einbrecher | ___
einen betrunkenen Autofahrer

i) bei einer Panne ein anderes Auto | ___
vor dem sich schließenden Bahnübergang
beim Stoppschild einen Moment ganz

14. Was passt zusammen?

Nach Übung 7 im Kursbuch

a) fliehen
b) überholen
c) abbiegen
d) bremsen
e) frieren
f) sich verabschieden
g) widersprechen

1 sich kalt fühlen
2 „Auf Wiedersehen" sagen
3 vor jemandem oder etwas weglaufen
4 anderer Meinung sein; etwas dagegen sagen
5 an jemandem oder etwas vorbeigehen oder vorbeifahren
6 langsamer werden; anhalten
7 zu Fuß oder mit einem Fahrzeug die Richtung ändern

Nach Übung 9 im Kursbuch

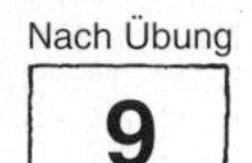

15. Definieren Sie die Begriffe.

a) Angstlust (Lust, gefährliches Leben)
Angstlust ist die Lust auf ein gefährliches Leben.

b) Reiselust (Lust, viel reisen)
Reiselust ist die Lust, viel zu reisen.

c) Freizeitmensch (Mensch, nur für die Freizeit leben)
Ein Freizeitmensch ist ein Mensch, der nur für die Freizeit lebt.

d) Freizeitforscher (Wissenschaftler, Freizeit erforschen)
Ein Freizeitforscher ist ein Wissenschaftler, der

e) Autobahnabschnitt (Teil, Autobahn)

f) Wochenendreise (kurze Reise, Samstag und Sonntag)

g) Landschaftszerstörung (Vorgänge, Landschaft kaputtmachen)

h) Industrieland (Land, viel Industrie)

i) Freizeit (Zeit, nicht arbeiten müssen)

j) Zukunftsangst (Angst, Zukunft)

k) Freizeitspaß (Spaß, in der Freizeit)

l) Risikobereitschaft (Bereitschaft, etwas Gefährliches tun)

m) Urlaubszeit (Zeit, die meisten Menschen Urlaub)

Nach Übung

im Kursbuch

16. Sagen Sie es anders.

Um Ereignisse, die in der Zukunft liegen, zu beschreiben, kann man im Deutschen das Präsens oder das Futur verwenden.

Im Jahr 2001 …

a) … macht ein Drittel der Bevölkerung dauernd Urlaub.
wird ein Drittel der Bevölkerung dauernd Urlaub machen.

b) … gibt es auf unseren Straßen viel mehr Verkehr als heute.
c) … geben die Menschen für ihre Freizeit noch viel mehr Geld aus.
d) … wissen viele Leute nicht, was sie in ihrer Freizeit machen sollen.
e) … haben die Leute viel mehr Freizeit als heute.
f) … sind Straßen, Städte, Hotels, Züge, Kinos und Theater wegen der „Massenfreizeit" ständig überfüllt.
g) … arbeiten die Menschen nur noch dreißig Stunden pro Woche.
h) … heißt das Motto des Freizeitmenschen wahrscheinlich „Mobil und immer aktiv sein".

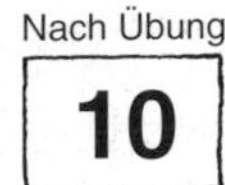

17. Das Verb „werden“ kann als normales Verb oder als Hilfsverb benützt werden.

Nach Übung **10** im Kursbuch

A. Die Leute werden zu Freizeitmenschen. → („werden“ als normales Verb)
B. Die Leute werden noch mehr reisen. → („werden“ als Hilfsverb – Futur)
C. Neue Straßen werden gebaut. → („werden“ als Hilfsverb – Passiv)

Wie wird „werden“ in den folgenden Sätzen benützt?

a) Die Menschen werden nicht gefragt. *Hilfsverb – Passiv*
b) Die Menschen werden von Computern kontrolliert. ______________
c) Die Menschen werden die Computer kontrollieren. ______________
d) Die Menschen werden wie Computer. ______________
e) Die Menschen werden mehr Hobbys haben. ______________
f) Die Menschen werden zu Warte-Profis. ______________
g) Die Menschen werden viel älter als früher. ______________

Ihre Grammatik. Stellen Sie die Sätze a) bis g) in die Tabelle.

	Vorfeld	$Verb_1$	Subjekt	Angabe	Ergänzung	$Verb_2$
a)	*Die Menschen*	*werden*		*nicht*		*gefragt.*
b)						
c)						
d)						
e)						
f)						
g)						

18. Wie heißen die Verben?

Nach Übung **11** im Kursbuch

A. Nomen, die aus Verben abgeleitet sind, z. B.:

die Zerstörung ← zerstör- + ung ← zerstören

a) die Bedrohung ← *bedrohen*
b) die Vorbereitung ← ______________
c) die Prüfung ← ______________
d) die Wohnung ← ______________
e) die Versicherung ← ______________
f) die Bedienung ← ______________
g) die Bestellung ← ______________
h) die Kündigung ← ______________
i) die Regierung ← ______________
j) die Erfahrung ← ______________
k) die Erinnerung ← ______________
l) die Heizung ← ______________
m) die Änderung ← ______________
n) die Leistung ← ______________
o) die Verwaltung ← ______________
p) die Meinung ← ______________
q) die Entscheidung ← ______________

B. Nomen, die aus Adjektiven abgeleitet sind, z. B.:

die Einsamkeit ← einsam + keit ← einsam

a) die Müdigkeit ← müde
b) die Möglichkeit ← ______
c) die Pünktlichkeit ← ______
d) die Sauberkeit ← ______
e) die Wirklichkeit ← ______
f) die Ähnlichkeit ← ______
g) die Schwierigkeit ← ______
h) die Deutlichkeit ← ______
i) die Ehrlichkeit ← ______
j) die Freundlichkeit ← ______
k) die Gemütlichkeit ← ______
l) die Gefährlichkeit ← ______
m) die Genauigkeit ← ______
n) die Hässlichkeit ← ______
o) die Langsamkeit ← ______
p) die Notwendigkeit ← ______

Nach Übung **11** im Kursbuch

19. Sagen Sie es anders. Wiederholen Sie das Passiv.
→ Arbeitsbuch 1: Übungen 13–17 auf den Seiten 165–167

A. Suchen Sie in den Sätzen das Subjekt und streichen Sie es durch.
B. Schreiben Sie dann einen Satz im Passiv, der etwa die gleiche Bedeutung hat.

Beispiel: Er meldet den Wagen morgen an.
Der Wagen wird morgen angemeldet.

a) Man treibt heute mehr Sport als früher.
b) Heute kontrolliert man an den Grenzen keine Pässe mehr.
c) Wir überweisen das Geld nächste Woche.
d) Eine Werkstatt in Belgien repariert unser Auto.
e) Heute erledigt man die Steuerformalitäten in den Unternehmen und nicht an der Grenze.
f) Die Zollbeamten sägen den Schlagbaum durch.
g) Wir alle geben in der Freizeit zu viel Geld aus.

Nach Übung **12** im Kursbuch

20. Ihre Grammatik. Wiederholen Sie das Präteritum der Modalverben, indem Sie die Tabelle ergänzen.

	können	dürfen	sollen	müssen	wollen / möchten
ich	konnte				
du					
er, sie es, man					
wir					
ihr					
sie, Sie					

21. Sagen Sie es anders. Wiederholen Sie die Nebensätze mit „dass“.

→ Arbeitsbuch 1: Übungen 12–15 auf den Seiten 178–179

Nach Übung 14 im Kursbuch

Beispiel: Die Leute ärgern sich über die zunehmenden Steuern.

Die Leute ärgern sich darüber, dass die Steuern zunehmen.

a) Ich habe Angst vor steigenden Preisen.
b) Viele Firmen klagen über die zunehmende Bürokratie in Europa.
c) Wir sind mit der Erhöhung der Preise im nächsten Jahr nicht einverstanden.
d) Die meisten Leute kritisieren die Erhöhung der Steuern.
e) Ich bin froh über die Änderung der Steuergesetze.
f) Die Bevölkerung erwartet eine Verbesserung der Situation.
g) Seine Entscheidung für diese Firma habe ich nicht verstanden.
h) Ich hoffe auch in Zukunft auf eine stabil bleibende Mark.

22. Welche Sätze haben praktisch dieselbe Bedeutung?

Nach Übung 15 im Kursbuch

a) [A] Ich fände es besser, eine Fahrradtour zu machen.
[B] Ich möchte lieber eine Fahrradtour machen.
[C] Ich möchte gern eine Fahrradtour machen.

b) [A] Ich schlage vor, eine Fahrradtour zu machen.
[B] Ich ziehe es vor, eine Fahrradtour zu machen.
[C] Wir sollten eine Fahrradtour machen.

c) [A] Ich muss eine Fahrradtour machen.
[B] Ich habe Lust, eine Fahrradtour zu machen.
[C] Ich würde gern eine Fahrradtour machen.

d) [A] Wir könnten eine Fahrradtour machen.
[B] Ich habe eine Idee. Wir machen eine Fahrradtour.
[C] Eine Fahrradtour fände ich besser.

e) [A] Ich bin dafür, eine Fahrradtour zu machen.
[B] Mir wäre es lieber, wenn wir eine Fahrradtour machen würden.
[C] Ich würde eine Fahrradtour vorziehen.

f) [A] Ich weiß was: Wir machen eine Fahrradtour!
[B] Ich würde viel lieber eine Fahrradtour machen.
[C] Wenn du Lust hast, können wir ja eine Fahrradtour machen.

g) [A] Müssen wir denn wirklich eine Fahrradtour machen?
[B] Wir könnten doch auch etwas anderes machen!
[C] Ich habe nicht gewusst, dass wir eine Fahrradtour machen.

h) [A] Hast du gefragt, ob wir eine Fahrradtour machen?
[B] Eine Fahrradtour kommt gar nicht in Frage.
[C] Ich bin ganz dagegen, eine Fahrradtour zu machen.

Lektion 7

Nach Übung **19** im Kursbuch

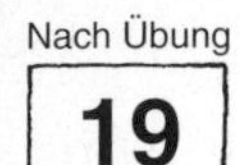

23. Sagen Sie es anders.

Ich mag keine Campingplätze. — *Campingplätze mag ich nicht.*

Man kann Satzteile im Deutschen dadurch betonen, daß man sie ins Vorfeld stellt. Achtung: Eine Negation mit „kein" ist dann nicht möglich; man muß stattdessen mit „nicht" verneinen.

Bei Sätzen mit Modalverb kann man auch den Infinitiv (Verb$_2$) an den Satzanfang stellen:

Man kann auch zu Hause Rad fahren. — *Rad fahren kann man auch zu Hause.*

a) Ich finde Urlaub im Zelt zu unbequem.
b) Wir wollen in einem Hotel übernachten.
c) Sie können in unserem Hotel auch frühstücken.
d) Ich werde auf Schiffsreisen immer seekrank.
e) Sie brauchen kein schweres Gepäck zu tragen.
f) Es gibt keine freien Plätze mehr.
g) Sie können mit Scheck oder Kreditkarte bezahlen.
h) Sie müssen Ihren Pass nicht mitnehmen.

Nach Übung **19** im Kursbuch

24. Was können Sie auch sagen?

a) Was ist Ihre Muttersprache?
   [A] In welcher Sprache sprechen Sie mit Ihrer Mutter?
   [B] Wie sprechen Sie mit ihrem Kind?
   [C] Mit welcher Sprache sind Sie aufgewachsen?

b) Im Kofferraum liegen ein Dutzend Flaschen Rotwein.
   [A] Es sind zwölf Flaschen Wein im Kofferraum.
   [B] Im Koffer sind zehn Flaschen Wein.
   [C] Es sind noch einige Flaschen Wein im Keller.

c) Ich hasse lange Autofahrten.
   [A] Ich bin gern lange mit dem Auto unterwegs.
   [B] Ich finde lange Autofahrten entsetzlich.
   [C] Ich fürchte mich im Auto.

d) Wir bleiben dieses Jahr ausnahmsweise zu Hause.
   [A] Wir machen sonst immer eine Urlaubsreise, aber dieses Jahr nicht.
   [B] Wir machen wie immer zu Hause Urlaub.
   [C] Wir verbringen unseren Urlaub am liebsten zu Hause.

e) Ich sitze gern am Strand und beobachte die Leute.
   [A] Ich gehe zum Strand, um auf die Leute aufzupassen.
   [B] Am Strand sehe ich gerne zu, was die Leute so machen.
   [C] Wenn ich am Strand bin, beachte ich die anderen Leute nicht.

f) Im Urlaub kriege ich immer einen Sonnenbrand.
   [A] Ich kann im Urlaub die Hitze nicht vertragen.
   [B] Im Urlaub verbrennt mir die Sonne immer die Haut.
   [C] Ich werde im Urlaub immer schön braun.

Lektion 8

Kernwortschatz

Verben

aufgeben 97
ausführen 95
ausrechnen 99
bedienen 91
behandeln 91
beraten 91
beruhigen 99
beschäftigen 91
besorgen 98
einstellen 93
entlassen 96
erlauben 92
gefallen 92
handeln 97
herstellen 91
interessieren 98
kontrollieren 95
leiten 93
nähen 95
planen 98
produzieren 95
protestieren 96
reisen 92
scheinen 97
streiken 96
trampen 92
treten 96
übernehmen 95
übersetzen 99
verdienen 98
vergessen 95
verkaufen 91
verteilen 98
verursachen 97
vorbereiten 92
zusammenarbeiten 99
zusammenstellen 95

Nomen

r Abfall, ¨e 98
e Abteilung, -en 97
e Änderung, -en 95
s Angebot, -e 97
e/r Angestellte, -n 96
e Arbeit, -en 91
r Arbeiter, - 96
r Arbeitgeber, - 96
r Arbeitnehmer, - 96
e Arbeitszeit, -en 91
r Aufenthalt, -e 92
e Ausbildung, -en 108
r Ausländer, - 99
e Ausstellung, -en 98
r Bäcker, - 92
r Bauer, -n 90
r Beamte, -n 91
r Bedarf 97
e Beschäftigung, -en 96
r Betrieb, -e 97
r Betriebsrat, ¨e 96
e Bewegung, -en 99
e Beziehung, -en 93
r Chef, -s 97
r Einfluss, ¨e 98
e Entwicklung, -en 93
e Erklärung, -en 96
s Ersatzteil, -e 97
e Existenz 97
r Facharbeiter, - 97
r Fachmann, Fachleute 99
e Farbe, -n 91
r Feiertag, -e 99
e Gebrauchsanweisung, -en 99
e Gelegenheit, -en 99
e Gewerkschaft, -en 96
r Gewinn, -e 96
r Handel 91
r Handwerker, - 91
e Hausfrau, -en 90
e Hose, -n 92
e Industrie, -n 91
r Ingenieur, -e 99
e Kälte 99
s Kapital 97
e Kellnerin, -nen 90
e Kneipe, -n 97
r Knopf, ¨e 95
r Kollege, -n 84
e Kollegin, -nen 90
e Kontrolle, -n 98
r Krach 97
r Kredit, -e 97
e Krise, -n 96
e Kritik, -en 96
e Lehre, -n 91
r Lohn, ¨e 96
r Maler, - 90
s Maß, -e 93
s Material, -ien 95
s Metall, -e 91
r Misserfolg, -e 97
r Mitarbeiter, - 95
s Mitglied, -er 92
e Mode, -n 99
e Nachfrage 99
s Nahrungsmittel, - 98
e Öffentlichkeit 99
r Passagier, -e 96
r Patient, -en 99
r Polizist, -en 90
e Produktion 96
e Rechnung, -en 93
e Reklame 99
r Schaden, ¨ 99
e Sekretärin, -nen 90
r Soldat, -en 90
r Staat, -en 92
e Station, -en 92
e Stelle, -n 92
e Stellung, -en 97
r Stoff, -e 95
r Streik, -s 447
s Studium 91
e Tätigkeit, -en 91
e Technik, -en 98
e Toilette, -n 99
e Universität, -en 98
e Verantwortung, -en 99
r Verlust, -e 92
s Vertrauen 97
r Vertreter, - 95
e Verwaltung, -en 91
s Werk, -e 96
r Westen 92
e Wirtschaft 98
e Wissenschaft, -en 98

Lektion 8

Adjektive		Adverbien	Funktionswörter
arbeitslos 96	maximal 92	außer 92	noch einmal
ausländisch 97	sozial 96	gegen 96	was für
beruflich 97	staatlich 98	möglichst 98	
eigen- 92	technisch 93	nachdem 98	
freiwillig 96	zentral 96	selbständig 93	
interessant 97	zusätzlich 98	zurück- 92	
kostenlos 91			

Kerngrammatik

Passiv Perfekt (§ 27a)

Alle wichtigen Kunden sind schon vor zwei Wochen eingeladen worden.
Viele Kleider sind bestellt worden.
Bei einem Kleid ist das Etikett vergessen worden.

Zustandspassiv (§ 27b)

Das Modellkleid ist genäht.
Die Kollektion ist fertiggestellt.
Der Stoff ist zugeschnitten.

Nomen aus Verben (§ 2)

-ung	Abteilung Begründung Beschäftigung Bezahlung	Entlassung Erklärung Geschäftsleitung Kundgebung	Lösung Meinung Rationalisierung Sozialleistung	Stellung Verantwortung Voraussetzung
-er	Arbeitnehmer	Arbeitgeber	Mitarbeiter	Vertreter
-tion	Produktion	Demonstration		
–	Abbau	Vorschlag		

Adjektive aus Nomen (§ 4)

-lich	staatlich handwerklich	unterschiedlich zusätzlich	jugendlich	
-ig	selbständig		-isch	ausländisch chemisch

Besetzung des Nachfelds (§ 38)

Das würde ich auch tun unter diesen Voraussetzungen.
Er hat ein Angebot bekommen von einer anderen Firma.
Das hätte ich aber nicht getan an seiner Stelle.

Lektion 8

1. Zwei Nomen in jeder Reihe passen nicht. Schreiben Sie den Beruf hinter jede Reihe.

Nach Übung **1** im Kursbuch

Sekretärin Friseur Soldat Bäcker Kellnerin Bauer Feuerwehrmann Polizistin Lehrerin Pfarrer

a) Haare, Bart, Bein, Haarbürste, Spiegel, Schere, Gabel: ______ ____________
b) Brot, Brötchen, Mehl, Wurst, Kuchen , Salat, Backofen: ______ ____________
c) Bedienung, Speisekarte, Trinkgeld, Restaurant, Apotheke, Garage: ______ ____________
d) Gesetz, Kontrolle, Winter, Verbrecher, Gewitter, Einbrecher: ______ ____________
e) Gefahr, Wasser, Feuer, Seife, Hilfe, Ofen: ______ ____________
f) Landwirt, Boden, Fabrik, Stall, Hof, Vieh, Industrie: ______ ____________
g) Schule, Prüfung, Fieber, Beamtin, Note, Konzert, Unterricht: ______ ____________
h) Kirche, Gott, Museum, Religion, Sonntag, Montag, Himmel: ______ ____________
i) Angestellte, Betrieb, Kundin, Büro, Radio, Firma, Schreibmaschine: ______ ____________
j) Krieg, Tod, Feind, Militär, Möbel, Meer, Armee, Politik: ______ ____________

2. Richtig oder falsch?

Nach Übung **3** im Kursbuch

	richtig	falsch
a) Eine Ärztin behandelt kranke Menschen.		
b) Eine Autorin repariert kaputte Autos.		
c) Ein Bäcker backt Brot und Kuchen.		
d) Ein Bauer baut Häuser und Straßen.		
e) Eine Beamtin ist beim Staat angestellt.		
f) Eine Fotografin produziert Fotoapparate.		
g) Ein Friseur braucht keine besondere Ausbildung.		
h) Ein Handwerker arbeitet meistens am Schreibtisch.		
i) Eine Hausfrau arbeitet für die eigene Familie.		
j) Ein Ingenieur kann als Selbständiger oder als Angestellter arbeiten.		
k) Eine Journalistin arbeitet als Angestellte in einem Zeitschriftenladen.		
l) Ein Kellner bedient Gäste in einem Restaurant.		
m) Eine Krankenschwester arbeitet im Krankenhaus.		
n) Ein Lehrer muss eine Lehre machen, bevor er Schüler unterrichten darf.		
o) Ein Lehrling ist ein junger Lehrer.		
p) Eine Maklerin braucht man, wenn man eine Wohnung oder ein Haus sucht.		
q) Ein Maler malt Wände und Türen mit Farbe an.		
r) Ein Mechaniker arbeitet mit Holz und Papier.		
s) Ein Metzger berät Menschen bei juristischen Problemen.		
t) Eine Musikerin verkauft Musikinstrumente.		
u) Ein Professor unterrichtet Studenten an der Universität.		
v) Ein Regisseur sagt den Schauspielern, wie sie spielen sollen.		
w) Eine Reiseleiterin verkauft Reisen in einem Reisebüro.		
x) Eine Schriftstellerin bedient die Kunden in einer Buchhandlung.		
y) Ein Tankwart bringt den Leuten jeden Tag die Post.		
z) Ein Verkäufer berät und bedient Kunden in einem Geschäft.		

Lektion 8

Nach Übung **5** im Kursbuch

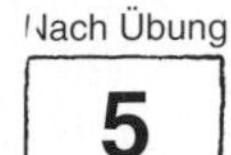

3. Wiederholung: Die Verbformen für das Präteritum. Ergänzen Sie die Sätze.

→ Kursbuch 1: Seite 189–193; Arbeitsbuch 1: Übung 16 auf Seite 180–181 und Übung 20 auf Seite 183

Lesen Sie den Reisebericht von Jens Brinkmann:

Herausragend (sein) ____________(1) mit Sicherheit der Aufenthalt in Afrika, wo wir in Gabun (mithelfen) ____________(2) , eine Kirche zu bauen. Aber der Reihe nach:
Mein Mitgeselle Carsten Obermayer und ich (beginnen) ____________(3) unsere Wanderschaft in Albstadt. Zweieinhalb Monate (bauen) ____________(4) wir dort an einem großen Ärztehaus mit. Dann (trennen) ____________(5) wir uns. Ich (trampen) ____________(6) über Koblenz nach Berlin. Dort (einreisen) ____________(7) ich in die DDR ____________, den zweiten deutschen Staat, den es damals ja noch (geben) ____________(8). Ich (bleiben) ____________(9) zwei Wochen dort. Dann (gehen) ____________(10) es weiter nach Luxemburg und danach über Straßburg nach Rottweil und Schaffhausen, wo es mir besonders gut (gefallen) ____________(11).
Die nächsten Stationen (sein) ____________(12) Nürnberg, Amberg und schließlich Basel. Hier (treffen) ____________(13) ich meinen Kameraden Carsten wieder. In einer Zeitung (lesen) ____________(14) wir eine Anzeige, mit der ein Bauunternehmer für ein Projekt in Westafrika Facharbeiter (suchen) ____________(15). Wir (melden) ____________(16) uns, (unterschreiben) ____________(17) einen Vertrag und (ankommen) ____________(18) am 28. September 1991 mit dem Flugzeug in Afrika ____________.
Ich (arbeiten) ____________(19) als Bauleiter. Die Bauarbeiter dort (sprechen) ____________(20) Französisch, eine Sprache, die ich am Anfang nicht (verstehen) ____________(21), die ich aber schnell (lernen) ____________(22).
Gebaut (werden) ____________(23) eine katholische Kirche. Der Bauunternehmer, der uns (bezahlen) ____________(24), war Schweizer. Außer an dem Gotteshaus (bauen) ____________(25) wir auch an einem Palast für den Präsidenten. El Hadsch Omar Bongo (heißen) ____________(26) der Mann. Nach vier Monaten (fliegen) ____________(27) wir wieder zurück nach Europa. Dort (finden) ____________(28) ich Arbeit im Allgäu und (machen) ____________(29) einen Restauratorkurs in Fulda. Die letzte Station (sein) ____________(30) die Insel Amrum vor der deutschen Nordseeküste. Dort (bieten) ____________(31) man mir eine feste Stelle und eine Wohnung. Ich wäre gern geblieben, aber ich (müssen) ____________(32) nach Hause. Mein Vater (warten) ____________(33) nämlich auf mich, weil er in seiner Zimmerei dringend Hilfe (brauchen) ____________(34).

Nach Übung **5** im Kursbuch

4. Ihre Grammatik: Ordnen Sie die Verben aus Übung 3.

A. Regelmäßige Verben

Präteritum auf „-te“:

bauen – baute – hat gebaut ____________

Präteritum auf „-ete“:

melden – meldete – hat gemeldet ______

B. Unregelmäßige Verben

Präteritum mit „a“:

sein – war – ist gewesen

Präteritum mit „i“ oder „ie“:

Präteritum mit „o“:

Präteritum mit „u“:

5. Wiederholung: Zeitangaben. Ergänzen Sie mit den Präpositionen und, wo nötig, mit dem Artikel.

Nach Übung **5** im Kursbuch

an bis nach in seit von ... bis ... während

a) ______ 1990 ______ 1992 war Jens Brinkmann auf Wanderschaft.
b) Das Beste ______ ______ drei Jahren war die Kameradschaft untereinander.
c) ______ ______ ersten Monaten half Jens beim Bau eines Ärztehauses.
d) ______ ______ Bau des Ärztehauses trampte er über Koblenz und Berlin nach Leipzig.
e) ______ ______ Wanderschaft in Europa dürfen Zimmermannsgesellen nur trampen oder zu Fuß gehen.
f) ______ September 1990 reiste Jens Brinkmann in die DDR. Er reiste aber nicht wieder aus, weil es die DDR ______ ______ 3. Oktober 1990 nicht mehr gibt.
g) ______ Jahr 1991 arbeitete er vier Monate in Afrika.
h) ______ 28. September flog er nach Gabun. Dort blieb er ______ Januar 1992.
i) ______ ______ Reise nach Gabun war er in Nürnberg, Amberg und Basel.
j) ______ drei Jahren und elf Tagen kam er nach Hause zurück.
k) ______ Juli 1993 arbeitet er wieder in der Zimmerei seines Vaters.

Lektion 8

Nach Übung 7 im Kursbuch

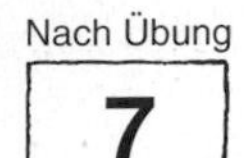

6. Sagen Sie es anders. Verwenden Sie die Präpositionalpronomen „daran“, „darauf“, „darüber“, „davon“, „davor“ und „dabei“.

a) Herr Bong rät den jungen Leuten von dem Beruf des Schreiners ab. (Beruf lernen)

Herr Bong rät den jungen Leuten davon ab, den Beruf des Schreiners zu lernen.

b) Herr Bong hat Freude an der Herstellung von Möbeln. (Möbel herstellen)

Herr Bong ______________________

c) Ich habe mich über die lange Wartezeit geärgert. (lange warten müssen)
d) Ich habe dich ja vor dem Kauf dieses Autos gewarnt. (dieses Auto kaufen)
e) Jens hat mir beim Bau meines Hauses geholfen. (Haus bauen)
f) Ich habe ihn gestern auf dieses Problem hingewiesen. (hier ein Problem haben)

Nach Übung

im Kursbuch

7. Welcher Satz sagt das Gleiche?

a) Sie war zweieinhalb Jahre im Ausland.
[A] Sie war dreißig Monate im Ausland.
[B] Sie war zweimal ein halbes Jahr im Ausland.

b) Er darf maximal vier Monate im Ausland bleiben.
[A] Er darf auf jeden Fall vier Monate im Ausland bleiben.
[B] Er darf höchstens vier Monate im Ausland bleiben.

c) Er ist von Berlin nach Leipzig getrampt.
[A] Er ist per Anhalter von Berlin nach Leipzig gefahren.
[B] Er ist zu Fuß von Berlin nach Leipzig gelaufen.

d) Die Handwerker haben außer einer Kirche auch einen Palast gebaut.
[A] Die Handwerker haben nicht nur eine Kirche, sondern auch einen Palast gebaut.
[B] Die Handwerker haben eine Kirche gebaut, die wie ein Palast aussieht.

e) Er hatte immer eine gute Beziehung zu seinen Arbeitskollegen.
[A] Er hat sich immer gut mit seinen Kollegen verstanden.
[B] Er und seine Kollegen haben viel Geld verdient.

f) In dieser Schreinerei werden Möbel nach Maß gebaut.
[A] Hier werden Möbel in der besten Qualität gebaut, die technisch möglich ist.
[B] Hier werden Möbel speziell nach den Wünschen der Kunden gebaut.

g) Während der Wanderschaft ist für Zimmermannsgesellen kein eigenes Auto erlaubt.
[A] Während der Wanderschaft haben Zimmermannsgesellen kein Geld für ein eigenes Auto.
[B] Während der Wanderschaft dürfen Zimmermannsgesellen kein eigenes Auto haben.

8. Wiederholung: Zahlen.

Nach Übung 9 im Kursbuch

a) Zweihundertvierundsiebzig und siebenhundertdrei sind neunhundertsiebenundsiebzig. 274 + 703 = 977
b) Vierhundertachtundsechzig und achthundertzwanzig sind eintausendzweihundertachtundachtzig. ________
c) Einhundertsiebzehn und fünfhundertneunundneunzig sind sechshundertsechsundvierzig. ________
d) Zweitausendzweihundertachtunddreißig und fündundneunzig sind zweitausenddreihundertdreiunddreißig. ________
e) Fünfzigtausenddreihundertzehn und viertausendsiebenhundert sind fünfundfünfzigtausendzehn. ________
f) Ein Million zweihundertfünfzigtausend und dreihundertvierundsiebzigtausend sind eine Million sechshundertvierundzwanzigtausend. ________

9. Ergänzen Sie die Sätze mit den Nomen.

Nach Übung 9 im Kursbuch

Arbeitszeit	Aufenthalt	Ausbildung	Entwicklung	Facharbeiter

a) Die technische ________ hat den Beruf des Schreiners sehr verändert. Früher wurde nur mit einfachen Werkzeugen gearbeitet; heute gibt es schon computergesteuerte Maschinen.
b Nur wer eine gute ________ hat, kann später im Beruf Karriere machen.
c) Die Firma sucht noch einen ________ für die Montageabteilung.
d) Ein Bäcker muss morgens sehr früh aufstehen. Wegen dieser unangenehmen ________ wollen kaum noch junge Leute diesen Beruf lernen.
c) Jens Brinkmann wird seinen ________ in Afrika sicher nie vergessen.

10. Ihre Grammatik. Ergänzen Sie.

Nach Übung 11 im Kursbuch

→ Kursbuch 1: Seite 174–175; Arbeitsbuch 1: Übungen 13 bis 17 auf den Seiten 165–167

	Präsens	Präteritum	Perfekt
ich	werde geprüft	wurde geprüft	bin geprüft worden
du			
er / sie / es / man			
wir			
ihr			
sie / Sie			

Lektion 8

Nach Übung
11
im Kursbuch

11. Sagen Sie es anders.

A. Bilden Sie Sätze im Passiv Präsens.

Zuerst macht man Musterzeichnungen für Modellkleider.

Zuerst werden Musterzeichnungen für Modellkleider gemacht.

a) Nach den Musterzeichnungen näht man Modellkleider.
b) Die Modellkleider zeigt man den Kunden auf einer Modenschau.
c) Nach der Modenschau entscheidet man, welche Kleider man produziert.
d) Zuerst schneidet man aus den Stoffen die Einzelteile.
e) Dann nähen die Näherinnen die Einzelteile am Fließband zusammen.
f) Danach prüft man die Qualität der fertigen Kleider.
g) Jetzt muss man die fertigen Kleider bügeln.
h) Zum Schluss packt man die Kleider in Kartons und schickt sie zu den Kunden.

B. Schreiben Sie die Sätze a) bis h) im Präteritum.

Zuerst wurden Musterzeichnungen für Modellkleider gemacht.

C. Schreiben Sie die Sätze a) bis h) im Perfekt.

Zuerst sind Musterzeichnungen für Modellkleider gemacht worden.

Nach Übung

im Kursbuch

12. Sagen Sie es anders.

Man muss das Kleid bügeln. *Das Kleid muss gebügelt werden.*

a) Man darf den Pullover nicht chemisch reinigen.
b) Man sollte die Stoffqualität vor dem Kauf genau prüfen.
c) Man muss das Kleid ändern.
d) Man kann das Hemd auch ohne Krawatte tragen.
e) Kann man das Kleid in der Waschmaschine waschen?
f) Kann man die Hose kürzer machen?

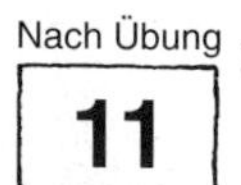

Nach Übung
11
im Kursbuch

13. Beschreiben Sie den Vorgang und das Ergebnis.

Ich habe den Pullover heute Vormittag gewaschen.

Der Pullover ist heute Vormittag gewaschen worden.
Jetzt ist der Pullover gewaschen.

a) Man hat die Wohnung letzte Woche renoviert.
b) Man hat das Auto gestern repariert.
c) Man hat die Türen vor wenigen Tagen neu gestrichen.
d) Jemand hat die Wohnung gestern aufgeräumt.
e) Wir haben die Fehler korrigiert.
f) Hat man die Rechnung schon bezahlt?

14. Ihre Grammatik. Ergänzen Sie.

Nach Übung **11** im Kursbuch

a) Wir versichern das Gebäude natürlich gegen Feuer.
b) Das Gebäude wird natürlich gegen Feuer versichert.
c) Wir müssen das Gebäude natürlich gegen Feuer versichern.
d) Das Gebäude muss natürlich gegen Feuer versichert werden.
e) Wir haben das Gebäude natürlich gegen Feuer versichert.
f) Das Gebäude ist natürlich gegen Feuer versichert worden.
g) Das Gebäude ist natürlich gegen Feuer versichert.

	Vorfeld	Verb$_1$	Subj.	Ergänzung	Angabe	Ergänzung	Verb$_2$	
a)	*Wir*	*versichern*						
b)								
c)								
d)								
e)								
f)								
g)								

15. Wiederholung: Wortschatz. Was ist in der Zeichnung anders? Korrigieren Sie die Zeichnung.

Nach Übung **11** im Kursbuch

Tina Huber, 5 Jahre alt:

kurze Haare!

mein Papa

Maria Huber, 9 Jahre alt:

Mein Papa
Mein Papa hat ein rundes Gesicht. Seine Haare sind kurz, und seine Nase auch. Er trägt immer eine Brille. Sein rechtes Ohr ist etwas größer als sein linkes. Er hat einen kurzen Bart, aber drum herum rasiert er sich trotzdem. Dann schneidet er sich, und dann hat er ein Pflaster im Gesicht. Mein Papa trägt immer einen Anzug mit Krawatte und einen Hut. Er hat nur schwarze Schuhe. Und er hat immer eine Aktentasche in der Hand. Mein Papa raucht schon seit 5 Jahren nicht mehr!

Lektion 8

Nach Übung **11** im Kursbuch

16. Wiederholung: Wortschatz. Welche Kleidung tragen Männer, welche Kleidung tragen Frauen? Was können beide tragen?

	Männer	Frauen	beide
a) eine Bluse			
b) eine Hose			
c) einen Anzug			
d) ein Kleid			
e) einen Mantel			
f) einen Rock			
g) Schuhe			

	Männer	Frauen	beide
h) eine Krawatte			
i) einen Pullover			
j) ein Hemd			
k) Unterwäsche			
l) ein Kostüm			
m) Strümpfe			

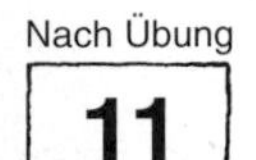

Nach Übung **11** im Kursbuch

17. Neuer Wortschatz. In dieser Übung können Sie die Bezeichnungen für weitere Kleidungsstücke lernen.

(Wenn etwas unklar bleibt: → Lösungsschlüssel hinten im Buch. Sie können natürlich auch ein Wörterbuch benützen.)

Badeanzug Sandalen Badehose Bikini Kniestrümpfe Jeans Turnschuhe
Strumpfhose Stöckelschuhe Socken Hosenrock Weste Nachthemd
Büstenhalter Schlafanzug Hausschuhe Hosenanzug Unterhose T-Shirt

a) Leichte, offene Schuhe für Männer und Frauen, die bei warmem Wetter getragen werden. *die* ______ ______________
b) Badekleidung aus zwei Teilen für Frauen. ______ ______________
c) Bequeme Schuhe aus Stoff oder Leder, die nur in der Wohnung getragen werden. ______ ______________
d) Hose aus Amerika, die auf der ganzen Welt bekannt ist und die vor allem von jungen Leuten getragen wird. ______ ______________
e) Unterwäsche, die nur von Frauen getragen wird. Wird meistens nur mit der Abkürzung bezeichnet: „BH". ______ ______________
f) Dünne Beinkleider für Frauen. Wird meistens zu einem Rock oder einem Kleid getragen. ______ ______________
g) Einteilige Schwimmkleidung für Frauen. ______ ______________
h) Schuhe mit hohen Absätzen für Frauen. Es ist nicht ganz einfach, darin zu gehen. ______ ______________
i) Jacke ohne Ärmel, die von Männern und Frauen getragen wird. ______ ______________
j) Unterwäsche für Männer und Frauen. Ein modorneres Wort dafür ist „Slip". ______ ______________
k) Strümpfe, die am Knie enden. Sie werden vor allem von Kindern getragen. ______ ______________
l) Wäsche, die man zum Schlafen anzieht und die aus einer Hose und einem Oberteil besteht. ______ ______________

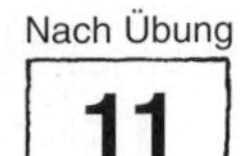

m) Einfaches, dünnes Hemd aus Baumwolle, mit kurzen Ärmeln, meist ohne Kragen und ohne Knöpfe. Ist bei jungen Leuten sehr beliebt. ______ ______________
n) Schwimmkleidung für Männer. ______ ______________
o) Modisches Kleidungsstück für Frauen. Geschnitten wie eine Hose, aber weit wie ein Rock. ______ ______________
p) Fußbekleidung, eigentlich für den Sport. Wird aber von vielen Jugendlichen ständig getragen. ______ ______________
q) Kurze Strümpfe, die nur den Fuß bedecken. ______ ______________
r) Jacke mit passender Hose für Frauen. Dazu wird meistens eine Bluse getragen. ______ ______________
s) Einteiliges Wäschestück, das man zum Schlafen anzieht. Wird mehr von Frauen als von Männern getragen. ______ ______________

18. Sagen Sie es anders.

Nach Übung **11** im Kursbuch

Mit einigen Verben kann man Passivsätze ohne Subjekt bilden.

Man hat mir gekündigt.
Mir ist gekündigt worden.

Man diskutierte lange über das Problem.
Über das Problem wurde lange diskutiert.

a) Man hat ihr geschrieben.
b) Man hat ihnen nicht geantwortet.
c) Man demonstrierte gegen die neuen Gesetze.
d) Man spricht über dich.
e) Man hat über unseren Chef viel gelacht.
f) Man kämpfte lange für höhere Löhne.
g) Glaubte man der Frau?
h) Konnte man den Leuten helfen?
i) Die Gewerkschaft hat gegen die Entlassungen protestiert.
j) Niemand hat ihm für seine Mühe gedankt.

19. Was können Sie auch sagen?

Nach Übung **14** im Kursbuch

a) Das kann er sich doch gar nicht leisten!
[A] Dazu ist er viel zu dumm!
[B] Dazu fehlt ihm doch das Geld!
[C] Dazu ist er doch viel zu jung!

b) Ist der denn wahnsinnig?
[A] Ist der vielleicht krank?
[B] Hat der immer so gute Ideen?
[C] Ist der verrückt geworden?

c) Er hat immer Ärger mit seinem Chef.
[A] Er streitet sich oft mit seinem Chef.
[B] Mit seinem Chef hat er keine Probleme.
[C] Er ärgert sich immer, weil er einen Chef hat.

d) Dazu hätte ich nicht den Mut!
[A] Dazu würde mir die Energie fehlen.
[B] Ich hätte Angst, das zu tun.
[C] Dazu hätte ich gar keine Lust.

e) Hat er denn die Mittel, sich selbständig zu machen?
[A] Ist er denn groß genug, um sich selbständig zu machen?
[B] Hat er denn die Macht, sich selbständig zu machen?
[C] Hat er denn genügend Kapital, um sich selbständig zu machen?

f) Ich kann ja erst mal einen Kredit aufnehmen.
[A] Für den Anfang kann ich mir ja Geld von der Bank leihen.
[B] Zuerst versuche ich mal, Geld zu sparen.
[C] Ich werde zuerst mal Arbeitslosengeld beantragen.

g) Mit welcher Begründung hat man dir gekündigt?
[A] Zu welchem Termin hat man dir gekündigt?
[B] Warum ist dir gekündigt worden?
[C] Wer hat dir eigentlich gekündigt?

h) Die Abteilung hat sich nicht mehr gelohnt.
[A] In dieser Abteilung haben die Arbeiter keinen Lohn mehr bekommen.
[B] Der Stundenlohn in dieser Abteilung war zu niedrig.
[C] Die Abteilung hat nicht mehr genug Geld gebracht.

Nach Übung **14** im Kursbuch

20. Schreiben Sie die Sätze mit „normaler" Satzstellung.

Vorfeld	Verb_1	Subjekt	Erg.	Angabe	Erg.	Verb_2	Nachfeld
Ich	hätte		das	an seiner Stelle nicht		getan.	
Ich	hätte		das	nicht		getan	an seiner Stelle.
Das	hätte	ich		an seiner Stelle nicht		getan.	
Das	hätte	ich		nicht		getan	an seiner Stelle.
An seiner Stelle	hätte	ich	das	nicht		getan.	

Einige Satzteile können <u>hinter</u> der Position *Verb_2* im *Nachfeld* stehen. Das gilt besonders für *Orts-* und *Richtungsangaben* und für *präpositionale Ausdrücke.* (Siehe auch § 38 im Grammatikanhang des Kursbuchs auf Seite 205.)

a) Er hat immer Krach gehabt mit seinen Kolleginnen und Kollegen.
Er hat mit seinen Kolleginnen und Kollegen immer Krach gehabt.

b) Er hat sich sehr gefreut über seinen Erfolg.
Er hat sich über seinen Erfolg sehr gefreut.

c) Er hat mit Ersatzteilen gehandelt im Ausland.

____

d) Er hat sich beschwert über die schlechte Qualität.

____

e) Er ist Taxi gefahren in Köln.

____

f) Ich würde das auch tun unter diesen Umständen.

____

g) Man hat das ganze Werk geschlossen wegen zu hoher Verluste.

____

h) Er hat erst gestern angefangen mit der Arbeit.

____

i) Er hat immer Ärger gehabt mit seinen Arbeitskollegen.

____

j) Ich werde den Vertrag nicht verlängern unter diesen Umständen.

____

21. Attribut mit „von" oder Attribut im Genitiv?

Nach Übung 15 im Kursbuch

A. Von Nomen, die keinen Artikel haben, lässt sich kein Genitiv bilden. Statt des Attributs im Genitiv wird in diesen Fällen ein Attribut mit „von" (+ Dativ) benützt. (→ Kursbuch 1: § 4 auf Seite 197)

Meine Aufgabe ist die Kontrolle von Mülldeponien.
Die Vermeidung von Abfall wird immer wichtiger.

B. Bei Personennamen wird der Genitiv ebenfalls oft vermieden; stattdessen benützt man auch hier „von" mit dem Personennamen im Dativ.

Der Mülleimer von Hans ist jede Woche ganz voll.

Genitiv oder „von" + Dativ? Ergänzen Sie die folgenden Satzanfänge.

a) ***Schirmfabrik entläßt 400 Mitarbeiter***
Die Entlassung von 400 Mitarbeitern bei der Schirmfabrik Sommerau wird …

b) ***Armbruster KG verschiebt die Modenschau***
Die Verschiebung der Modenschau bei der Armbruster KG hat …

c) ***Farbenfabrik verwendet Gift für Wandfarben***
Die Verwendung ______________ bei der Farbenfabrik in Rothenturm ist …

d) ***Stadtrat will Lärm vermeiden***
Die Vermeidung ______________ ist für den Stadtrat eines der wichtigsten Ziele …

e) ***Stahlwerk: Die Arbeiter wollen einen Streik***
Der Streik ______________ im Stahlwerk ist wohl nicht mehr zu verhindern …

f) ***Herbert Fuchs will Firmenwagen nicht zurückgeben***
Der Firmenwagen ______________, dem Geschäftsführer der Wecker AG in …

g) ***Ein Angestellter rettet die Quadro GmbH***
Die Erfindung ______________ brachte der Quadro GmbH Millionen: Der …

h) ***Sauer AG will die Produktion um 50 % erhöhen***
Eine Erhöhung ______________ um 50 % soll bei der Sauer AG in drei Jahren …

Lektion 8

Nach Übung **15** im Kursbuch

22. Ergänzen Sie die Sätze mit der richtigen Präposition.

a) Er hatte sehr oft Krach _________ seinen Kollegen.
b) Ein Pädagoge sollte großes Interesse _________ die Welt der Kinder haben.
c) Es gibt auf der Welt fast 10 000 Datenbanken _________ Informationen aus allen Bereichen von Wirtschaft, Politik, Wissenschaft, Kultur und Technik.
d) Er ist Vertreter einer deutschen Firma _________ Ausland.
e) Er hatte ein sehr schlechtes Verhältnis _________ seiner Chefin.
f) Hast du Angst _________ Hunden?
g) Sie trägt nur Pullover _________ Wolle.
h) Der Film _________ Dienstagabend war ziemlich langweilig.
i) Die Gewerkschaft verlangt genaue Informationen _________ die wirtschaftliche Situation der Firma.
j) Der Krieg _________ den beiden Ländern hat viele Tote gekostet.
k) Hast du schon ein Geburtstagsgeschenk _________ Konrad gekauft?
l) Die Fahrt _________ dem Zug dauert etwa drei Stunden.
m) Die Streiks _________ höhere Löhne hatten Erfolg.

Nach Übung **15** im Kursbuch

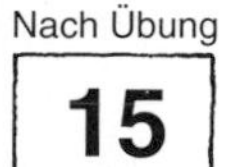

23. „Nachdem", „bevor" oder „während"? Was passt?

a) _________ man sich selbständig macht, sollte man einige Jahre als Angestellter im Beruf arbeiten.
b) _________ die Firma zwei große Misserfolge hatte, musste sie 60 Angestellte entlassen.
c) _________ ich studierte, musste ich als Taxifahrer arbeiten, um leben zu können.
d) _________ man Arbeitslosengeld bekommt, darf man nicht arbeiten und Geld verdienen.
e) _________ mir gekündigt wurde, habe ich mich sofort arbeitslos gemeldet.
f) _________ ich eine feste Stelle hatte, machte ich nur Gelegenheitsjobs.
g) _________ die Kleider verpackt und an die Kunden geschickt werden, wird noch einmal die Qualität jedes einzelnen Kleides geprüft.
h) _________ die Kleider genäht worden sind, müssen sie gebügelt werden.
i) _________ Jens Brinkmann in Afrika arbeitete, lernte er Französisch.

Nach Übung **16** im Kursbuch

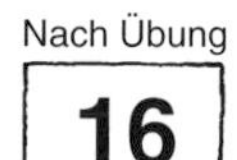

24. Welches Verb passt?

übersetzen	aufgeben	produzieren	entlassen	einstellen
liefern	leiten	übernehmen	beschäftigen	verursachen

a) Die Firma hat nicht genug Arbeiter. Es sollen noch dreißig Leute _____________ werden.
b) Der alte Chef ist gestorben. Die Firma wird jetzt von seinem Sohn _____________.
c) Wegen Rationalisierungen im Betrieb mussten hundert Arbeiter _____________ werden.
d Frau B. hat ihre Stelle _____________, weil sie sich selbständig machen will.
e) Herr M. _____________ einen Lehrling und zwei Facharbeiter in seiner Werkstatt.

f) Ein Informationsmakler ________ alle Auskünfte, die seine Kunden wünschen.
g) Der Geschäftsführer muss gehen, weil er zu hohe Kosten ________ hat.
h) Mit den neuen Maschinen können höhere Stückzahlen ________ werden.
i) Solange meine Kollegin krank ist, muss ich ihre Arbeit ________.
j) Die Sekretärin muss Briefe aus dem Ausland ins Deutsche ________.

25. Sagen Sie es anders.

Nach Übung **16** im Kursbuch

A. Ergänzen Sie mit der passenden Präposition und, wenn nötig, dem Artikel.

a) Computerspiele	Spiele ________ Computer
b) eine Fensterdekoration	eine Dekoration ________ Fenster
c) das Fernsehprogramm	das Programm ________ Fernsehen
d) ein Motorradersatzteil	ein Ersatzteil ________ Motorrad
e) eine Ledertasche	eine Tasche ________ Leder
f) eine Zeitungsanzeige	eine Anzeige ________ Zeitung
g) die Zukunftsangst	die Angst ________ Zukunft
h) ein Hochzeitskleid	ein Kleid ________ Hochzeit
i) ein Universitätsstudium	das Studium ________ Universität
j) eine Mülldeponie	eine Deponie ________ Müll
k) die Nachtarbeit	Arbeit ________ Nacht
l) das Anfangsgehalt	das Gehalt ________ Anfang
m) ein Büroangestellter	ein Angestellter ________ Büro

B. Ergänzen Sie mit dem definiten Artikel im Genitiv.

a) die Stadtverwaltung	die Verwaltung ________ Stadt
b) ein Bankkunde	ein Kunde ________ Bank
c) ein Gewerkschaftssprecher	ein Sprecher ________ Gewerkschaft
d) die Herstellungskosten	die Kosten ________ Herstellung
e) der Präsidentenpalast	der Palast ________ Präsidenten
f) eine Wirtschaftskrise	eine Krise ________ Wirtschaft

C. Ergänzen Sie mit dem Relativpronomen und, wenn nötig, der passenden Präposition.

a) die Versandabteilung	die Abteilung, ________ ________ Waren verpackt und verschickt werden
b) die Stahlindustrie	die Industrie, ________ Stahlprodukte herstellt
c) der Hauptschulabschluss	der Abschluss, ________ man auf der Hauptschule bekommt
d) ein Gelegenheitsjob	ein Job, ________ man gelegentlich, nicht regelmäßig macht
e) ein Steuerberater	ein Berater, ________ bei Steuerfragen hilft
f) eine Präzisionsmaschine	eine Maschine, ________ sehr präzise arbeitet
g) ein Ärztehaus	ein Haus, ________ ________ verschiedene Ärzte ihre Praxis haben
h) ein Zukunftsberuf	ein Beruf, ________ auch in Zukunft wichtig sein wird

Lektion 8

Nach Übung **19** im Kursbuch

26. Bilden Sie Nomen.

	die Sache: Verbstamm oder Verbstamm+„-ung“	die Person: Verbstamm+„-er“ / „-erin“
a) ausstellen	*die Ausstellung*	*der Aussteller, die Ausstellerin*
b) begründen	___	
c) beraten	___	___
d) bewegen	___	
e) bezahlen	___	
f) einkaufen	___	___
g) entlassen	___	
h) entwickeln	___	
i) erfinden	___	___
j) herstellen	___	___
k) kündigen	___	
l) leiten	___	___
m) liefern	___	
n) prüfen	___	___
o) testen	___	___
p) verantworten	___	
q) verwalten	___	___
r) zeichnen	___	___

Nach Seite **42** im Kursbuch

27. Markieren Sie alle Verben: Futur grün, Präsens rot, Präteritum blau.

Was wird sein, wenn ich Meister bin, dachte er. Was wird sein?
Was wird sich im Betrieb und in meinem Leben verändern? Wird sich überhaupt etwas verändern? Warum soll sich etwas verändern? Bin ich ein Mensch, der verändern will?
Er stand unbeweglich und beobachtete nachdenklich das geschäftige Treiben auf dem Platz vor der Lagerhalle, der hundert Meter weiter unter einer brennenden Sonne lag. Die Männer dort arbeiteten ohne Hemd, ihre braunen Körper glänzten im Schweiß.
Ab und zu trank einer aus der Flasche. Ob sie Bier trinken? Oder Cola?
Was wird sein, wenn ich Meister bin? Mein Gott, was wird dann sein? Ja, ich werde mehr Geld verdienen, kann mir auch einen Wagen leisten, und die Kinder werde ich zur Oberschule schicken, wenn es soweit ist. Vorausgesetzt, sie haben genug Verstand dazu. Eine größere Wohnung werde ich bekommen von der Werksleitung, und das in der Siedlung, in der nur Angestellte der Fabrik wohnen. Vier Zimmer, Küche, Bad, Balkon, kleiner Garten – und Garage. Das ist schon etwas. Dann werde ich endlich heraus sein aus der Arbeitersiedlung, wo die Wände Ohren haben, wo einer dem andern in den Kochtopf guckt und der Nachbar an die Wand klopft, wenn meine Frau den Schallplattenspieler zu laut aufdreht und die Beatles laufen läßt.
Meister, werden dann hundert Arbeiter zu mir sagen – oder Herr. Oder Herr Meister oder Herr Witty. Wie sich das wohl anhört: Herr Witty! Herr Meister! Er sprach es mehrmals laut vor sich hin.
Der Schweißer Egon Witty sah in die Sonne und auf den Platz, der unter einer brennenden Sonne lag, und er fragte sich, was die Männer mit den nackten Oberkörpern wohl tranken: Bier? Cola? Schön wird das sein, wenn ich erst Meister bin, ich werde etwas sein, denn jetzt bin ich nichts, nur ein Rädchen, das man ersetzen kann. Nicht so leicht ersetzbar aber sind Männer, die Räder in Bewegung setzen und kontrollieren. Ich werde in Bewegung setzen und kontrollieren, ich werde etwas sein, ich werde bestimmen, anordnen, von der Liste streichen, beurteilen, für gut befinden. Ich werde die Verantwortung tragen.

Lektion 9

Kernwortschatz

Verben

ablehnen 111
anfassen 105
anmelden 109
aufwachen 108
ausfüllen 110
aussprechen 111
bedanken 111
bedeuten 83
begreifen 104
bestätigen 110
besuchen 109
bewegen 104
bieten 109
buchstabieren 111
einführen 109
einschlafen 108
entsprechen 106
entwickeln 106
erfüllen 110
erinnern 102
erklären 111
feststellen 105
fordern 106
führen 105
gelingen 102
gratulieren 111
klagen 105
korrigieren 110
loben 105
meinen 106
mitteilen 104
nachgehen 103
probieren 102
rechnen 102
schimpfen 103
schütteln 105
schwimmen 102
stehlen 103
unterrichten 104
verwenden 107
vorkommen 111
vorziehen 106
weiterarbeiten 104
wiederholen 104
zeigen 102

Nomen

e Ahnung, -en 109
e Anfrage, -n 108
e Anmeldung, -en 110
r Autor, -en 104
e Bahn, -en 110
e Bedienung 111
s Blut 107
e Diskussion, -en 104
r Eilzug, ¨-e 110
e Einladung, -en 111
e Erde 106
s Fach, ¨-er 108
e Fahrkarte, -n 111
s Formular, -e 111
r Fotoapparat, -e 111
e Fremdsprache, -n 110
e Gebühr, -en 110
r Geburtstag, -e 111
s Gedicht, -e 111
s Gegenteil 107
e Geschichte, -n 103
s Heft, -e 103
r Inhalt, -e 111
s Instrument, -e 80
e Klasse, -n 104
r Konflikt, -e 111
e Konkurrenz 105
r Körper, - 100
e Kunst 106
r Kurs, -e 107
s Land, ¨-er 111
e Laune, -n 105
r Lautsprecher, - 103
e Leitung, -en 108
e Literatur 107
e Medizin 107
e Mühe 104
e Musik 105
e Panne, -n 108
e Politik 107
r Präsident, -en 106
e Reaktion, -en 104
e Regel, -n 105
r Reifen, - 108
r Spezialist, -en 106
r Start, -s 106
e Tafel, -n 108
r Tanz, ¨-e 108
r Teilnehmer, - 87
e U-Bahn, -en 110
r Umfang 106
r Unterricht 104
r Versuch, -e 102
r Vogel, ¨ 102
r Vorschlag, ¨-e 110

Adjektive

angeblich 106
dauernd 103
deutsch 111
eigen- 105
einzeln 105
elektrisch 107
eventuell 111
finanziell 108
genau 102
gültig 108
heutig 106
-jährig 106
menschlich 107
mündlich 103
ordentlich 103
politisch 111
richtig 104
schriftlich 111
schwierig 104
selten 103
sorgfältig 103
spannend 104
ständig 104
tatsächlich 110

Lektion 9

Adverbien

bisher 111
ebenfalls 110
endlich 102
gerade 102
meistens 103
überhaupt 104
vorn 104
zusammen 105

Funktionswörter

als ob 104
bisschen 109
derselbe 106
entweder … oder … 105
etwa 104
jener 104
paar 102
pro Jahr 110
sowohl … als auch … 105
weder … noch … 105
zwar … aber … 105

Kerngrammatik

Verlaufsform (§ 43)

Die Vögel lernen gerade fliegen.
Die Vögel sind dabei, fliegen zu lernen.

Perfekt + Modalverb (§ 30)

Sie hat die Tafel geputzt.
Sie hat die Tafel putzen müssen. — Ich habe das nie gemusst.

Sie hat ihren Lehrer kritisiert.
Sie hat ihren Lehrer kritisieren dürfen. — Ich habe das nie gedurft.

Sie hat ihre Meinung nicht gesagt.
Sie hat ihre Meinung nicht sagen wollen. — Ich habe das immer gewollt.

Sie hat ihren Schülern nicht geholfen.
Sie hat ihren Schülern nicht helfen können. — Ich habe das immer gekonnt.

Zweigliedrige Konjunktoren (§ 46)

Wir üben nicht nur in Gruppenarbeit, sondern auch allein.
Wir haben zwar schon viel gelernt, aber es bleibt noch sehr viel zu tun.

Diese Übung kann man entweder in Gruppenarbeit oder allein machen.
Mit dieser Übung kann ich sowohl das Sprechen als auch das Lesen üben.
Diese Arbeit ist weder interessant noch gut bezahlt.
Der Kurs findet teils am Abend und teils am Wochenende statt.

Reziprokpronomen mit Präposition (§ 9)

Wir sollten mehr aufeinander eingehen.
Wir könnten doch miteinander lernen.
Ihr werdet sicher viel voneinander lernen.

1. „So habe ich Rad fahren gelernt." Wie passen die Texthälften zusammen?

Nach Übung **2** im Kursbuch

Ich kann mich noch gut daran erinnern, wie ich Rad fahren gelernt habe. Da war ich fünf Jahre alt; es war kurz vor meinem Schulbeginn. Ich spielte auf unserer Terrasse gerade mit den Nachbarskindern Schule. Plötzlich kam meine Mutter mit einem ganz neuen Kinderfahrrad daher. Das interessierte mich aber gar nicht, weil ein älteres Kind gerade dabei war, meine „Hausaufgaben" zu korrigieren. Außerdem hatte ich Angst vor dem Radfahren; ich wusste schon, dass man dabei hinfallen und sich verletzen konnte. **a)**

Ich habe erst sehr spät Rad fahren gelernt. Während meiner ganzen Kindheit wohnten wir im Zentrum von Frankfurt, und meine Eltern hatten Angst, dass mir beim Radfahren in dem dichten Stadtverkehr etwas passieren könnte. Mir war es eigentlich egal, dass ich kein Fahrrad hatte. Es gab genug andere Beschäftigungen; ich ging oft schwimmen oder spielte Fußball. **b)**

Das Radfahren habe ich mit dem Rad meiner älteren Schwester gelernt. Sie hatte das Rad zum siebten Geburtstag bekommen, und vom ersten Tag an wollte ich unbedingt auch damit fahren. Aber sie gab es mir nie; sie hatte Angst, ich würde es kaputtmachen. Deshalb schloss sie es immer ab und versteckte den Schlüssel. **c)**

a)	
b)	
c)	

Als ich zwölf war, kam ich an eine andere Schule. Da hatte ich bald einen neuen Freund, der immer mit dem Fahrrad unterwegs war und überhaupt nicht verstehen konnte, dass ich kein Fahrrad hatte und nicht fahren konnte. Deshalb wünschte ich mir dann doch ein Fahrrad von meinen Eltern. Zu Weihnachten bekam ich auch wirklich ein tolles Rad, obwohl mein Vater damals gerade berufliche Probleme hatte und es für ihn nicht ganz einfach war, so viel Geld für ein Weihnachtsgeschenk auszugeben. Das Fahren brachte mir mein Freund schon am ersten Weihnachtstag bei. **1)**

An einem Wochenende, als meine Schwester gerade nicht zu Hause war, fand ich zufällig den Schlüssel. Ohne lange nachzudenken ging ich in die Garage, schloss das Rad auf und schob es auf die Straße. Ich wusste mit meinen fünf Jahren nicht, dass man das Radfahren lernen muss – ich wollte einfach aufsteigen und losfahren. Natürlich fiel ich sofort hin. Unser Nachbar, der dabei war, seinen Rasen zu mähen, stellte mich wieder auf die Beine. Und dann half er mir, bis ich allein fahren konnte – er wusste ja nicht, dass ich mit dem Rad eigentlich gar nicht fahren durfte. Zum Glück bekam ich dann bald darauf mein eigenes Rad. **2)**

Auch an den nächsten Tagen wollte ich nicht Rad fahren lernen. Schließlich war die Geduld meiner Mutter zu Ende: Sie zog mir zwei lange Hosen und zwei dicke Pullover an, dazu noch Handschuhe, und erklärte mir, dass diese Kleidung mich bei einem Sturz ganz bestimmt schützen würde. Dann setzte sie mich auf mein Fahrrad und hielt mich am Rücken fest. Da fuhr ich schließlich los, und schon nach einer Viertelstunde konnte ich ganz allein und ohne Hilfe um unser Haus fahren. **3)**

Lektion 9

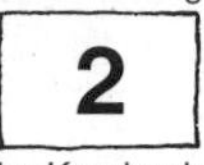

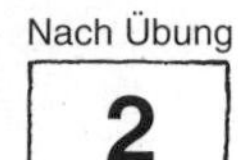

2. Gerade in dem Moment ...

Im Deutschen braucht man keine besondere Verbform, um auszudrücken, dass man *im Moment* etwas tut oder dass *im Moment* etwas passiert:

Bitte stör mich jetzt nicht, ich schreibe einen Brief.

Man kann aber auch sagen:

Bitte stör mich jetzt nicht, ich schreibe gerade einen Brief.
Bitte stör mich jetzt nicht, ich bin dabei, einen Brief zu schreiben.
Bitte stör mich jetzt nicht, ich bin gerade dabei, einen Brief zu schreiben.

A. Suchen Sie in den Texten in Übung 1 die fünf Sätze, in denen auf diese Weise „im Moment" ausgedrückt wird.

B. Drücken Sie in den folgenden Sätzen „im Moment" aus.

a) Klaus möchte jetzt nicht fernsehen. Er liest ein Buch.

Er liest g ______

Er ist d ______

Er ist g ______

b) Sie können jetzt nicht mit Frau Ott sprechen. Sie telefoniert mit einem wichtigen Kunden.
c) Ich kann dir im Moment nicht helfen. Ich spüle das Geschirr.
d) Vater ist im Hof. Er repariert das Auto.
e) Lass Paul in Ruhe! Er lernt für seine Prüfung.

3. Eine Antwort stimmt nicht.

a) Wann hast du schwimmen gelernt?
[A] Das weiß ich nicht mehr.
[B] Daran denke ich nicht.
[C] Ich kann mich nicht erinnern.

b) Kann dein Papagei sprechen?
[A] Nein, das weiß er leider nicht.
[B] Nein, das ist ihm bisher nicht gelungen.
[C] Nein, das hat er leider nicht gelernt.

c) Kannst du über den ganzen See schwimmen?
[A] Wahrscheinlich, aber ich habe es noch nie probiert.
[B] Das kann ich nicht sagen, weil ich es noch nie versucht habe.
[C] Das habe ich noch nie gezeigt.

d) Wie hast du eigentlich so gut Ski laufen gelernt?
[A] Mein Vater hat mir gezeigt, wie es geht.
[B] Das hat mir mein Vater beigebracht.
[C] Mein Vater hat mich darüber informiert.

e) Warum konntest du schon schreiben, als du in die Schule kamst?
[A] Mein älterer Bruder hat es mir erklärt.
[B] Mein älterer Bruder hat es mir vorgemacht.
[C] Mein älterer Bruder hat mit mir geübt.

4. Sagen Sie es anders.

Nach Übung **4** im Kursbuch

Wenn man vergangene Ereignisse erzählt, verwendet man bei vielen Verben oft das Perfekt anstelle des Präteritums.
Bei den Verben „haben“ und „sein“ und bei den Modalverben braucht man die Perfektformen zwar selten, aber sie sind auch möglich:

Perfekt	*Präteritum*
Ich bin bei Harald gewesen.	Ich war bei Harald.
Er hat Probleme mit seinem Computer gehabt.	Er hatte Probleme mit seinem Computer.
Ich habe ihm helfen müssen.	Ich musste ihm helfen.

Schreiben Sie die folgenden Sätze im Perfekt:

a) Ich musste immer die Tafel putzen. *Ich habe immer die Tafel putzen müssen.*

b) Wir durften nie unpünktlich sein.
c) Wenn ein Lehrer in die Klasse kam, mussten wir immer aufstehen.
d) Die Mathematikaufgaben konnte ich nur mit Hilfe meiner Banknachbarin lösen.
e) Ich musste eine Klasse zweimal machen.
f) Ich konnte eigentlich nie verstehen, wozu die Logarithmen gut sein sollen.
g) Damals konnte man noch keine Fächer wählen.
h) Ich durfte nicht studieren, mein Vater erlaubte es nicht.

5. Wiederholung: Adjektive. Welches Adjektiv passt?

Nach Übung **4** im Kursbuch

a) Nur wenn ich eine ________________ Brille trage, kann ich ________________ sehen.
klar genau deutlich stark direkt gültig

b) Du hast richtig gerechnet, aber die Zahlen sind nicht ________________ geschrieben.
angenehm elegant ordentlich

c) Sie macht ihre Hausaufgaben immer sehr ________________.
günstig sorgfältig hübsch

d) In Mathematik hatten wir einen ________________ Lehrer.
berühmt ausgezeichnet wichtig

e) Ich würde nie so eine ________________ Schuluniform anziehen!
schrecklich schwierig traurig

f) Unsere ________________ Lehrerin macht einen ________________ Unterricht.
neu lebendig frisch gesund lebendig neu

g) Ich glaube, dass Gruppenarbeit ________________ ist zum Lernen.
nett gemütlich ideal

h) Alle hatten Angst vor Wegmann; er war ein ________________ Lehrer.
wunderbar furchtbar fantastisch

i) Nachmittags trafen sich die Jungs aus meiner Klasse ________________ zum Fußballspielen.
regelmäßig zuverlässig sorgfältig

Nach Übung **5** im Kursbuch

6. Wiederholung: Welche Nomen passen nicht?

a) putzen: die Wandtafel, die Zähne, das Geschirr, die Schuhe, die Wäsche, des Fenster, das Badezimmer, das Auto, das Fahrrad, sich die Nase, den Spiegel
b) waschen: die Hände, das Gesicht, die Zähne, den Pullover, die Haare, einen Apfel, das Wohnzimmer, das Kleid, die Wäsche, das Gemüse, das Kassettengerät, die Wolldecke, den Hals
c) aufräumen: das Kinderzimmer, die Wohnung, die Haare, die Küche, die Handtasche, den Kleiderschrank, die Garage, die Füße, den Kühlschrank, den Schreibtisch, die Waschmaschine, das Büro, den Hof, den Keller
d) saubermachen: den Ofen, die Badewanne, ein Glas, die Wohnung, den Hund, eine Jacke, den Schmerz, die Toilette, den Kochtopf, den Stall, das Waschbecken, die Wohnung

Nach Übung **5** im Kursbuch

7. Ergänzen Sie.

da bald da danach dann ~~eines Tages~~ dann im nächsten Moment zuerst später zuerst

Eines Tages sollten wir in Englisch mündlich geprüft werden. Die meisten von unserer Klasse waren aber nicht gut vorbereitet. ________ hatte Dieter eine Idee. Er brachte sein Tonbandgerät mit in die Schule und nahm beim Unterrichtsbeginn die Pausenklingel auf. Vor der Englischstunde versteckte er den Lautsprecher hinter der Wandtafel. ________ kam Wegmann, unser Englischlehrer, in die Klasse und fing mit der Prüfung an. Wie immer prüfte er ________ die besten Schüler. Aber ________ wollte er auch mich prüfen. ________ gab ich Dieter ein Zeichen; der schaltete sein Tonbandgerät ein, und ________ klingelte es. Wegmann war sehr überrascht. Er schaute ________ ungläubig auf seine Uhr. Aber ________ glaubte er es doch und beendete die Prüfung. ________ gingen wir alle nach Hause, weil es die letzte Stunde war. ________ merkte Wegmann natürlich, dass alles nur ein Trick war, und er wiederholte die Prüfung.

Nach Übung **7** im Kursbuch

8. Ergänzen Sie mit „was", „wo" oder „wohin".

a) Wir haben natürlich nicht alles geglaubt, ________ die Lehrer uns erzählt haben.
b) Von da, ________ ich saß, konnte ich den anderen Schülern nicht ins Gesicht sehen.
c) Unseren Klassenausflug mussten wir dahin machen, ________ die Lehrer fahren wollten.
d) Fast alles, ________ wir auswendig lernen mussten, vergaßen wir ganz schnell wieder.
e) Wir hatten wenig Möglichkeiten, mit den Mitschülern über das zu sprechen, ________ wir gelernt hatten.
f) Wir mussten immer dorthin schauen, ________ der Lehrer war.
g) Oft hatte ich das Gefühl, dass wir etwas lernten, ________ wir gar nicht brauchten.

9. „Als“, „wenn“ oder „während“? Was passt?

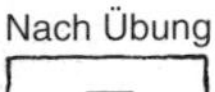

Nach Übung **7** im Kursbuch

a) Ich konnte doch nicht Musik machen, ________ Gerda im gleichen Zimmer schlafen wollte!
b) Als Student war ich immer sehr nervös, ________ ich mit einem Professor sprechen sollte.
c) ________ ich achtzehn war, zogen meine Eltern nach Berlin.
d) ________ meine Freunde sich auf die Prüfung vorbereiteten, verbrachte ich die Tage in Cafés und die Nächte in Bars und Diskotheken.
e) ________ ein Lehrer sehr streng ist, lerne ich nicht so gut.
f) Dass jemand meine Tasche gestohlen hatte, merkte ich erst, ________ ich ins Hotel zurückfahren wollte.
g) Du kannst ihm das ja morgen erzählen, ________ du mit ihm nach Zürich fährst.
h) Ich lerne nur dann eine Fremdsprache, ________ ich damit Geld verdienen kann.
i) Du könntest ja schon mal runtergehen und das Zimmer bezahlen, ________ ich die Koffer packe.

10. Was passt zusammen?

→ Übung 21 auf Seite 26

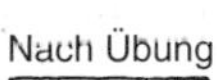

Nach Übung **8** im Kursbuch

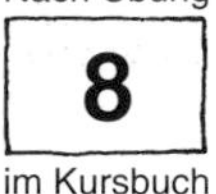

a) Sie kann zwar gut Deutsch sprechen,
b) Ich kann weder in der Gruppe
c) Sie kann nicht nur gut Deutsch sprechen,
d) Entweder höre ich Musik,
e) Sie kann Russisch sowohl sprechen
f) Der Lehrer ist zwar sehr nett,
g) Sie kann diese Sprache weder sprechen
h) Entweder man tat, was die Lehrer wollten,
i) Ich lerne nicht nur im Unterricht,
j) Sie lernt sowohl Deutsch

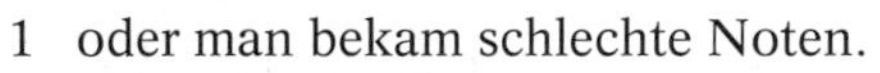

1 oder man bekam schlechte Noten.
2 als auch schreiben.
3 noch schreiben.
4 sondern auch gut schreiben.
5 aber sein Unterricht ist langweilig.
6 aber nicht gut schreiben.
7 als auch Spanisch.
8 oder ich lerne. Beides zusammen kann ich nicht.
9 noch mit einem Partner zusammen lernen.
10 sondern auch zu Hause.

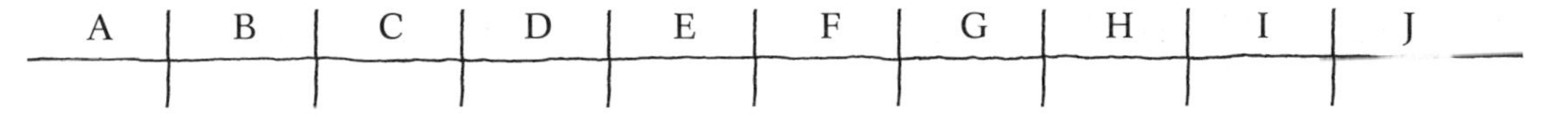

A	B	C	D	E	F	G	H	I	J

11. Ergänzen Sie.

Nach Übung **8** im Kursbuch

weder … noch …	entweder … oder …	zwar … aber …	sowohl … als auch …

a) Ich weiß noch nicht genau, was ich nach der Schule machen werde. ____________ bewerbe ich mich als Stewardess, ____________ ich studiere Englisch an der Uni.
b) Ich kann mich ____________ noch an meine Mitschüler erinnern, ____________ die Namen der meisten habe ich vergessen.
c) Wir hatten einen sehr netten Mathematiklehrer, aber ich kann mich ____________ an sein Gesicht ____________ an seinen Namen erinnern.
d) Meine Schulzeit war eigentlich ganz normal. Ich hatte ____________ gute ____________ schlechte Lehrer.

Lektion 9

Nach Übung **8** im Kursbuch

12. „Einander“

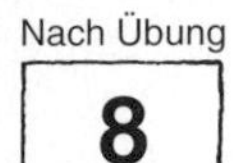

A. Nicht reflexive Verben
Nora und Ludwig …

a) … lieben einander. ____________
b) … denken aneinander. ____________
c) … schimpfen ____________
d) … hassen ____________
e) … sprechen ____________
f) … kritisieren ____________
g) … sorgen ____________
h) … diskutieren ____________
i) … schreiben ____________
j) … reden ____________
k) … informieren ____________
l) … telefonieren ____________
m) … widersprechen ____________
n) … kämpfen ____________
o) … gratulieren ____________
p) … helfen ____________
q) … loben ____________
r) … lachen ____________

Anstelle von „einander“ kann man auch das Wort „sich“ verwenden:

Nora und Ludwig lieben <u>sich</u>.

Das Wort „sich“ kann also bei einigen Verben in der dritten Person Plural zwei Bedeutungen haben:

Die Kinder schauen sich an.
= Jedes Kind schaut sich selbst an.

Die Kinder schauen sich an.
= Die Kinder schauen einander an.

Wenn „einander“ mit einer Präposition verbunden ist („<u>an</u>einander“, „<u>über</u>einander“, „<u>mit</u>einander“ usw.), dann kann es <u>nicht</u> durch das Wort „sich“ ersetzt werden.

B. Reflexive Verben
Nora und Ludwig …

a) … beschweren sich übereinander. ____________
b) … haben ____________ gewöhnt.
c) … erinnern ____________
d) … interessieren ____________
e) … kümmern ____________
f) … regen ____________ auf.
g) … verabschieden ____________

Nach Übung 

im Kursbuch

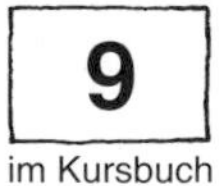

13. Was können Sie auch sagen?

a) Diese Grammatikregel begreife ich nicht.
[A] Diese Regel kann ich nicht anfassen.
[B] Diese Regel gefällt mir nicht.
[C] Diese Regel verstehe ich nicht.

b) Die Kurszeiten werden Ihnen spätestens zwei Monate vor Kursbeginn mitgeteilt.
[A] Spätestens zwei Monate vorher erfahren Sie, um wieviel Uhr der Kurs jeweils stattfindet.
[B] Der Kurs wird geteilt und beginnt in spätestens zwei Monaten.
[C] Wir schreiben Ihnen noch, wie lange der Kurs dauert; mehr als zwei Monate sicher nicht.

c) Ich habe festgestellt, dass ich am besten allein lernen kann.
A Ich habe mich entschieden, nur noch allein zu lernen.
B Ich habe gemerkt, dass ich allein am besten lerne.
C Ich fühle mich oft allein, wenn ich lerne.

d) Während des Unterrichts durften wir uns in der Klasse bewegen.
A Wir mussten nicht immer auf unserem Platz bleiben.
B Wir durften mit unseren Mitschülern sprechen.
C Wir hatten manchmal Sportunterricht in der Klasse.

e) Was hat diese Erzählung in dir bewegt?
A Was hast du während der Erzählung gemacht?
B Welche Gedanken und Gefühle hattest du bei dieser Erzählung?
C Hat dir die Erzählung gefallen?

f) Unser Lehrer hatte immer schlechte Laune.
A Unser Lehrer hatte eine schlimme Krankheit.
B Unser Lehrer hat immer zu leise gesprochen.
C Unser Lehrer war ein unzufriedener und unfreundlicher Mensch.

g) Die Schüler tun so, als ob sie dem Lehrer zuhören würden.
A Die Schüler lassen den Lehrer glauben, dass sie ihm zuhören. Aber es stimmt nicht.
B Die Schüler würden dem Lehrer gern zuhören, aber sie haben zu viel zu tun.
C Die Schüler hören genau zu, wenn der Lehrer etwas sagt.

h) Gestern hatten wir eine spannende Diskussion während des Unterrichts.
A Die Diskussion war interessant und aufregend.
B Die Diskussion war unfair und aggressiv.
C Die Diskussion war schrecklich langweilig.

14. Was hat man die Schüler und die Lehrer gefragt? Bilden Sie indirekte Fragesätze.
→ Übungen 13 und 14 auf den Seiten 22–23

Nach Übung **10** im Kursbuch

Die Schüler und Lehrer wurden gefragt, …

a) ... welcher Planet „Abendstern" genannt wird.
(Welcher Planet wird „Abendstern“ genannt?)
b) ______
(Wie nennt man eine Lebensgeschichte, die man selbst geschrieben hat?)
c) ______
(Wofür stehen die olympischen Ringe?)
d) ______
(Gegen welche Krankheit verwendet man Insulin?)
e) ______
(Was zeigt das Barometer an?)
f) ______
(Welcher große Maler und Naturforscher hat die „Mona Lisa“ gemalt?)

g) ____________________
(Von wem stammt das Bild „Guernica“?)
h) ____________________
(Wie viele Knochen hat der menschliche Körper?)
i) ____________________
(Seit wann gibt es in Deutschland keinen Kaiser mehr?)
j) ____________________
(Wer wählt den Bundeskanzler?)

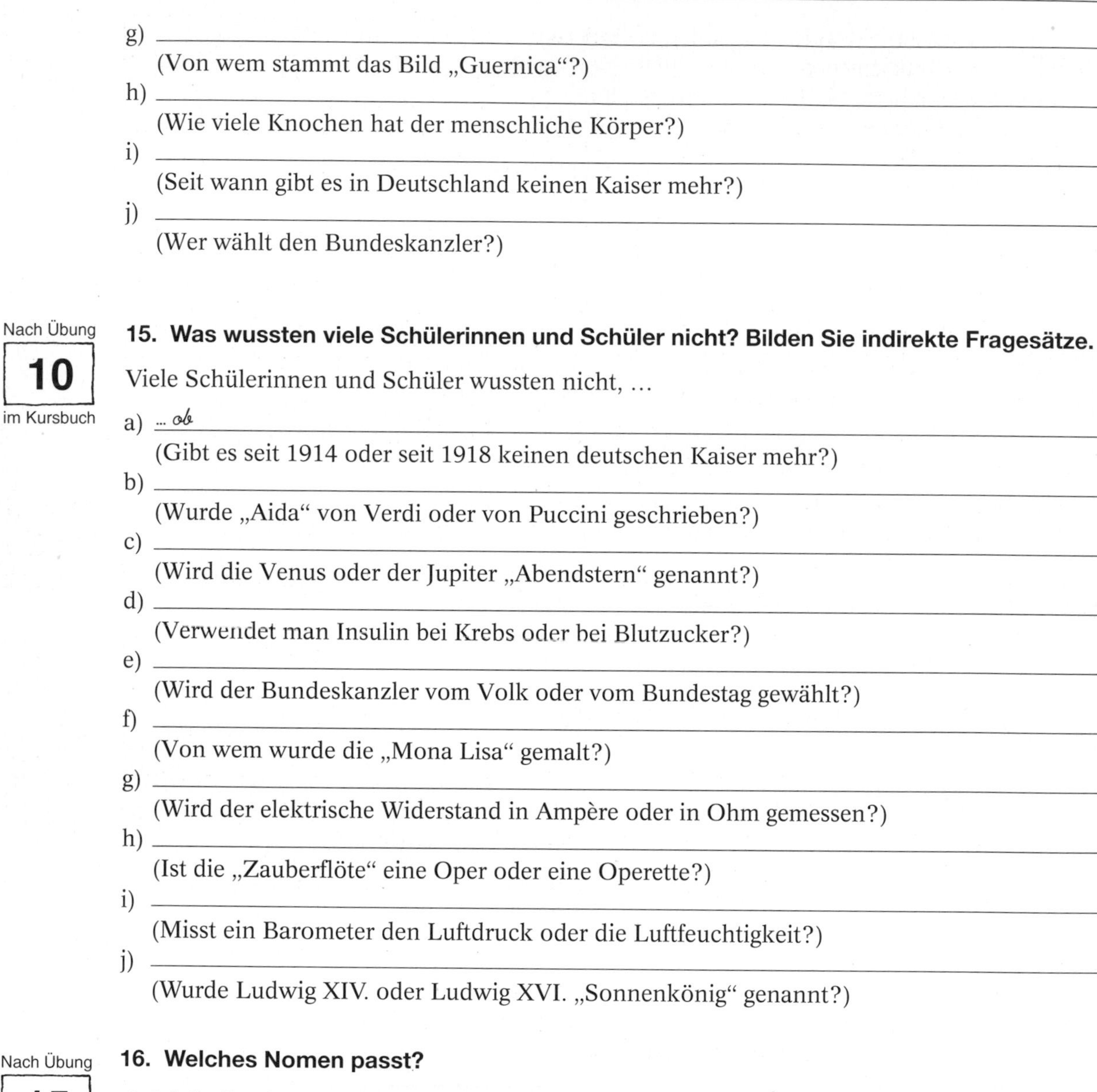

Nach Übung **10** im Kursbuch

15. Was wussten viele Schülerinnen und Schüler nicht? Bilden Sie indirekte Fragesätze.

Viele Schülerinnen und Schüler wussten nicht, ...

a) ... ob ____________________
(Gibt es seit 1914 oder seit 1918 keinen deutschen Kaiser mehr?)
b) ____________________
(Wurde „Aida“ von Verdi oder von Puccini geschrieben?)
c) ____________________
(Wird die Venus oder der Jupiter „Abendstern“ genannt?)
d) ____________________
(Verwendet man Insulin bei Krebs oder bei Blutzucker?)
e) ____________________
(Wird der Bundeskanzler vom Volk oder vom Bundestag gewählt?)
f) ____________________
(Von wem wurde die „Mona Lisa“ gemalt?)
g) ____________________
(Wird der elektrische Widerstand in Ampère oder in Ohm gemessen?)
h) ____________________
(Ist die „Zauberflöte“ eine Oper oder eine Operette?)
i) ____________________
(Misst ein Barometer den Luftdruck oder die Luftfeuchtigkeit?)
j) ____________________
(Wurde Ludwig XIV. oder Ludwig XVI. „Sonnenkönig“ genannt?)

Nach Übung **15** im Kursbuch

16. Welches Nomen passt?

a) Ich hoffe, dass der Kurs überhaupt stattfinden wird. Es müssen sich nämlich mindestens fünfzehn ____________ anmelden.

Teilnehmer | Mitarbeiter | Körper

b) Der Computerkurs beginnt am 1. September. Zur ____________ muss man seinen Personalausweis und 300,– DM mitbringen.

Eröffnung | Anmeldung | Abfahrt

c) Allgemeinbildung bedeutet, dass man nicht nur in einem ____________ Bescheid weiß.

Fach | Kurs | Beruf

d) Meine Tochter möchte ein Jahr in Amerika studieren. Leider habe ich keine ________________, wo ich mich darüber informieren kann.

Bedeutung — Erklärung — Ahnung

e) Am letzten Schultag wünscht die Lehrerin allen einen guten ________________ ins Berufsleben.

Anfang — Ausflug — Start

f) Dieser Arzt ist international bekannt, weil er ein ________________ für Herzoperationen ist.

Spezialist — Präsident — Chef

g) Es stimmt ja gar nicht, dass Monika durch die Prüfung gefallen ist! Im ________________: Sie hat die Prüfung sogar sehr gut bestanden.

Vorurteil — Gegenteil — Vorteil

h) Ich spiele seit zehn Jahren Klavier. Jetzt möchte ich noch ein zweites ________________ lernen.

Instrument — Fach — Ding

17. Welche Verben sind trennbar, welche nicht? Ergänzen Sie.

Nach Übung **17** im Kursbuch

erklären — anfassen — aufwachen — bedeuten — verwenden — vergleichen — anmelden — einschlafen — beginnen — verbringen — vorziehen — beantworten — erfahren — zurückkehren

a) Bitte ________________ Sie die Frage ________________!
b) Wann ________________ du das Ergebnis der Prüfung ________________?
c) Ich ________________ mich morgen zur Prüfung ________________.
d) Wo ________________ ihr dieses Jahr eure Ferien ________________?
e) Welchen Kurs ________________ du ________________, den an der Uni oder den in der Sprachschule?
f) Was ________________ dieses Wort ________________?
g) Bitte ________________ Sie mir die Bedeutung dieses Satzes ________________!
h) Wann ________________ ihr von eurer Reise ________________, morgen oder übermorgen?
i) Wann ________________ du morgens meistens ________________?
j) Der Kurs ________________ am 1. Oktober ________________.
k) ________________ Sie Ihre Antworten mit den Antworten der anderen Studenten ________________!
l) ________________ Sie den Hund lieber nicht ________________! Er ist gefährlich.
m) ________________ Sie zum Lernen manchmal ein Kassettengerät ________________?
n) Ich bin sehr müde. Ich ________________ in letzter Zeit abends immer sehr schlecht ________________.

Lektion 9

Nach Übung **17** im Kursbuch

18. Wiederholung: Adjektive, die auf „-ig“ enden.

a) Das Gegenteil von „tot“ ist *le*________________.
b) Sie ist doch nicht verheiratet! Ich bin ganz sicher, das sie *le*________________ ist.
c) Mein Pass ist fast neu, er ist noch mehr als vier Jahre *gü*________________.
d) Die Suppe schmeckt mir nicht. Sie ist zu *sa*________________.
e) Das Auto war nicht teuer. Ich habe es sehr *gü*________________ bekommen.
f) Kann ich ein Glas Wasser haben? Ich bin schrecklich *du*________________.
g) Du willst immer alles wissen! Du bist unglaublich *neu*________________!
h) Vielen Dank, aber es ist wirklich nicht *nö*________________, dass Sie mir helfen.
i) Du hast ja geweint! War der Film denn so *tr*________________?
j) Mein Auto ist leider in der Werkstatt. Morgen um zehn ist es *fe*________________, dann kann ich es abholen.
k) Der Kleine zieht sich ja schon allein an! Ich wusste gar nicht, daß er schon so *se*________________ ist.
l) Alte Menschen leben oft *vö*________________ allein.
m) Das Gegenteil von „falsch“ ist *ri*________________.
n) Ich werde das Buch nicht weiterlesen, es ist mir zu *la*________________.
o) Wenn der Wetterbericht stimmt, dann soll es morgen *so*________________ und warm werden.
p) Für mich ist es sehr *wi*________________, mit netten Kollegen zusammenarbeiten zu können.
q) Viele Frauen wollen auch dann *beru*________________ bleiben, wenn sie Kinder haben.
r) Warum hast du meinen Pullover nicht gewaschen? Hast du nicht gesehen, wie *sch*________________ er ist?
s) In der *heu*________________ Zeit wäre es besonders wichtig, dass die Studenten eine bessere Allgemeinbildung haben.

Nach Übung

im Kursbuch

19. Was ist richtig?

a) Eine Prüfung, bei der man mit den Prüfern spricht und Fragen beantwortet, ist
[A] eine mündliche Prüfung.
[B] eine schriftliche Prüfung.

b) Wenn man eine Einladung zum Essen ablehnt, heißt das,
[A] dass man dazu keine Lust oder keine Zeit hat.
[B] dass man sich freut und gerne kommt.

c) Um ein Formular auszufüllen, braucht man
[A] eine Schere oder ein Messer.
[B] einen Kugelschreiber oder einen Bleistift.

d) Um richtig buchstabieren zu können, muss man
[A] die Buchstaben des Alphabets kennen.
[B] die Zahlen von 1 bis 100 kennen.

e) Man gratuliert jemandem
[A] zu Weihnachten oder zu Ostern.
[B] zum Geburtstag oder zur Hochzeit.

f) Man bedankt sich z. B. bei jemandem,
[A] wenn man sich über ihn oder sie geärgert hat.
[B] wenn sie oder er einem geholfen hat.

20. Was können Sie auch sagen?

Nach Übung **20** im Kursbuch

a) Dieses Wort kann ich nicht richtig aussprechen.
- [A] Dieses Wort kann ich nicht fehlerfrei sagen.
- [B] Dieses Wort verstehe ich nicht.
- [C] Dieses Wort habe ich noch nie gehört.

b) Die Prüfung findet eventuell nächste Woche statt.
- [A] Die Prüfung findet auf jeden Fall nächste Woche statt.
- [B] Die Prüfung sollte nächste Woche stattfinden, aber es klappt nicht.
- [C] Es könnte sein, dass die Prüfung nächste Woche stattfindet.

c) Ich bin ebenfalls Studentin.
- [A] Ich bin auch Studentin.
- [B] Ich bin keine Studentin mehr.
- [C] Ich habe gerade angefangen zu studieren.

d) Gibt es das „rollende Klassenzimmer" tatsächlich?
- [A] Gibt es täglich Unterricht im „rollenden Klassenzimmer"?
- [B] Ist das „rollende Klassenzimmer" nicht eine tolle Sache?
- [C] Existiert das „rollende Klassenzimmer" wirklich?

e) Morgen bekomme ich Bescheid.
- [A] Morgen bekomme ich ein Postpaket.
- [B] Ich habe morgen einen Termin.
- [C] Morgen werde ich es erfahren.

f) Können Sie das bestätigen?
- [A] Was denken Sie darüber?
- [B] Sagen Sie auch, dass das so ist?
- [C] Halten Sie das für wichtig?

21. Ergänzen Sie die Sätze mit Präpositionen.

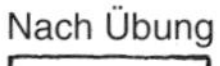

Nach Übung **20** im Kursbuch

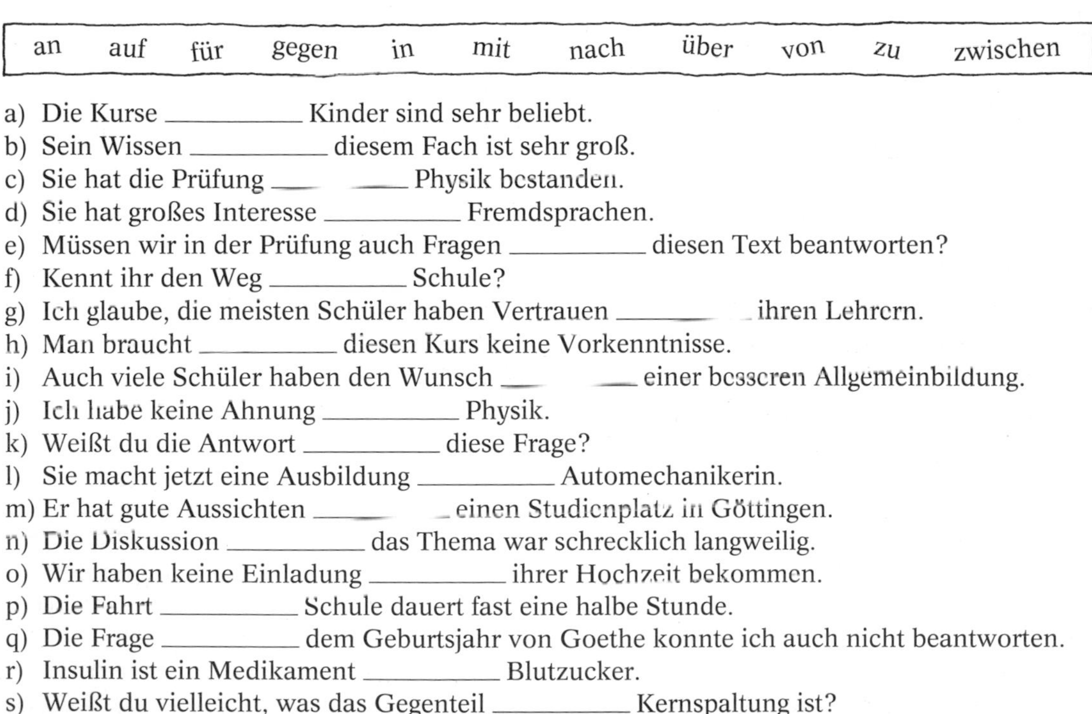

an	auf	für	gegen	in	mit	nach	über	von	zu	zwischen

a) Die Kurse __________ Kinder sind sehr beliebt.
b) Sein Wissen __________ diesem Fach ist sehr groß.
c) Sie hat die Prüfung __________ Physik bestanden.
d) Sie hat großes Interesse __________ Fremdsprachen.
e) Müssen wir in der Prüfung auch Fragen __________ diesen Text beantworten?
f) Kennt ihr den Weg __________ Schule?
g) Ich glaube, die meisten Schüler haben Vertrauen __________ ihren Lehrern.
h) Man braucht __________ diesen Kurs keine Vorkenntnisse.
i) Auch viele Schüler haben den Wunsch __________ einer besseren Allgemeinbildung.
j) Ich habe keine Ahnung __________ Physik.
k) Weißt du die Antwort __________ diese Frage?
l) Sie macht jetzt eine Ausbildung __________ Automechanikerin.
m) Er hat gute Aussichten __________ einen Studienplatz in Göttingen.
n) Die Diskussion __________ das Thema war schrecklich langweilig.
o) Wir haben keine Einladung __________ ihrer Hochzeit bekommen.
p) Die Fahrt __________ Schule dauert fast eine halbe Stunde.
q) Die Frage __________ dem Geburtsjahr von Goethe konnte ich auch nicht beantworten.
r) Insulin ist ein Medikament __________ Blutzucker.
s) Weißt du vielleicht, was das Gegenteil __________ Kernspaltung ist?
t) Hat jemand eine Idee __________ die Lösung dieses Problems?

u) Informationen __________ die Kurse bekommen Sie im Büro.
v) Er kann so gut Deutsch, dass er Gespräche __________ unseren Kunden führen kann.
w) An unserer Schule gibt es zur Zeit große Konflikte __________ Lehrern und Schülern.
x) In diesem Kurs ist die Konkurrenz __________ den Kursteilnehmern leider sehr stark.
y) Die Lehrer sollten auch die Schüler __________ ihrer Meinung fragen.
z) Die Idee __________ dem „rollenden Klassenzimmer" finde ich fantastisch.

Nach Übung **20** im Kursbuch

22. Schreiben Sie.

a) über meine Hobbys berichten
Ich kann auf Deutsch über meine Hobbys berichten.
Ich weiß, wie man auf Deutsch über seine Hobbys berichtet.
Ich bin in der Lage, auf Deutsch über meine Hobbys zu berichten.

b) ein Hotelzimmer reservieren
c) eine Geburtstagseinladung schreiben
d) die Bedienung eines Geräts erklären
e) meine Meinung über einen Konflikt sagen
f) einem Mechaniker erklären, was am Auto kaputt ist

Nach Übung **20** im Kursbuch

23. Mit welchen Präpositionen stehen die Verben? Ergänzen Sie die Sätze.

an	auf	für	gegen	nach	über	von	zu	mit

a) Sie hat sich __________ die Prüfung sehr angestrengt.
b) Warum hast du __________ meine Frage nicht geantwortet?
c) Sie hat sich __________ die Geschenke überhaupt nicht bedankt!
d) Wann beginnen wir denn endlich __________ der Arbeit?
e) Die Presse hat __________ den Unfall fast gar nicht berichtet.
f) Denk bitte morgen __________ deinen Termin beim Arzt! Vergiss ihn nicht!
g) Sie hat uns viel __________ ihrer Familie erzählt.
h) Ich habe einfach einen Taxifahrer __________ dem Weg gefragt.
i) Wir gratulieren dir ganz herzlich __________ der bestandenen Prüfung.
j) Der Patient klagt __________ Schmerzen in den Knien. Soll ich ihm eine Tablette geben?
k) Diese Bluse passt sehr gut __________ deinem Rock.
l) Du wolltest doch __________ dieser Prüfung auch teilnehmen.
m) Du hast mich __________ deiner Idee schon überzeugt.
n) Heute geht es nicht. Wir haben uns nämlich schon __________ Konrad verabredet.
o) Ich habe meine Lösungen __________ den Lösungen von Marion verglichen.
p) Daniela freut sich immer schon viele Wochen vorher __________ ihren Geburtstag.
q) Ich habe mich sehr __________ die Geschenke gefreut, die ihr mir geschickt habt.
r) __________ welche Krankheit verwendet man Insulin?
s) In der Klasse sitzen die Schüler so, dass alle __________ den Lehrer schauen.
t) Weißt du __________ Autos Bescheid?
u) Er hat sich nicht einmal bedankt __________ die Einladung!
v) Kannst du auf Deutsch __________ deine berufliche Zukunft reden?

Lektion 10

Kernwortschatz

Verben

aufheben 121
ausgeben 118
aussehen 116
ausstellen 116
aussuchen 117
bemerken 116
beschädigen 121
besitzen 122
betrügen 122
bezahlen 118
brechen 120
danken 121
drehen 121
einkaufen 117
einpacken 116
festhalten 120
geschehen 121
leisten 118
nachdenken 121
ordnen 116
putzen 116
regieren 116
rufen 120
sammeln 123
springen 120
tragen 115
unterstützen 116
vorhaben 116
vorschlagen 119
zahlen 123
zuhören 123

Nomen

r Alkohol 115
e Anzeige, -n 115
r Apfel, ¨ 116
r Ausgang, ¨e 116
r Automat, -en 96
s Bargeld 123
s Bein, -e 120
e Bevölkerung 118
s Bier 117
r Boden 120
r Braten, - 122
r Bürgermeister, - 121
s Dach, ¨er 117
s Drittel, - 118
r Durst 120
e Eile 123
r Eimer, - 120
r Eingang, ¨e 116
r Empfänger, - 118
r Fisch, -e 116
e Flasche, -n 120
s Fleisch 116
e Frucht, ¨e 116
r Gang, ¨e 116
e Garantie, -n 117
e Gegenwart 122
s Gemüse 116
s Geschirr 117
s Gewürz, -e 116
s Glück 115
s Gold 120
s Gras 120
e Großstadt, ¨e 118
s Haar, -e 120
r Hals, ¨e 120
s Handtuch, ¨er 123
s Herz, -en 120
e Hilfe 123
r Hunger 118
r Kamm, ¨e 123
e Kartoffel, -n 117
r Käse 116
r Kleiderbügel, - 123
s Konto, Konten 119
s Kopfkissen, - 121
e Kuh, ¨e 120
r Kunde, -n 123
r Laden, ¨ 117
e Landkarte, -n 116
s Mehl 116
s Messer, - 122
r Metzger, - 120
e Miete, -n 118
e Milch 116
r Nagel, ¨ 121
s Obst 115
s Pferd, -e 120
e Polizei 123
r Praktikant, -en 119
e Rasierklinge, -n 123
e Reihe, -n 116
r Reis 117
e Revolution, -en 114
e Rolle, -n 117
r Saft, ¨e 117
r Salat, -e 116
s Salz 116
s Schaufenster, - 117
e Scheckkarte, -n 119
e Schere, -n 117
e Schokolade, -n 116
e Schraube, -n 117
r Schuh, -e 120
s Schwein, -e 120
s Schweineschnitzel, - 116
e Seife, -n 116
s Sonderangebot, -e 116
e Staatsangehörigkeit, -en 119
r Stuhl, ¨e 120
e Summe, -n 119
r Supermarkt 117
r Tabak 117
r Tee 117
s Tier, -e 120
e Tomate, -n 116
r Tropfen, - 120
s Tuch, ¨er 120
e Überweisung, -en 119
e Verbindung, -en 114
r Verbraucher, - 117
e Vergangenheit 122
e Versicherung, -en 115
r Waschlappen, - 123
r Wein, -e 116
e Werbung 115
s Werkzeug, -e 117
r Wert, -e 122
e Wurst, ¨e 116
r Zahn, ¨e 116
e Zahnbürste, -n 115
e Zahnpasta, -pasten 116
e Zange, -n 117
e Zigarette, -n 117
r Zins, -en 119
r Zucker 116
e Zwiebel, -n 117

Lektion 10

Adjektive

billig 117
dumm 120
dünn 120
durchschnittlich 116
ehrlich 120
enttäuscht 120
frisch 116
gesetzlich 116
gleichzeitig 118
grundsätzlich 123
haltbar 117
merkwürdig 118
müde 121
nötig 119
süß 116
treu 120
weiter 121
zufällig 116

Adverbien

beinahe 122
glücklicherweise 120
jedesmal 116
längst 116
neulich 118
noch mehr
vorhin 121
vorwärts 120

Funktionwörter

bevor 116
falls 123
so dass 120

Kerngrammatik

„sein zu" + Infinitiv (§ 31)

Auf dem Bild kann man einen Jungen sehen. – Auf dem Bild ist ein Junge zu sehen.

Generalisierende Relativpronomen (§ 11)

Kaufen Sie nur etwas, was Sie bezahlen können.
Wir verkaufen Ihnen nichts, worüber Sie sich später ärgern müssen.
Bei uns finden Sie alles, wofür Sie sich interessieren.

Konjunktiv II der Vergangenheit (§ 25 und 26)

Gegenwart: Wenn das Gold nicht so schwer wäre, behielte er es.
Wenn Hans eine Kuh hätte, könnte er immer Milch trinken.

Vergangenheit: Wenn das Gold nicht so schwer gewesen wäre, hätte er es behalten.
Wenn Hans eine Kuh gehabt hätte, hätte er immer Milch trinken können.

Ausdruck von Vermutungen (§ 30d)

Mit Modalverben:

Das könnte / dürfte / muss eine Anzeige für eine Frauenzeitschrift sein.

Mit Futur:

Das wird eine Anzeige für eine Frauenzeitschrift sein.

„lassen" mit Verbativergänzung (§ 30c)

Präsens: Wenn ich teure Geräte brauche, lasse ich mich in einem Fachgeschäft beraten.
Perfekt: Ich habe mir das Kleid zurücklegen lassen, weil ich kein Geld dabeihatte.

1. Sagen Sie es anders.

Nach Übung **1** im Kursbuch

a) Auf dem Bild kann man einen Jungen sehen.
Auf dem Bild ist ein Junge zu sehen.

b) Der Motor kann nicht repariert werden. Er ist total kaputt.
Der Motor ist nicht zu reparieren.

c) Diesen Fernseher kann man nicht mehr reparieren.

____

d) Hier kann man kein Wort verstehen. Es ist viel zu laut.

____

e) Draußen hört man kein Geräusch. Es ist völlig ruhig.

____

f) Solche Brillen kann man in diesem Geschäft nicht kaufen.

____

g) Der Vertrag kann nicht gekündigt werden.

____

2. Was kann man auch sagen?

Nach Übung **1** im Kursbuch

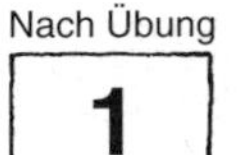

a) Das könnte eine Anzeige für Krawatten sein.
[A] Das ist vermutlich eine Anzeige für Krawatten.
[B] Das ist keine Anzeige für Krawatten.
[C] Ich frage mich, ob das eine Anzeige für Krawatten ist.

b) Wir könnten das Auto verkaufen.
[A] Wir werden das Auto höchstwahrscheinlich verkaufen.
[B] Wir hätten die Möglichkeit, das Auto zu verkaufen.
[C] Wir wissen nicht, ob wir das Auto verkaufen sollen.

c) Solche Werbung dürfte man nicht erlauben.
[A] Ich bin der Meinung, dass man solche Werbung verbieten sollte.
[B] Solche Werbung wird man wahrscheinlich verbieten.
[C] Es könnte sein, dass man solche Werbung in Zukunft verbietet.

d) Der Elefant auf dem Foto dürfte nicht echt sein.
[A] Der Elefant auf dem Foto ist auf keinen Fall echt.
[B] Der Elefant auf dem Foto ist bestimmt nicht echt.
[C] Ich bin ziemlich sicher, dass der Elefant auf dem Foto nicht echt ist.

e) Der Kühlschrank muss ein neues Modell sein.
[A] Der Kühlschrank dürfte ein neues Modell sein.
[B] Der Kühlschrank ist angeblich ein neues Modell.
[C] Der Kühlschrank ist natürlich ein neues Modell.

f) Der Junge auf dem Foto wird wohl fünf Jahre alt sein.
[A] Der Junge auf dem Foto wird bald fünf Jahre alt.
[B] Der Junge auf dem Foto ist kaum fünf Jahre alt.
[C] Der Junge auf dem Foto ist wahrscheinlich fünf Jahre alt.

Lektion 10

Nach Übung

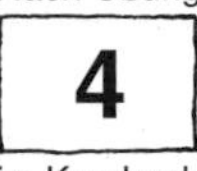

im Kursbuch

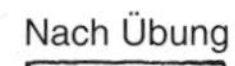

3. Wiederholung: Adjektive. Ergänzen Sie mit Komparativ oder Superlativ.

Wir sind das (groß) ________ (a) Kaufhaus in Europa. Wir haben die (gut) ________ (b) Qualität und die (günstig) ________ (c) Preise. Kein anderes Kaufhaus hat (viel) ________ (d) Erfolg als wir. Und wir haben die (glücklich) ________ (e) und (zufrieden) ________ (f) Kunden. Nirgendwo werden Sie Verkäufer finden, die (freundlich) ________ (g) und (höflich) ________ (h) sind als unsere. Wollen Sie uns nicht auch endlich kennenlernen? Warten Sie nicht (lang) ________ (i) !

Das alles können Sie bei uns kaufen:

- die (schön) ________ (j) Reisen in ferne Länder
- die (bequem) ________ (k) Möbel für Ihre Wohnung
- Kleider von den (berühmt) ________ (l) Modemachern
- die (elegant) ________ (m) Schuhe für die ganze Familie
- das (frisch) ________ (n) Obst und Gemüse
- die (haltbar) ________ (o) und (preiswert) ________ (p) Elektrogeräte
- die (spannend) ________ (q) Videofilme

Und tausend andere Dinge! Kommen Sie zu uns! Jetzt!

Nach Übung

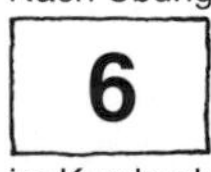

im Kursbuch

4. Schreiben Sie.

A. Notieren Sie Sätze aus der Werbung, die Sie vom Fernsehen oder Radio in Deutschland kennen.

B. Übersetzen Sie Sätze aus der Werbung, die in Ihrem Land aktuell sind.
(Für diese Übung gibt es natürlich keine Lösung im Schlüssel. Vergleichen Sie Ihre Ergebnisse im Kurs.)

Nach Übung **7** im Kursbuch

5. Wiederholung: Nomen. Was man essen und trinken kann. Ergänzen Sie auch den Artikel.

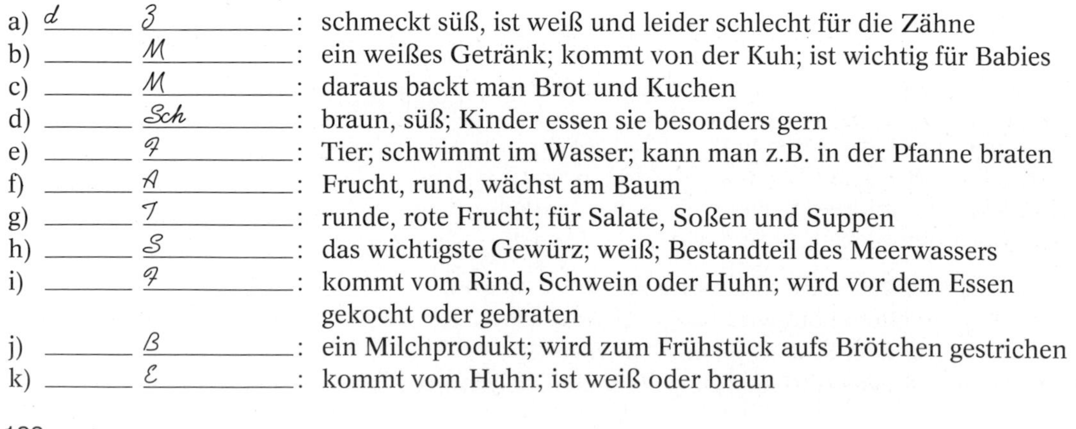

a) d____ Z________: schmeckt süß, ist weiß und leider schlecht für die Zähne
b) ____ M________: ein weißes Getränk; kommt von der Kuh; ist wichtig für Babies
c) ____ M________: daraus backt man Brot und Kuchen
d) ____ Sch________: braun, süß; Kinder essen sie besonders gern
e) ____ F________: Tier; schwimmt im Wasser; kann man z.B. in der Pfanne braten
f) ____ A________: Frucht, rund, wächst am Baum
g) ____ T________: runde, rote Frucht; für Salate, Soßen und Suppen
h) ____ S________: das wichtigste Gewürz; weiß; Bestandteil des Meerwassers
i) ____ F________: kommt vom Rind, Schwein oder Huhn; wird vor dem Essen gekocht oder gebraten
j) ____ B________: ein Milchprodukt; wird zum Frühstück aufs Brötchen gestrichen
k) ____ E________: kommt vom Huhn; ist weiß oder braun

l) ______ W______: alkoholisches Getränk; rot oder weiß
m) ______ K______: Milchprodukt in vielen Sorten; wird aufs Brot gelegt oder zum Kochen verwendet
n) ______ K______: in Deutschland das wichtigste Gemüse; braune Schale; wächst unter der Erde
o) ______ E______: kalte Süßspeise; wird im Sommer auf der Straße gegessen
p) ______ K______: schwarzes, heißes Getränk; wird häufig mit etwas Milch und Zucker getrunken
q) ______ Sch______: Getränk mit hohem Alkoholanteil; wird aus kleinen Gläsern getrunken
r) ______ M______: wird in vielen verschiedenen Sorten aus Früchten hergestellt; für das Frühstück

6. Sagen Sie es anders.

Nach Übung **7** im Kursbuch

Partizip II: packen → gepackt

a) Die Kunden müssen mit ihren Einkaufswagen, die vollgepackt sind, an der Kasse warten.
Die Kunden müssen mit ihren vollgepackten Einkaufswagen an der Kasse warten.

Partizip I: leuchten → leuchtend

b) Die Kunden werden durch Obstgebirge, die wie Licht leuchten, angelockt.
Die Kunden werden durch wie Licht leuchtende Obstgebirge angelockt.

c) Durch spezielles Rotlicht wirken auch Schweineschnitzel, die dünn geschnitten sind, wie Gourmetware.
d) Die Kunden, die an der Kasse stehen, müssen lange warten.
e) Waren, die in Augenhöhe liegen, sind meistens teuer.
f) Die Kundin fragt eine Verkäuferin, die in der Gemüseabteilung arbeitet.
g) Die Kunden werden durch Kameras, die ständig laufen, kontrolliert.
h) 20 bis 35 Prozent der Lebensmittel, die gekauft wurden, kommen in den Mülleimer.
i) Die Frischware, die frühmorgens geliefert wird, wird sofort in die Regale gestellt.

7. Partizip I und Partizip II. Welches Partizip kann man als Adjektiv verwenden?

Nach Übung **7** im Kursbuch

a) Preise / steigen: *die steigenden Preise, die gestiegenen Preise*
b) Lebensmittel / kaufen: *die gekauften Lebensmittel*
c) Milch / kochen: ______
d) Radio / reparieren: ______
e) Auto / parken: ______
f) Kleid / umtauschen: ______
g) Auto / bremsen: ______
h) Zähne / putzen: ______
i) Kleider / waschen: ______
j) Ware / einpacken: ______

k) Geld / versprechen: ______________________
l) Verkäuferin / suchen: ______________________
m) Geschirr / spülen: ______________________
n) Frau / spülen: ______________________
o) Kunden / warten: ______________________
p) Kinder / rufen: ______________________

Nach Übung **7** im Kursbuch

8. Was ist das?

Typisch für das Deutsche ist die Möglichkeit, zwei oder mehr Nomen zu einem neuen Wort zusammenzusetzen. Sie können die meisten dieser zusammengesetzten Wörter verstehen, wenn Sie die Bedeutung der einzelnen Wörter kennen. Beginnen Sie immer beim letzten Wort:

a) Suppendosen<u>wand</u>
Was ist das? → *Das ist eine Wand.*
Eine Wand woraus? *Aus Dosen.*
Dosen gefüllt womit? *Mit Suppe.*

b) Erdbeermarmeladen<u>gläser</u>
Was ist das? → *Das sind*
______ gefüllt womit? *Mit Marmelade.*
______ woraus? ______

c) Milchprodukteregal
Was ist das? → *Das ist*
______ wofür? ______
______ woraus? ______

d) Frischfleischabteilung
Was ist das? → ______
______ wofür? ______
Wie ist ______? ______

e) Rotlichtfärbung
Was ist das? → ______
______ wodurch? ______
Wie ist ______? ______

f) Milchtütenmauer
Was ist das? → ______
______ woraus? ______
______ gefüllt womit? ______

g) Getränkekühlschranktür
Was ist das? → ______
______ wofür? ______
______ wofür? ______

9. Bilden Sie selbst Nomen.

Nach Übung **7** im Kursbuch

a) Sie brauchen Pflanzen für den Teich in Ihrem Garten. Was für Pflanzen brauchen Sie?

____

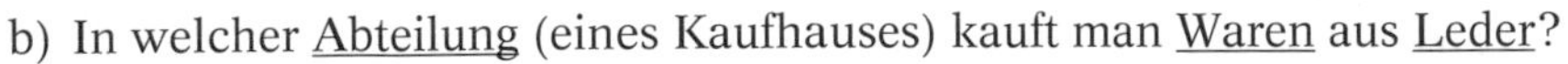

b) In welcher Abteilung (eines Kaufhauses) kauft man Waren aus Leder?
c) Wie heißt der Deckel für einen Topf, in dem man Braten macht?
d) Wie nennt man den Beginn der Ferien im Sommer?
e) Wie nennt man einen Kurs, in dem Kinder lernen, wie man Ski fährt?
f) Wie nennt man ein Haus, das sehr hoch ist und in dem es keine Wohnungen gibt, sondern nur Büros?
g) Was für eine Fabrik stellt Tüten aus Plastik her?
h) Wie heißt der Platz, auf dem die Kunden (eines Geschäfts) parken können?

10. Ergänzen Sie.

Nach Übung **8** im Kursbuch

ober-	recht-	mittler-	unter-	hinter-	link-	vorder-

a) Im ______ ______ Fach sind Nadeln für Plattenspieler.
b) Im ______ ______ Fach sind Schalter.
c) Im ______ ______ Fach sind Stecker.
d) Im ______ ______ Fach sind Birnen.
e) Das ______ ______ Radio kostet 580,– DM.
f) Das ______ ______ Radio kostet 600,– DM.
g) Das ______ ______ Radio kostet 710,– DM.
h) Das ______ ______ Radio kostet 440,– DM.
i) Das ______ ______ Radio kostet 890,– DM.
j) Das ______ ______ Radio kostet 930,– DM.

11. Was passt zusammen?

Nach Übung  im Kursbuch

a) Es dauert durchschnittlich 20 Minuten,
b) Damit der Käse besser aussieht,
c) Es ist gesetzlich zugelassen,
d) Es ist kein Zufall,
e) Weil sich die meisten Menschen morgens zuerst die Zähne putzen,
f) Weil die Kunden mehr kaufen als sie brauchen,

1 steht die Zahnpasta vor der Seife.
2 dass das Licht in der Fleischabteilung rötlich ist.
3 werden viele Lebensmittel in den Müll geworfen.
4 bis die Kunden mit vollem Wagen an der Kasse stehen.
5 wird er mit gelblichem Licht beleuchtet.
6 dass man die billigen Waren länger suchen muss.

Nach Übung **9** im Kursbuch

12. Wiederholung: Imperativ.

→ Arbeitsbuch 1: Übungen 8, 15, 16 und 17 auf den Seiten 71, 75 und 76

a) Nehmen Sie nur, was auf Ihrer Einkaufsliste steht.
Nimm nur, was auf deiner Einkaufsliste steht.
Nehmt nur, was auf eurer Einkaufsliste steht.

b) Kaufen Sie nur, was Sie wirklich brauchen.
____
____

c) Geben Sie nicht zuviel Geld aus.
____
____

d) Schreiben Sie vor dem Einkaufen eine Einkaufsliste.
____
____

e) Essen Sie etwas, bevor Sie einkaufen gehen. (Wer Hunger hat, kauft mehr!)
____
____

f) Lesen Sie die Preise genau, bevor Sie etwas in den Wagen legen.
____
____

Nach Übung

im Kursbuch

13. Ergänzen Sie.

→ Übung 24 auf Seite 79

Wenn ein Relativsatz sich auf etwas Unbestimmtes bezieht (z. B. „alles", „etwas", „manches", „nichts"), dann werden als Relativpronomen nicht nur einfache Fragewörter („was", „wo" usw.) benützt, sondern auch Fragewörter mit Präpositionen, wie z. B. „womit", „worüber", „wonach" usw.

Ergänzen Sie die Sätze mit Relativpronomen (+ Präposition), einfachen Fragewörtern oder Fragewörtern mit Präpositionen.

a) Ich kaufe nur technische Geräte, ______________ ich mich vorher informiert habe.
b) Ich kaufe nur etwas, ______________ ich mich vorher informiert habe.
c) Ich kaufe nur, ______________ auf meinem Einkaufszettel steht.
d) Ich schreibe vorher alle Sachen auf, ______________ ich kaufen möchte.
e) Ich schenke nur etwas, ______________ ich mich selbst freuen würde.
f) Ich kaufe nur, ______________ ich wirklich brauche.
g) Ich kaufe am liebsten dort ein, ______________ ich eine große Auswahl habe.
h) Ich kaufe am liebsten in den Geschäften ein, ______________ ich eine große Auswahl habe.
i) Seien Sie kritisch, kaufen Sie nicht sofort alles, ______________ Ihre Hand impulsiv greift.
j) Kaufen Sie nichts, ______________ im Fernsehen viel Werbung gemacht wird – Sie müssen die Werbung mitbezahlen.

k) In dem kleinen Geschäft um die Ecke kaufe ich nur die Dinge, ______ ich beim Einkauf im Supermarkt nicht gedacht habe.
l) In dem kleinen Geschäft um die Ecke kaufe ich nur das, ______ ich beim Einkauf im Supermarkt nicht gedacht habe.

14. Was kann man auch sagen?

Nach Übung **10** im Kursbuch

a) Es gelingt mir nicht, den Computer in Gang zu setzen.
[A] Ich möchte den Computer in den Flur stellen, aber ich schaffe es nicht.
[B] Ich kann den Computer nicht starten.
[C] Der Computer ist so schwer, dass ich ihn nicht heben kann.

b) Heute habe ich zufällig meine Freundin getroffen.
[A] Ich habe heute meine Freundin getroffen, obwohl wir nicht verabredet waren.
[B] Ich habe heute eine neue Freundin gefunden.
[C] Heute wollte ich meine Freundin auf jeden Fall treffen.

c) Mein Sohn ist schon längst erwachsen.
[A] Mein Sohn ist viel größer als mein Mann und ich.
[B] Mein Sohn wächst schneller, als ich dachte.
[C] Mein Sohn ist schon lange kein Kind mehr.

d) Wir essen durchschnittlich zweimal pro Woche Fleisch.
[A] Wir essen an jedem Wochentag mittags und abends Fleisch.
[B] In der Woche essen wir etwa zweimal Fleisch; manchmal öfter und manchmal seltener.
[C] Wir sind zwei Personen und essen jede Woche Fleisch.

e) Mich bringt niemand dazu, im Supermarkt einzukaufen.
[A] Ich werde nie in einem Supermarkt einkaufen.
[B] Niemand bringt mich zum Supermarkt, wenn ich dort einkaufen will.
[C] Ich weiß schon, dass man im Supermarkt gut einkauft.

15. Wo kaufen Sie am liebsten ein? Schreiben Sie.

Nach Übung **10** im Kursbuch

Es gibt verschiedene Möglichkeiten, den Grund für etwas auszudrücken:

Ich kaufe am liebsten per Katalog. → sehr bequem sein

Ich kaufe am liebsten per Katalog, weil das sehr bequem ist.
Ich kaufe am liebsten per Katalog, denn das ist sehr bequem.
Ich kaufe am liebsten per Katalog. Das ist nämlich sehr bequem.
Wegen der größeren Bequemlichkeit kaufe ich am liebsten per Katalog.
Der Einkauf per Katalog ist sehr bequem. Deshalb (darum, daher) mache ich das am liebsten.

a) Ich kaufe am liebsten im Supermarkt. → dort große Auswahl haben
b) Ich kaufe am liebsten im Fachgeschäft. → dort gut beraten werden
c) Ich kaufe nicht gern in der Fußgängerzone. → dort Parkplatzprobleme haben

Lektion 10

Nach Übung **11** im Kursbuch

16. Welche Satzanfänge passen zu a), welche zu b), welche zu beiden?

keine ~~Ahnung~~ haben	~~annehmen~~	behaupten	bezweifeln	wissen wollen	klar sein	feststellen	sich fragen	gehört haben	fürchten	gelesen haben	denken	vermuten	überzeugt sein	vergessen haben	glauben	scheinen	sicher sein	nicht mehr wissen	~~wissen~~	sich erinnern	sich vorstellen können

a) … warum Häuser und Wohnungen in Deutschland so teuer sind.
b) … dass Häuser und Wohnungen in Deutschland sehr teuer sind.

Nur zu a) passen:

Ich habe keine Ahnung, … ____________________

____
____
____
____

Zu a) und b) passen:

Ich weiß, … ____________________

____
____
____
____

Nur zu b) passen:

Ich nehme an, … ____________________

____
____
____
____
____
____
____
____
____
____
____

Nach Übung **14** im Kursbuch

17. Welches Nomen passt?

Zinsen	Konto	Automat	Überweisung	Summe	Scheckkarte	Staatsangehörigkeit	Miete

a) Frau Schachtner muss für ihren Kredit mehr als elf Prozent ____________ pro Jahr bezahlen.
b) Der Bankangestellte hat bemerkt, dass Herr Fitzpatrick kein Deutscher ist. Deshalb fragt er ihn nach seiner ____________.
c) Manche Leute verstecken ihr Geld in der Wohnung, aber natürlich ist es besser, ein ____________ bei einer Bank zu haben.
d) Vor der Bank befindet sich ein ____________. Dort kann man Tag und Nacht Geld bekommen.
e) Frau Schachtner verdient 3106 DM. Davon muss sie jeden Monat ungefähr 1800 DM für die ____________ ihrer Wohnung und für Versicherungen bezahlen.
f) Herr Fitzpatrick möchte gerne Euroschecks haben. Dafür muss er aber zuerst eine ____________ beantragen.
g) Sie wollen bei uns einen Kredit beantragen? An welche ____________ haben Sie denn gedacht?
h) Herr Fitzpatrick hat ein Stipendium. Er bekommt jeden Monat eine ____________ von der Friedrich-Ebert-Stiftung.

18. Rund ums Geld. Jeweils ein Satz passt nicht.

Nach Übung **14** im Kursbuch

a) Sie haben in einem Restaurant gegessen und wollen gehen. Was sagen Sie?
[A] Ich möchte bitte bezahlen.
[B] Kann ich bitte zahlen?
[C] Bezahlen Sie das Essen, bitte.
[D] Bringen Sie mir bitte die Rechnung.

b) Sie erzählen von einem Nachbarn, der eine Fabrik und zwei Hotels besitzt.
[A] Er verdient sehr viel Geld.
[B] Er ist unglaublich teuer.
[C] Er hat ein sehr hohes Einkommen.
[D] Er ist sehr reich.

c) Frau S. hat nicht genug Geld, um ihr neues Auto zu bezahlen.
Was kann sie tun?
[A] Sie kann einen Kredit bei ihrer Bank aufnehmen.
[B] Sie kann sich das Geld von Freunden leihen.
[C] Sie kann sich das Geld von der Bank schenken lassen.
[D] Sie kann in eine Spielbank gehen und versuchen, Geld zu gewinnen.

d) Sie möchten im Urlaub in die USA fahren. Was sagen Sie in der Bank?
[A] Ich möchte für diesen Betrag Dollar mieten.
[B] Ich möchte diesen Betrag in Dollar umtauschen.
[C] Wechseln Sie mir bitte diesen Betrag in Dollar.
[D] Geben Sie mir bitte für diesen Betrag Dollar.

e) Die Firma K. hat Ihnen eine Rechnung geschickt. Sie gehen zur Bank.
[A] Ich möchte diese Summe an die Firma K. überweisen.
[B] Ich möchte diese Summe auf das Konto der Firma K. einzahlen.
[C] Ich möchte Geld vom Konto der Fima K. abheben.

19. Was wäre, wenn ...? Bilden Sie Sätze.

Nach Übung **16** im Kursbuch

a) Hans: Gold nicht weggeben → reicher Mann sein
Wenn Hans das Gold nicht weggegeben hätte, wäre er ein reicher Mann gewesen.

b) Frau Schachtner: den Kredit nicht nehmen → das Auto nicht kaufen können
c) Frau Kunze: die Anzeige nicht lesen → ein anderes Waschmittel nehmen
d) Herr Berlacher: sich einen Einkaufszettel schreiben → das Obst nicht vergessen
e) Herr Gaus: die Küchenmaschine im Fachgeschäft kaufen → mehr Auswahl haben
f) Frau Lechner: vorher die Preise vergleichen → den Fernsehapparat billiger bekommen
g) Herr Zander: keine Versicherung haben → den Schaden selbst bezahlen müssen
h) Frau Simmet: zum Supermarkt fahren → sofort einen Parkplatz finden

Lektion 10

Nach Übung **16** im Kursbuch

20. Was passt zusammen?

a) Der Stein ist viel zu schwer,
b) Um die Steine nicht zu beschädigen,
c) Hans war erst glücklich,
d) Hans ist ehrlich und naiv. Deshalb merkt er nicht,
e) Er war so glücklich,
f) Zu Hause erzählte Hans seiner Mutter,

1 dass die Leute ihn betrügen.
2 dass er Gott auf Knien dankte.
3 deshalb kann ihn niemand allein aufheben.
4 legte Hans sie ganz vorsichtig auf den Boden.
5 was geschehen war.
6 als er gar nichts mehr besaß.

Nach Übung **16** im Kursbuch

21. Welches Nomen passt nicht?

a) Hals, Kopf, Arm, Bein, Schuh, Fuß, Ohr, Nase
b) Pferd, Kuh, Schwein, Fleisch, Katze, Hund, Huhn
c) Metzger, Bäcker, Bauer, Ingenieur, Apotheker, Medizin
d) Braten, Schnitzel, Steak, Salat
e) Durst, Hunger, Angst, Appetit
f) Käse, Milch, Joghurt, Wurst, Butter
g) Bürgermeister, Präsident, Politiker, Polizist, Minister, Kanzler
h) Gras, Blume, Haus, Wiese, Baum
i) Zukunft, Vergangenheit, Gegenwart, Arbeitszeit

Nach Übung **18** im Kursbuch

22. Wiederholung: Personenbezogene Adjektive. Welcher Satz passt nicht?

a) Sie wollen Ihrer Freundin ein Kompliment über ihr Ausssehen machen.
A Du bist wirklich sehr hübsch!
B Du hast eine wunderbare Figur!
C Wie schön du heute wieder bist!
D Du siehst fantastisch aus!
E Du bist ein netter Mensch!
F Ich finde dich sehr attraktiv!

b) Sie machen sich Sorgen um Ihren Sohn, weil er zu wenig isst.
A Du bist viel zu dünn, mein Kind!
B Du bist ganz mager, weil du nichts isst!
C Mein Gott, bist du schmal! Iss doch endlich mal etwas!
D Du musst ein bisschen dicker werden!
E Du bist zu schwer für dein Alter!

c) Sie mögen Ihren neuen Kollegen sehr. Was erzählen Sie Ihrer Freundin?
A Er ist immer so nett und freundlich!
B Er ist wirklich sehr merkwürdig!
C Er ist ein wunderbarer Mensch!
D Er ist so lustig und hat immer gute Laune!
E Ich finde ihn einfach fantastisch!
F Er ist richtig lieb, weißt du!

d) Ihre Tochter hat einen neuen Freund, der Ihnen gar nicht gefällt. Was sagen Sie zu Ihrer Frau?
A Das ist ein ziemlich verrückter Typ, findest du nicht?
B Ich finde ihn furchtbar!
C Was für ein schrecklicher Mensch!
D Er ist mir furchtbar unsympathisch!
E Er ist bestimmt sehr zuverlässig!
F Er hat einen merkwürdigen Charakter, finde ich.

e) Was würden wohl die meisten Leute über Hans („Hans im Glück") sagen?
A Er ist ja ganz nett, aber leider furchtbar dumm.
B Er ist schrecklich naiv.
C Oh je, ist der Typ doof!
D Er ist sehr intelligent!
E Der muss doch völlig verrückt sein!

23. Bei Rösners hat jemand geklingelt. Wie passen die Dialogteile zusammen?

Nach Übung **20** im Kursbuch

a) Frau Rösner? Guten Tag! Haben Sie einen Moment Zeit für mich?
b) Sie haben doch sicher auch immer Ärger mit dem Abfluss in der Badewanne, oder nicht?
c) Wollen Sie das neue Aquaflush nicht einmal probieren?
d) Im Abfluss sind immer Bakterien. Haben Sie denn keine Angst vor Krankheiten?
e) Ich kann Ihnen ein sehr gutes Angebot machen: Bei zwei Flaschen sparen Sie 24 DM.

1 Der Preis ist mir völlig egal. Ich will das Zeug nicht haben.
2 Nein, so ein chemisches Zeug nehme ich nicht.
3 Wieso? Wir sind alle ganz gesund.
4 Nein, damit habe ich eigentlich keine Probleme.

24. Schreiben Sie einen Brief.

Nach Übung **20** im Kursbuch

Sie haben vor acht Monaten eine neue Bohrmaschine gekauft. Jetzt ist sie kaputt, obwohl Sie sie nicht falsch bedient haben. Das Geschäft, in dem Sie die Bohrmaschine gekauft haben, muss nur ein halbes Jahr lang Garantie geben; aber Sie brauchen die Reparatur trotzdem nicht selbst zu bezahlen, denn die Firma, die das Gerät produziert hat, gibt darauf ein Jahr Garantie. (Es ist allerdings möglich, dass Sie für Ersatzteile etwas bezahlen müssen.) Auf jeden Fall müssen Sie die Maschine ans Werk schicken und beschreiben, was daran kaputt ist.

Schreiben Sie einen solchen Brief. Hier sind einige Hilfen:

- Maschine vor acht Monaten gekauft, beim Eisenwarengeschäft Stephens in Münster
- Funktionierte sehr gut
- Jetzt kaputt: läuft unregelmäßig, nicht mehr schnell genug
- Nichts falsch gemacht, Bedienungsvorschriften genau beachtet
- Brauche die Maschine dringend, schnell zurückschicken
- Bitte um kostenlose Reparatur
- Garantiekarte und Kassenzettel liegen dem Brief bei

Schreiben Sie ganz oben Ihre eigene Adresse und dann die Adresse der Firma, die die Bohrmaschine hergestellt hat. Zum Beispiel etwa so:

(Zu dieser Übung finden Sie im Schlüssel nur einen Vorschlag. Sie können Ihre Lehrerin oder Ihren Lehrer bitten, den Brief zu lesen und zu korrigieren.)

Schwarz und Becker
Elektrowerkzeuge
Postfach 4711
33333 Drillingen

..., den ...

Meine Bohrmaschine Typ „S+B HSS-Electronic 1388“

Sehr geehrte Damen und Herren,

vor acht Monaten habe ich ...

Lektion 10

Nach Übung **20** im Kursbuch

25. Wiederholung: Dinge im Haushalt.

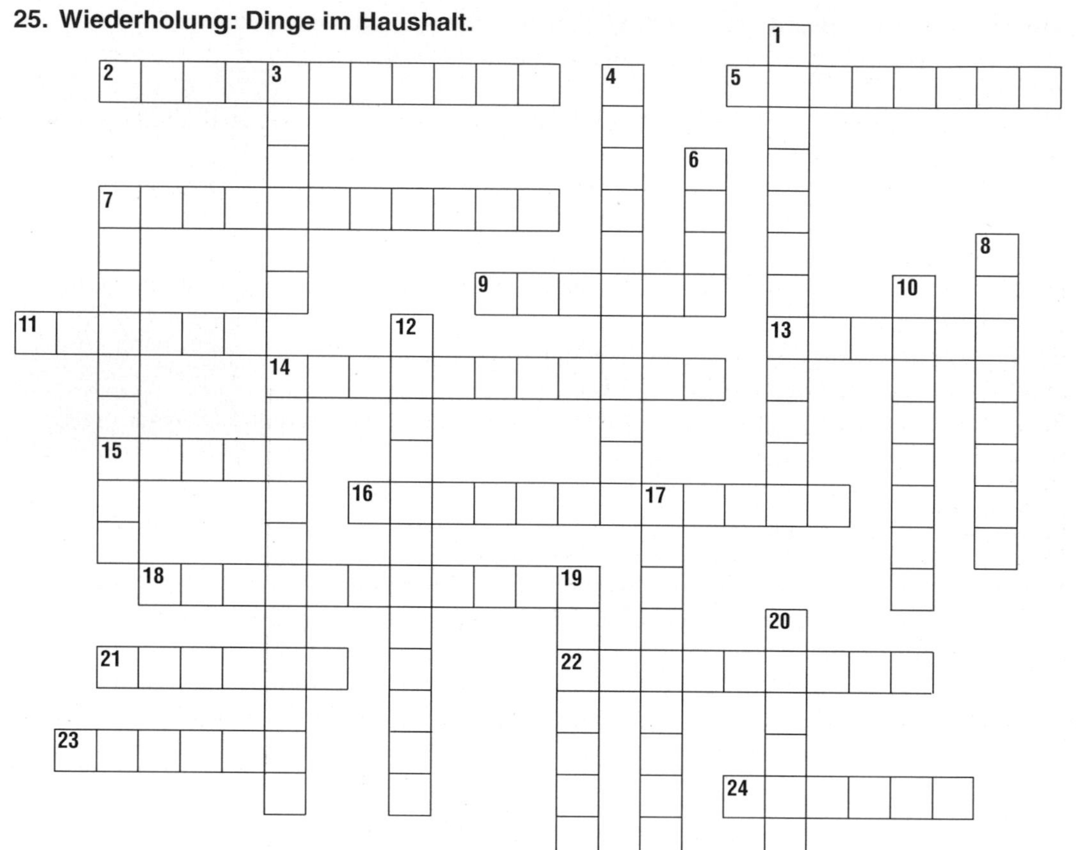

A Lösen Sie das Rätsel.

Waagerecht:

2 Steht in der Küche und hält Lebensmittel frisch.
5 Damit trocknet man sich nach dem Waschen ab.
7 Ein kleines Holzstück mit rotem Kopf, mit dem man Feuer machen kann.
9 Ein Gegenstand wie ein Stuhl, aber breiter und bequemer.
11 Darauf legt man die Speisen, die man essen will.
13 Damit isst man zum Beispiel Suppe.
14 Ein Stückchen Stoff oder weiches Papier, mit dem man sich die Nase putzt.
15 Das liegt beim Waschbecken. Man benützt es, wenn man sich die Hände wäscht.
16 Ein Gegenstand aus Holz, Plastik oder Metall, über den man zum Beispiel Hemden oder Jacken hängt.
18 Ein Gerät, das Bilder produziert.
21 Wenn man verreist, transportiert man darin seine Kleidung.
22 Darauf schreibt man Urlaubsgrüße an seine Freunde.
23 Ein scharfer Gegenstand aus Metall, mit dem man zum Beispiel Papier schneidet.
24 Eine Uhr, die meistens neben dem Bett steht.

Senkrecht:
1 Ein sehr scharfer kleiner Gegenstand aus Metall, der von Männern im Badezimmer benutzt wird.
3 Ein Gegenstand, den man öffnen und schließen kann und der vor Regen schützt – wenn man ihn nicht zu Hause gelassen hat …
4 Ein elektrischer Apparat, mit dem man die Teppiche und den Fußboden ohne große Anstrengung reinigen kann.
6 Ein rundes Spielzeug aus Plastik oder Leder.
7 Ein kleiner Gegenstand aus Metall, der zum Beispiel zu einer Tür, einer Schublade oder einem Koffer gehört.
8 Ein Plan, der die Monate und Tage des Jahres zeigt.
10 Das braucht man bei kleinen Verletzungen.
12 Eine runde, schwarze Scheibe, mit der man Musik hören kann (wird heute kaum noch produziert).
14 Zeigt an, wie hoch die Temperatur ist.
17 Damit kann man schreiben.
19 Das liegt in der Wohnung auf dem Boden; es ist aus Wolle.
20 Ein Werkzeug aus Holz und Metall zum Einschlagen von Nägeln.

B. Ordnen Sie die Nomen.

der ______________________

die ______________________

das ______________________

Lektion 11

Kernwortschatz

Verben

anbieten 129
anrufen 127
ausmachen 127
bestellen 126
bestimmen 128
beziehen 130
blühen 132
duzen 128
einladen 126
einschenken 135
erwarten 133
fallen 135
fühlen 134
gehören 130
gewöhnen 128
gucken 135
hinlegen 134
informieren 130
kennen lernen 127
liegen lassen 133
malen 135
missverstehen 129
nennen 130
operieren 134
parken 134
rauchen 126
reden 134
regnen 132
rennen 132
reservieren 133
schaffen 132
schicken 130
schlafen 129
siezen 129
spielen 135
sterben 134
stören 127
tanzen 132
treffen 128
verabreden 126
verändern 134
verbinden 127
verbrennen 135
vergleichen 126
versprechen 132
vorstellen 126
zumachen 129
zusammenfassen 131

Nomen

r Absender, - 130
e/r Angehörige, -n 128
e Art 129
e Aufregung, -en 134
e Bank, ⸚e 134
e/r Bekannte, -n 126
s Café, -s 126
e Decke, -n 135
r Frühling 132
r Fuß, ⸚e 129
r Gast, ⸚e 126
s Gericht, -e 128
s Gesetz, -e 134
s Gespräch, -e 126
s Getränk, -e 126
r Gruß, ⸚e 131
e Halbpension 130
s Interesse, -n 130
e Jahreszeit, -en 130
e Kasse, -n 129
s Krankenhaus, ⸚er 134
r Krankenwagen, - 134
r Kuss, ⸚e 131
e Lust 129
s Mädchen, - 134
r Moment, -e 127
r Mut 135
e Nachricht, -en 132
e Nase, -n 135
e Neuigkeit, -en 133
s Ohr, -en 135
r Prospekt, -e 130
e Sache, -n 122
r Schnee 135
s Schreiben 131
r See, -n 133
r Sommer 132
r Stein, -e 134
e Übersetzung, -en 135
r Unterschied, -e 129
e Unterschrift, -en 130
s Urteil, -e 128
r Vorname, -n 129
e Wäsche 135
r Wind 133
e Wolke, -n 135

Adjektive

angenehm 127
bekannt 129
dick 131
echt 133
ernst 134
faul 132
glücklich 132
höflich 126
kompliziert 134
kurz 134
langsam 132
leise 129
männlich 134
möglich 128
nah 128
rein 135
ruhig 130
schlimm 132
sonnig 130
wunderbar 132

Adverbien

anders 129
früher 131
hierhin 134
oben 130
überall 132

Funktionswörter

bloß 134
diesmal 130
hoffentlich 131
jedoch 128
jemand 134
kaum 134
leider 127
nämlich 132
niemand 134
voraus- 130
weshalb 127
wohl 129
zeimlich 135

Kerngrammatik

Indirekte Rede: Konjunktiv I (§ 23)

Indikativ	*Konjunktiv I*
Sie kommt aus einem Dorf.	Man sagt, sie komme aus einem Dorf.
Sie sagt zu allen Leuten „du“.	Ihr Mann behauptet, sie sage zu allen Leuten „du“.
Sie hat vier Tische aufgestellt.	Sie sagt, sie habe nur drei Tische aufgestellt.
Ich bin zu Hause.	Wer hat gesagt, ich sei nicht zu Hause?
Warum bist du hier?	Dein Vater hat mir gesagt, du seist krank.
Ist heute Markttag?	Ich habe gehört, heute sei Markttag.
Wir sind doch nicht verheiratet!	Wer hat denn gesagt, daß wir verheiratet seien?
Seid ihr denn nicht im Urlaub?	Alle haben geglaubt, ihr seiet im Urlaub.
Sind die Kinder noch nicht im Bett?	Ich hatte gedacht, sie seien schon im Bett.

Indikativ	*Konjunktiv I*		*Konjunktiv II*
sie gehen	(sie gehen)	→	sie würden gehen / sie gingen
sie fahren	(sie fahren)	→	sie würden fahren / sie führen

Ausdrücke mit „es“ (§ 12)

Pronomen:	Du hast das Auto verkauft.	Du hast es verkauft.
	Ich habe dir versprochen, dass ich schreibe.	Ich habe es dir versprochen.

Unpersönliches Pronomen:	*Subjekt:*	Es regnet in Strömen.
	Akkusativergänzung:	Du hast es gut!

Ersatzsubjekt: Es ist schade, dass es bei der Hinfahrt so geregnet hat.
(Dass es bei der Hinfahrt so geregnet hat, ist schade.)

Ersatzwort im Vorfeld von subjeklosen Passivsätzen: Es wird getanzt.

Lektion 11

Nach Übung **2** im Kursbuch

1. Sagen Sie es höflicher. Verwenden Sie den Konjunktiv II oder „würde" + Infinitiv.
→ Übung 10 auf Seite 72
Arbeitsbuch 1: Übungen 14-16, 20, 24 auf den Seiten 153-157

a) Kann ich bitte mit Frau Jasper sprechen?
Könnte ich bitte mit Frau Jasper sprechen?

b) Hilfst du mir bei meinem Umzug?

c) Geben Sie mir bitte den Zucker?

d) Haben Sie heute Nachmittag Zeit?

e) Geht das?

f) Ich spreche lieber mit Herrn Kastor persönlich.

g) Trinken Sie ein Glas Wein mit mir?

h) Darf ich hier rauchen?

i) Sie müssen nächste Woche noch einmal kommen.

j) Ist es möglich, dass Sie mich morgen anrufen?

k) Warten Sie bitte einen Moment!

l) Passt es Ihnen morgen um vier Uhr?

m) Darf ich dich um einen Gefallen bitten?

n) Du musst mit Frau Sabitz über das Problem sprechen.

o) Können Sie mir bitte Ihren Namen sagen?

p) Ist es Ihnen recht, wenn ich morgen um acht Uhr komme?

2. Wie passen die Dialogteile zusammen?

Nach Übung **2** im Kursbuch

a) Könnte ich bitte mit Frau Jost sprechen?
b) Darf ich mich vorstellen? Mein Name ist Meier.
c) Hoffentlich störe ich Sie nicht.
d) Darf ich Sie für morgen zum Essen einladen?
e) Hätten Sie morgen Abend Zeit?
f) Entschuldigung, ist hier noch frei?

1 Im Gegenteil, ich freue mich über Ihren Anruf.
2 Danke, sehr gern.
3 Ja, das passt sehr gut.
4 Einen Moment bitte, ich verbinde Sie.
5 Natürlich, nehmen Sie doch Platz.
6 Freut mich sehr, Sie kennen zu lernen.

3. Welcher Satz ist höflicher oder förmlicher?

Nach Übung **2** im Kursbuch

a) [A] Setzen Sie sich!
[B] Nehmen Sie doch bitte Platz!

b) [A] Hören Sie, hier wird nicht geraucht.
[B] Bitte entschuldigen Sie, aber das Rauchen ist hier nicht erlaubt.

c) [A] Darf ich Sie nach Ihrem Namen fragen?
[B] Wie heißen Sie?

d) [A] Das ist Herr Sander.
[B] Darf ich Ihnen Herrn Sander vorstellen?

e) [A] Alles klar, ich komme gern!
[B] Ich freue mich sehr über Ihre Einladung

f) [A] Schade, aber heute habe ich leider keine Zeit.
[B] Heute? Nein, das geht nicht.

g) [A] Ist Frau Kurz da?
[B] Könnte ich mit Frau Kurz sprechen?

h) [A] Entschuldigung, ist der Platz noch frei?
[B] Ist hier noch frei?

i) [A] Ich muss jetzt gehen.
[B] Ich muss mich jetzt leider von Ihnen verabschieden.

j) [A] Einverstanden.
[B] Das würde ich sehr begrüßen.

4. Wie sagen Sie es höflich? Jeweils ein Satz passt nicht.

Nach Übung

im Kursbuch

a) Sie rufen Herrn Professor Stücken an. Seine Sekretärin ist am Telefon.
[A] Kann ich bitte mit Herrn Professor Stücken sprechen?
[B] Ich möchte gern mit Herrn Professor Stücken sprechen.
[C] Ist Herr Professor Stücken im Moment zu sprechen?
[D] Holen Sie doch mal den Professor ans Telefon.

b) Sie kommen in eine Gaststätte, die sehr voll ist. Da sehen Sie einen Tisch, an dem nur eine Person sitzt. Sie möchten sich gern dazusetzen.
[A] Entschuldigung, ist hier noch frei?
[B] Verzeihung, ist der Platz hier noch frei?
[C] Können Sie mal Platz machen?
[D] Darf ich mich zu Ihnen setzen?
[E] Stört es Sie, wenn ich hier Platz nehme?

c) Sie befinden sich auf einem Kongress. Dort treffen Sie Professor Stücken, mit dem Sie noch keinen persönlichen Kontakt hatten.
[A] Darf ich mich vorstellen? Mein Name ist Meier.
[B] Erlauben Sie, dass ich mich Ihnen bekannt mache? Mein Name ist Meier.
[C] Wollen Sie nicht wissen, wie ich heiße? Mein Name ist Meier.
[D] Wir haben uns noch nicht kennen gelernt, Herr Professor. Mein Name ist Meier.

d) Sie rufen bei Professor Stücken an. Er meldet sich am Telefon.
A Entschuldigen Sie, wenn ich stören sollte.
B Hoffentlich störe ich Sie nicht gerade.
C Wenn Sie sehr beschäftigt sind, rufe ich später wieder an.
D Hoffentlich stört uns jetzt niemand.

e) Sie haben einen Vortrag von Professor Stücken gehört. Nach der Veranstaltung möchten Sie mit ihm sprechen.
A Moment mal! Ich will mit Ihnen reden.
B Darf ich Sie kurz ansprechen?
C Entschuldigen Sie, dass ich Sie so einfach anspreche.
D Ich möchte Sie gerne etwas fragen.
E Darf ich Sie um ein kurzes Gespräch bitten?

f) Sie sind bei Professor Stücken in seinem Arbeitszimmer und würden gern eine Zigarette rauchen.
A Gestatten Sie, dass ich rauche?
B Erlauben Sie, dass ich rauche?
C Wo steht denn hier der Aschenbecher?
D Stört es Sie, wenn ich rauche?

Nach Übung **3** im Kursbuch

5. Konjunktiv I. Sagen Sie es anders.

a) Sie sagt, dass sie schon über dreißig Jahre auf dem Markt arbeitet.
Sie sagt, sie arbeite schon über dreißig Jahre auf dem Markt.

b) Der Polizist meint, dass das „Du“ eine Beleidigung ist.
____

c) Sie behauptet, dass auf dem Land jeder zu jedem „du“ sagt.
____

d) Sie argumentiert, dass man auch zum Herrgott „du“ sagt.
____

e) Sie hat erzählt, dass sie unbedingt drei Tische haben muss.
____

f) Sie erzählte, dass sie früher jeden Tag auf dem Wochenmarkt gearbeitet hat.
____

g) Sie sagt, dass sie drei Fremdsprachen sprechen kann.
____

h) Sie sagt, dass sie drei Fremdsprachen gelernt hat.
____

i) Der Polizist sagte ihr, dass sie nur einen Tisch aufbauen darf.
____

j) Dem Richter sagte sie, dass sie vom Land kommt.

____

k) Dem Richter sagte sie, dass sie auf dem Land gewohnt hat.

____

l) Dem Richter erklärte sie, dass sie das „Du“ nicht böse meint.

____

m) Dem Richter erklärte sie, dass sie das „Du“ nicht böse gemeint hat.

____

n) Sie sagte, dass sie in Zukunft jeden Polizisten mit „Sie“ anspricht.

____

o) Sie sagte, dass sie in Zukunft jeden Polizisten mit „Sie“ ansprechen wird.

____

6. Ihre Grammatik. Ergänzen Sie.

Nach Übung **3** im Kursbuch

Denken Sie daran, dass man nicht alle Formen des Konjunktivs I verwendet, sondern
- bei normalen Verben nur die 3. Person Singular;
- bei den Modalverben nur die 1. und 3. Person Singular.
- Nur beim Verb „sein“ werden alle Formen gebraucht.

In der Alltagssprache werden auch die Formen mit „würde“ + Infinitiv oder einfach die Indikativformen verwendet.

Ergänzen Sie die Tabelle mit den Formen für Indikativ und Konjunktiv. Schreiben Sie nur die Konjunktiv I-Formen, die man auch wirklich verwendet; ergänzen Sie die anderen Felder mit den Konjunktiv II-Formen.

	gehen		wollen		haben		sein	
	Indikativ	Konj. I Konj. II	Indikativ	Konj. I Konj. II	Indikativ	Konj. I Konj. II	Indikativ	Konj. I Konj. II
ich	*gehe*	*ginge*						
du	*gehst*							
er / sie / es / man	*geht*	*gehe*						
wir								
ihr								
sie / Sie								

Lektion 11

Nach Übung **5** im Kursbuch

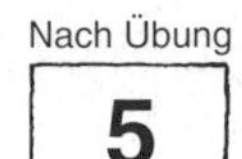

7. Stellen Sie den Nebensatz an den Anfang oder ans Ende.
→ Arbeitsbuch 1: Übung 9 auf Seite 140

a) Wenn Schüler sechzehn Jahre alt sind, werden sie von den Lehrern gesiezt.
Schüler werden von den Lehrern gesiezt, wenn sie sechzehn Jahre alt sind.

b) Man sagt „du" zueinander, wenn man befreundet oder gut miteinander bekannt ist.
c) Die Marktfrau musste 2250 Mark Geldstrafe bezahlen, weil sie den Polizisten duzte.
d) Obwohl der Polizist es nicht wollte, hat die Marktfrau ihn geduzt.
e) Das Einkommen der Marktfrau wurde geschätzt, weil sie nicht sagen wollte, wie viel sie verdient.
f) Die Marktfrau baute drei Tische auf, obwohl nur ein Tisch erlaubt war.
g) Wenn man sich duzt, benutzt man den Vornamen.

8. Leitlinien für das Duzen. Was ist richtig?

Nach Übung **5** im Kursbuch

a) Zu Frauen sagt man „Sie", zu Männern sagt man „du".
b) Freunde und Familienmitglieder duzen sich untereinander.
c) Jeder kann jedem das Du anbieten; da gibt es keine Höflichkeitsregeln.
d) Man kann jeden Fremden, den man auf der Straße trifft, duzen, wenn man ihn sympathisch findet.
e) Schüler, Studenten und Arbeiter duzen sich normalerweise untereinander.
f) Kinder und Jugendliche bis etwa 16 Jahre werden immer geduzt.
g) Wenn man von jemandem das Du angeboten bekommt, kann man es eigentlich nicht ablehnen. Das wäre eine Beleidigung.
h) Normalerweise bietet der Mann der Frau das Du an und nicht umgekehrt.
i) Wenn man sich duzt, benutzt man den Nachnamen des anderen, aber ohne „Herr" oder „Frau" davor zu sagen.
j) Wenn Schüler 16 Jahre alt sind, dürfen sie ihre Lehrer duzen.

Nach Übung

im Kursbuch

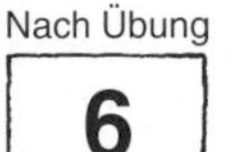

9. Gut befreundet ①, bekannt ② oder fremd ③? Was meinen Sie?

a) ○ Entschuldigen Sie bitte, dass ich Sie anspreche. Könnten Sie mir vielleicht sagen, wie spät es ist?
b) ○ Was soll ich nur machen, damit du nicht mehr böse mit mir bist?
c) ○ Schön, dass ich Sie treffe. Wie geht es Ihnen denn so?
d) ○ Es freut mich sehr, Ihre Bekanntschaft zu machen.
e) ○ Verzeihung, mein Herr. Können Sie mir vielleicht sagen, wo hier der nächste Taxistand ist?
f) ○ Du siehst so traurig aus. Komm schon, erzähle mir mal, was los ist.
g) ○ Ich habe eine Bitte, Frau Bauer. Könnten Sie wohl so freundlich sein und meine Blumen gießen, während ich im Urlaub bin?
h) ○ Auf Wiedersehen, Herr Schmidt. Und bitte grüßen Sie auch Ihre Frau und Ihre Tochter von mir.
i) ○ Darf ich mich vorstellen? Mein Name ist Eva Strauß.
j) ○ Ich habe keine Lust, heute Abend auszugehen. Komm doch lieber zu mir.

10. Sagen Sie es freundlicher. Schreiben Sie jeweils zwei Sätze, die freundlicher sind als die Vorgabe.

Nach Übung **7** im Kursbuch

Es gibt verschiedene Lösungsmöglichkeiten. Im Schlüssel finden Sie Beispiele.

a) Hilf mir, den Koffer zu tragen!

Bitte ... ____________________

Würdest du ... ____________________

b) Machen Sie mir einen Kaffee!
c) Gib mir Feuer!
d) Komm her!
e) Machen Sie den Fernseher aus!
f) Ruf mich morgen an!

11. Wiederholung: Monatsnamen.

Nach Übung **8** im Kursbuch

1 J *a n u a r*
2 F _ _ _ _ _ _ _
3 M _ _ _
4 A _ _ _ _
5 M _ _
6 J _ _ _
7 J _ _ _
8 A _ _ _ _ _
9 S _ _ _ _ _ _ _ _
10 O _ _ _ _ _ _
11 N _ _ _ _ _ _ _
12 D _ _ _ _ _ _ _

Notieren Sic auch dic Namen der vier Jahreszeiten:
I ____________________
II ____________________
III ____________________
IV ____________________

12. Bringen Sie die Teile des Briefes in die richtige Reihenfolge.

Nach Übung **9** im Kursbuch

A Mit herzlichen Grüßen

B Grüße bitte auch die Kinder von mir.

C vielen Dank für deinen Brief. Ich habe mich sehr darüber gefreut.

D So, das war's für dieses Mal.

E Ich hoffe, dass es dir gut geht, und freue mich schon auf deinen nächsten Brief.

F Liebe Maria,

G deine Petra

H Sei mir bitte nicht böse, weil ich so lange nicht geantwortet habe. Aber du weißt ja schon, wie faul ich beim Briefeschreiben bin.

I Jetzt will ich dir aber erzählen, wie es mir geht und was ich so mache. Ich ....

1	2	3	4	5	6	7	8	9

Lektion 11

Nach Übung **10** im Kursbuch

13. Was passt?
→ Übungen 5–6 auf Seite 8

es war sehr heiß	es dauert nur ein paar Minuten	es ist schön	es gibt
es wurde den ganzen Abend getanzt	es war das erste Mal	ich habe es eilig	
es geht ihm ganz gut	es wird Zeit	es klappt	es ist so laut	es stimmt nicht

a) _______________, dass ich mit dem Flugzeug nach Paris geflogen bin. Sonst bin ich immer mit dem Auto gefahren.
b) _______________, mittags oft über 30 Grad.
c) Wir müssen jetzt gehen, _______________. Sonst kommen wir zu spät.
d) Bitte warten Sie einen Moment! _______________, dann komme ich.
e) Was möchtest du trinken? _______________ Kaffee, Tee, Saft oder Mineralwasser.
f) Sie hat gelogen. _______________, dass sie gestern zu Hause war.
g) Norbert ist zwar noch immer im Krankenhaus, aber _______________.
h) Die Feier war sehr schön. _______________.
i) _______________, dass du uns besuchen willst. Wir freuen uns darauf.
j) Entschuldige bitte, ich habe jetzt keine Zeit. _______________.
k) Du musst dir keine Sorgen machen, _______________ ganz bestimmt.
l) Was hast du gesagt? Ich verstehe dich nicht, _______________ hier.

Nach Übung **10** im Kursbuch

14. Wo muss das Pronomen „es" stehen, wo nicht? Ergänzen Sie oder machen Sie einen Strich („–").

a) _____ war das letzte Mal, dass wir mit dem Auto in den Urlaub gefahren sind.
b) Wir haben _____ die ganze Nacht geschlafen.
c) _____ wurde die ganze Nacht gefeiert.
d) Dass wir mit dem Auto gefahren sind, _____ war falsch.
e) _____ ist normal, dass _____ in dieser Jahreszeit fast jeden Tag regnet.
f) Hier zu parken _____ ist verboten.
g) Ich bin _____ leid, für euch der Taxifahrer zu sein. Warum könnt ihr nicht mit dem Bus fahren?
h) _____ wäre bequemer, wenn wir mit der Bahn fahren würden.
i) Wie lange dauert _____ die Fahrt?
j) Wie lange dauert _____?
k) Dass das Wetter im Urlaub so schlecht war, _____ ärgert mich.

15. Was hat Ute geschrieben?

Nach Übung **10** im Kursbuch

a) „Unser altes Auto hat es doch geschafft."
Ute hat geschrieben, ...

... daß ihr altes Auto es doch geschafft habe.

Beachten Sie:
- Konjunktiv I bei den normalen Verben nur in der 3. Person Singular;
- bei den Modalverben nur in der 1. und 3. Person Singular.
- Für die anderen Personen „würde" + Infinitiv oder den Konjunktiv II verwenden.
- Bei der indirekten Rede die Personalpronomen und Possessivartikel ändern.

b) „Unser altes Auto klappert an allen Ecken und Enden, aber es fährt doch."
c) „Wir fahren das letzte Mal mit dem Auto in den Urlaub."
d) „Wir wollen das nächste Mal mit der Bahn fahren."
e) „Es hat auf der Autobahn viele Staus gegeben."
f) „Das nächste Mal fahren wir mit dem Zug."
g) „Die Autofahrt ist wirklich schlimm gewesen."
h) „Wir haben stundenlang auf der Autobahn gestanden."
i) „Wir sind seit zwei Wochen in Ampuriabrava."
j) „Wir können schon baden, obwohl es noch Frühling ist."
k) „Ich und Hans gehen jeden Tag zum Baden."
l) „Es blüht überall, und es duftet nach Blumen."
m) „Mir gefällt der Urlaub sehr gut."
n) „Uns geht es sehr gut."
o) „Ich bin sehr glücklich, und Hans auch, aber er sagt es nicht."
p) „Wir sind heute Abend bei unseren Nachbarn eingeladen."
q) „Ich komme nächste Woche zurück."
r) „Wir müssen nächste Woche leider schon zurückfahren."

16. Welches Nomen passt?

Nach Übung **10** im Kursbuch

Absender	Prospekt	Reservierung	Jahreszeit	Nachricht	Schreiben	Halbpension	Neuigkeit	Gruß

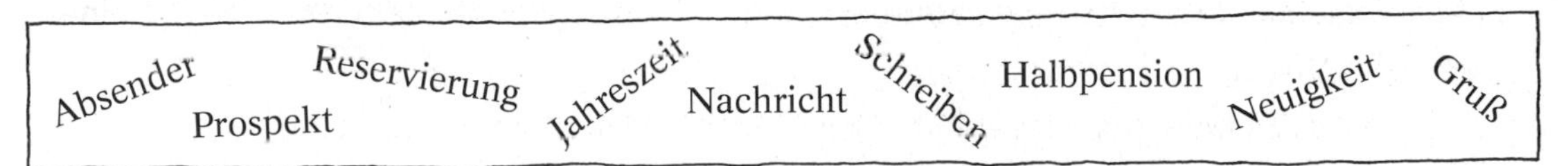

a) Habt ihr im Hotel auch gegessen? – Nur morgens und abends; das war im Preis inbegriffen, wir hatten ________________ gebucht.
b) Im Sommer fahre ich nicht nach Spanien. In dieser ________________ ist es mir dort zu heiß.
c) Gisela ist jetzt schon seit vier Wochen im Urlaub. Hast du irgendetwas von ihr gehört? – Nein, ich habe keine ________________ von ihr.
d) Schau mal, da ist ein Brief für dich. Wer hat denn geschrieben? – Das weiß ich nicht. Da steht kein ________________ darauf.
e) Gestern habe ich Hanna getroffen. Ich soll dir einen schönen ________________ von ihr sagen.

f) (Im Reisebüro) Ja, Australien ist ein wunderbares Reiseland. Ich gebe Ihnen hier den neuesten ________________. Den können Sie sich zu Hause erst mal ganz in Ruhe anschauen.
g) Die Züge sind über die Feiertage sehr voll. Ohne ________________ besteht die Gefahr, dass man keinen Sitzplatz bekommt.
h) Ist Post für mich gekommen? – Ja, da ist ein ________________ von deiner Versicherung.
i) Ich muß dir eine tolle ________________ erzählen. Ich habe im Preisausschreiben eine Reise nach Paris gewonnen!

Nach Übung **10** im Kursbuch

17. Neuer Wortschatz.

schlimm furchtbar scheußlich entsetzlich unerträglich ekelhaft schrecklich

Diese Wörter haben alle eine ähnliche Bedeutung. Deshalb ein paar Regeln zum Gebrauch:

1. ekelhaft	schlecht gewordenes Essen; schlechter Geruch; Dinge, die man ohne Handschuhe nicht anfassen möchte
2. schlimm scheußlich	eine Situation; Schmerzen; ein Unfall
3. unerträglich	alles, was „auf die Nerven geht": andauernder Lärm, lange dauernde Schmerzen, sehr unsympathische Personen
4. schrecklich furchtbar entsetzlich	können fast immer benützt werden

Ergänzen Sie die Sätze mit passenden Adjektiven.

a) Wie geht's? Sind die Schmerzen noch ________________?
b) Was ist denn mit der Suppe passiert? Die schmeckt ja ________________!
c) Heute nacht hatte ich einen ________________ Traum.
d) Tut mir leid, aber wenn du Bernhard einlädst, dann komme ich nicht zu deiner Party. Den finde ich nämlich wirklich ________________.
e) Ruhe! Wer macht denn diesen ________________ Lärm?
f) Du wirst es nicht glauben, aber als Kind war ich ________________ dünn. Unsere Nachbarn dachten bestimmt, ich bekäme zu Hause nichts zu essen.
g) Mach das Fenster auf, schnell! Hier riecht es ja ________________!
h) ... Und so stand ich also da, ohne Kleider, ohne Paß, ohne Geld. Du kannst mir glauben, das war eine ________________ Situation.
i) Marianne soll einen ganz ________________ Unfall gehabt haben. Jedenfalls liegt sie seit Samstag im Krankenhaus.

18. Schreiben Sie drei Urlaubspostkarten.

Nach Übung **12** im Kursbuch

a) Schreiben Sie eine Karte aus dem Sommerurlaub an Ihre Eltern. Sie sind in einem Hotel am Meer.
b) Schreiben Sie eine Karte aus dem Winterurlaub an Ihre beste Freundin bzw. Ihren besten Freund. Sie haben eine Ferienwohnung gemietet und fahren Ski.
c) Sie sind für eine Woche nach Rom gefahren und besuchen dort Museen und historische Sehenswürdigkeiten. Schreiben Sie Ihren Nachbarn eine Karte.

Wortschatzhilfen:

Wetter:	*Hotel/Wohnung:*	*Urlaubsort:*	*Befinden:*	*Aktivitäten:*
es regnet	gemütlich	Landschaft	es geht mir ...	schwimmen
es schneit	zentral	schön	ich fühle mich ...	spazierengehen
es ist sonnig	günstig	herrlich	ich finde alles ...	baden
es ist warm	ausgezeichnet	wunderbar	ich bin ...	tauchen
es ist heiß	Dusche	toll	gut	segeln
es ist sehr kalt	Bad	interessant	prima	tanzen
es ist neblig	guter Service	fantastisch	super	Ski fahren
es ist kühl	ruhig	einmalig	toll	essen
es ist nasskalt	angenehm	unvergesslich	ausgezeichnet	trinken
30 Grad	billig	beeindruckend	glücklich	Kino
Eis Schnee	nett		zufrieden	Theater
Sonne Wind				Museum
Nebel Kälte				Disco
				schlafen

(Im Lösungsschlüssel finden Sie nur Beispiele. Ihre Texte sollten Sie deshalb von Ihrer Lehrerin oder Ihrem Lehrer korrigieren lassen.)

19. Ergänzen Sie die Verben im Präteritum.

Nach Übung **14** im Kursbuch

→ Arbeitsbuch 1: Übungen 16, 19 und 20 auf den Seiten 180–181 und 183

Ein Vater (fahren) fuhr ________ (a) mit seinem Sohn zum Fußballspiel. Mitten auf einem Bahnübergang (bleiben) ________ (b) ihr Wagen stehen. In der Ferne (hören) ________ (c) man schon den Zug pfeifen. Der Vater (versuchen) ________ (d), den Motor wieder anzulassen, aber er (schaffen) ________ (e) es nicht. So (werden) ________ (f) das Auto vom Zug erfasst. Ein Krankenwagen (jagen) ________ (g) zur Unfallstelle und (abholen) ________ (h) die beiden ____. Auf dem Weg ins Krankenhaus (sterben) ________ (i) der Vater. Der Sohn (leben) ________ (j), aber sein Zustand (sein) ________ (k) sehr ernst; er (müssen) ________ (l) sofort operiert werden. Sobald er im Krankenhaus (ankommen) ________ (m), (werden) ________ (n) er in den Operationssaal gefahren, wo schon die Chirurgen (warten) ________ (o). Als sie sich jedoch über den Jungen (beugen) ________ (p), (sagen) ________ (q) jemand erschrocken: „Ich kann nicht mitoperieren – das ist mein Sohn."

Lektion 11

Nach Übung 15 im Kursbuch

20. Und wer spricht von den Frauen?

A Die Schüler freuen sich auf die Ferien.
Mit diesem Satz kann man über eine Schule sprechen, in der nicht nur Schüler, sondern auch Schülerinnen sind. Oft wird im Plural nur die maskuline Form verwendet, auch wenn in einer Gruppe mehr Frauen oder Mädchen sind als Männer oder Jungen.

B Die Schülerinnen und Schüler freuen sich auf die Ferien.
Es wird allerdings immer üblicher, beide Pluralformen zu benutzen. (Viele Politikerinnen und Politiker achten zum Beispiel darauf – schließlich haben die Frauen bei den Wahlen mehr als die Hälfte der Stimmen.)

C Die SchülerInnen freuen sich auf die Ferien.
Diese Zusammenschreibung beider Formen mit einem großen „i" in der Mitte sieht man auch immer öfter. Allerdings weiß niemand so recht, wie ein solches Wort auszusprechen ist, deshalb ist es den Leserinnen und Lesern gegenüber freundlicher, wenn man die Form wie in Beispiel B wählt.

Verwandeln Sie die folgenden Sätze wie in Beispiel B.

a) Die Ministerpräsidentin ist bei den Wählern sehr beliebt.

____

b) Unsere Universität hat etwa 3500 Studenten.

____

c) Die Ausstellung hatte in dieser Woche viele Besucher.

____

d) Die Bürger von Hochheim trafen sich auf dem Marktplatz.

____

Nach Übung

im Kursbuch

21. Welcher Satz hat die gleiche Bedeutung?

a) Wie schaust du denn aus der Wäsche?
[A] Bist du gerade dabei, Wäsche zu waschen?
[B] Was ist los mit dir? Geht es dir nicht gut?

b) Mir fällt die Decke auf den Kopf.
[A] Ich habe Kopfschmerzen.
[B] Ich fühle mich einsam und habe zu nichts Lust.

c) Ich habe die Nase voll!
[A] Schluss jetzt, ich habe genug davon!
[B] Ich habe Schnupfen.

d) Mir geht ein Licht auf.
[A] Aha, jetzt verstehe ich.
[B] Ich mache eine Lampe an.

e) Er will immer mit dem Kopf durch die Wand.
[A] Er ist immer gleich beleidigt.
[B] Er will niemals Kompromisse machen.

f) Das ist Schnee von gestern.
[A] Das finde ich sehr ärgerlich.
[B] Das ist vorbei, das interessiert mich nicht mehr.

22. Ergänzen Sie.

Nach Übung **17** im Kursbuch

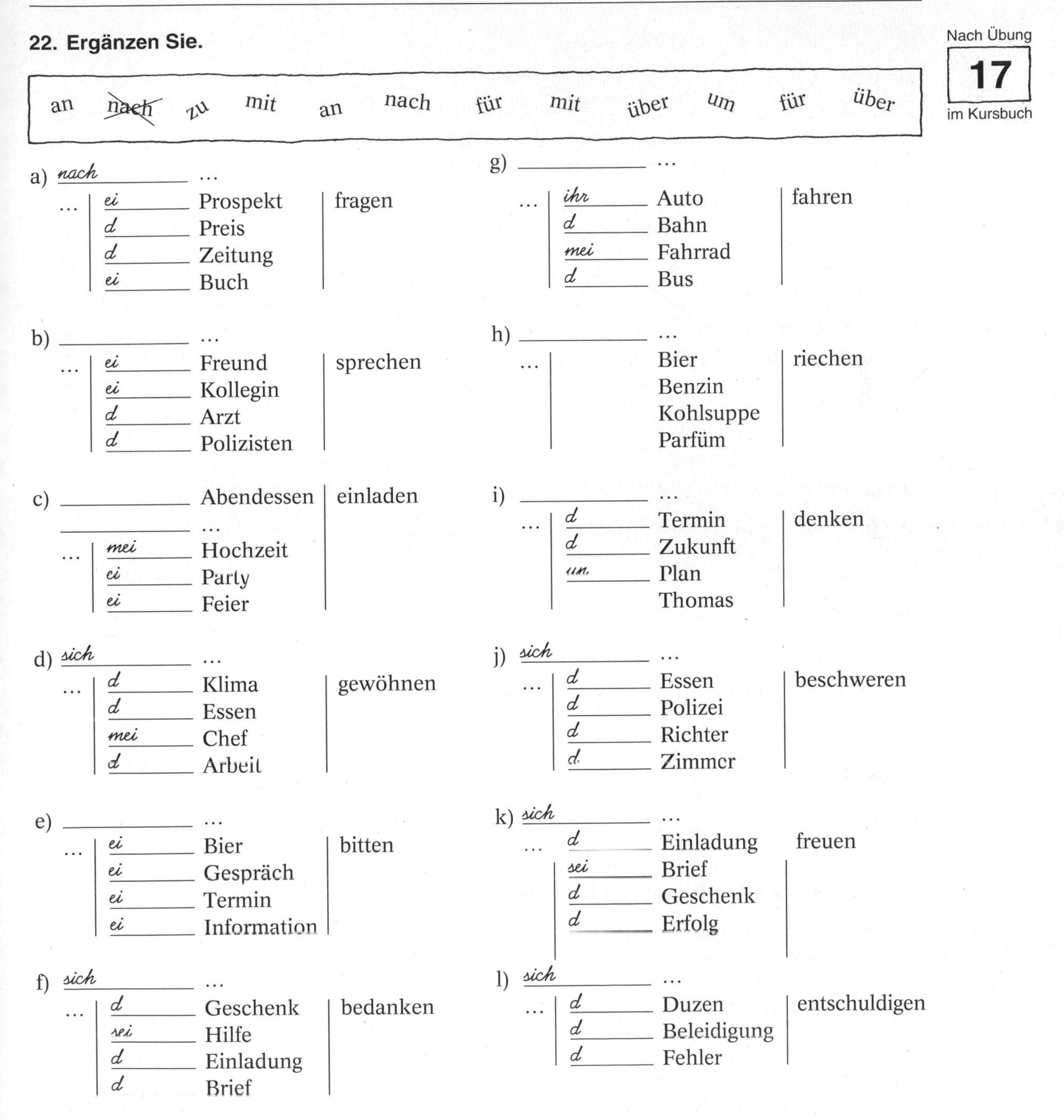

an ~~nach~~ zu mit an nach für mit über um für über

a) nach ___ …
… ei ___ Prospekt / d ___ Preis / d ___ Zeitung / ei ___ Buch — fragen

b) ___ …
… ei ___ Freund / ei ___ Kollegin / d ___ Arzt / d ___ Polizisten — sprechen

c) ___ Abendessen
___ …
… mei ___ Hochzeit / ei ___ Party / ei ___ Feier — einladen

d) sich ___ …
… d ___ Klima / d ___ Essen / mei ___ Chef / d ___ Arbeit — gewöhnen

e) ___ …
… ei ___ Bier / ei ___ Gespräch / ei ___ Termin / ei ___ Information — bitten

f) sich ___ …
… d ___ Geschenk / sei ___ Hilfe / d ___ Einladung / d ___ Brief — bedanken

g) ___ …
… ihr ___ Auto / d ___ Bahn / mei ___ Fahrrad / d ___ Bus — fahren

h) ___ …
… Bier / Benzin / Kohlsuppe / Parfüm — riechen

i) ___ …
… d ___ Termin / d ___ Zukunft / un. ___ Plan / Thomas — denken

j) sich ___ …
… d ___ Essen / d ___ Polizei / d ___ Richter / d ___ Zimmer — beschweren

k) sich ___ …
… d ___ Einladung / sei ___ Brief / d ___ Geschenk / d ___ Erfolg — freuen

l) sich ___ …
… d ___ Duzen / d ___ Beleidigung / d ___ Fehler — entschuldigen

Lektion 12

Kernwortschatz

Verben

ablegen 143
abmachen 141
abstellen 147
abtrocknen 142
achten 143
anzünden 138
baden 145
begegnen 146
begründen 147
berühren 147
binden 142
braten 142
brennen 138
erhalten 143
erkennen 140
essen 144
feiern 138
fliegen 141
folgen 139
fotografieren 147
gelten 144
gießen 142
hängen 138
heiraten 140
hoffen 146
klappen 145
kochen 102
läuten 145
mitbringen 144
schenken 143
schlagen 145
schmecken 142
setzen 142
singen 138
sorgen 144
stimmen 145
unterbrechen 146
verlieren 145
vorbeikommen 145
wechseln 146
wünschen 139

Nomen

s Alter 144
r Augenblick, -e 145
r Bart, ¨-e 138
e Blume, -n 140
e Chance, -n 145
s Ei, -er 139
e Einfahrt, -en 147
e Erlaubnis 143
e Fabrik, -en 138
e Familie, -n 138
s Fest, -e 141
e Freundschaft, -en 143
e Geburt, -en 138
s Gefühl, -e 144
r Gegenstand, ¨-e 139
s Geschlecht, -er 145
e Gesellschaft, -en 146
r Glückwunsch, ¨-e 140
e Haut 142
r Himmel 138
s Hobby, -s 146
s Jahrhundert, -e 138
r Kalender, - 138
r König, -e 107
e Landschaft, -en 145
s Neujahr 139
s Öl, -e 142
r Onkel, - 140
e Ordnung 145
s Ostern 139
r Pfeffer 142
s Plakat, -e 147
e Platte, -n 142
r Rasen 147
r Rat, Ratschläge 146
s Rezept, -e 142
r Rücken, - 142
e Ruhe 146
r Schmuck 138
r Schnaps, ¨-e 145
e Schüssel, -n 142
e Soße, -n 142
r Stern, -e 139
s Stück, -e 143
e Tat, -en 138
r Teil, -e 139
r Tisch, -e 145
r Tod 140
e Verabredung, -en 141
s Verbot, -e 147
s Vergnügen, - 144
e / r Verwandte, -n 138
e Weihnacht 138
e Welt 138
r Winter 139
s Wochenende, -n 141
r Wunsch, ¨-e 141
e Zeitschrift, -en 145

Adjektive

aufmerksam 147
bunt 139
fein 138
freundlich 144
gemeinsam 139
gewöhnlich 143
hart 146
hell 139
ideal 146
irgendwann 145
katholisch 139
laut 139
letzt- 138
lustig 139
modern 142
persönlich 138
schrecklich 145
solange 144
still 140
üblich 144
verschieden 146
weiblich 146
weit 147
wichtig 138
willkommen 144

Lektion 12

Adverbien

allmählich 144
außen 142
damals 138
genug 146
innen 142
inzwischen 138
selber 145
teilweise 139
vielleicht 138
vor allem 138
vorher 138
weiter- 141
wenigstens 138
wirklich 143

Funktionswörter

ehe 139
statt 138
vor allem 138
wenige 146

Ausdrücke

Gesundheit! 141
Gut, abgemacht! 141
Gute Besserung! 141
Guten Appetit! 141
Guten Flug! 141
Hals- und Beinbruch! 141
Herzlichen Glückwunsch! 141
Herzliches Beileid! 141
Schlaf gut! 141
Viel Erfolg! 141
Viel Glück! 141
Viel Spaß! 141

Kerngrammatik

Verben mit zwei Verbzusätzen (§ 36)

Trennbarer vor untrennbarem Verbzusatz:

aufbewahren	Butterkekse bewahrt man in Blechdosen auf. Es ist sinnvoll, Butterkekse in Blechdosen aufzubewahren. Butterkekse werden in Blechdosen aufbewahrt.
vorbereiten	Spontane Einladungen bereitet man nicht vor. Es ist nicht möglich, spontane Einladungen vorzubereiten. Spontane Einladungen sind eben nicht vorbereitet.

Trennbarer nach untrennbarem Verbzusatz:

verabschieden	Ich verabschiede mich immer vor Mitternacht. Es ist höflicher, sich vor Mitternacht zu verabschieden. Ich habe mich bisher immer vor Mitternacht verabschiedet.
veranstalten	An meinem Geburtstag veranstalte ich ein kleines Fest. Es macht Spaß, ein Fest zu veranstalten. Zu meinem letzten Geburtstag habe ich ein Fest veranstaltet.

Partizip II und Partizip I als Attribut (§ 37)

Den Backofen vorheizen	Die Gans in den vorgeheizten Backofen schieben.
Den Fleischbrühwürfel zerdrücken	Den zerdrückten Würfel in den Bratensaft geben.
Die Platte vorwärmen	Die Gans auf die vorgewärmte Platte legen.

Generalisierendes Pronomen „wer“ (§ 11)

Wer einlädt, kann seinen eigenen Stil verwirklichen.
Wer gern Gäste hat, sollte immer etwas zum Anbieten im Haus haben.
Wer Einladungen immer wieder verschiebt, ist irgendwann allein.

Lektion 12

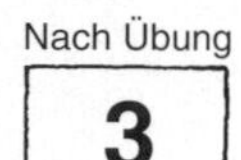

Nach Übung **3** im Kursbuch

1. Welche Sätze passen zu welchem Fest?

a) Jeden Sonntag wird eine Kerze mehr angezündet, bis am vierten Sonntag vier Kerzen brennen.
b) Nach Mitternacht machen die Leute auf der Straße ein Feuerwerk.
c) Dieses Fest wird am 6. Januar gefeiert.
d) Dieses Fest der Masken und des Lärms gab es schon in vorchristlicher Zeit.
e) Es ist eine fröhliche Feier, bei der Wein und Sekt getrunken wird.
f) Die kleinen Kinder stellen am Abend ihre Schuhe vor die Tür.
g) Im Wohnzimmer steht ein geschmückter Baum, unter dem die Geschenke liegen.
h) Für dieses Fest werden Eier gekocht und mit Farben angemalt.
i) Wenn die verkleideten Kinder vor den Häusern singen, bekommen sie Geld oder Süßigkeiten.
j) Es gibt einen besonderen Kinderkalender für die letzten 24 Tage vor Weihnachten.
k) Für die Kinder werden Süßigkeiten im Garten versteckt.
l) Viele Familien besuchen den Gottesdienst, der an diesem Tag besonders festlich ist.
m) Die Kinder glauben, dass er ihnen in der Nacht kleine Geschenke bringt.
n) Früher hatte das Fest den Sinn, den Winter zu vertreiben.

Advent:	a), ______	Hl. Drei Könige	______
Nikolaustag:	______	Fasching:	______
Weihnachten:	______	Ostern:	______
Silvester:	______		

Nach Übung **3** im Kursbuch

2. Was passt zusammen?

a) Ganz besonders wichtig sind die Ostereier,
b) Wenn das Wetter nicht zu schlecht ist,
c) Die Kinder wissen natürlich nicht,
d) An Ostern gehen die Kinder in den Garten,
e) Die Eier werden gekocht,
f) Weil die Ostereier gekocht sind,

1 dass die Süßigkeiten von den Eltern versteckt werden.
2 werden die Ostereier im Garten versteckt.
3 bevor sie bemalt werden.
4 kann man sie lange aufbewahren.
5 die von den Kindern bunt angemalt werden.
6 um die Ostereier zu suchen.

Nach Übung **4** im Kursbuch

3. Ergänzen Sie.

vor | an | in | von ... bis zu ... | um | zwischen

a) ______ Abend ______ dem Nikolaustag stellen die Kinder ihre Schuhe auf eine Fensterbank oder vor die Tür.
b) Die Kinder glauben, dass ______ der Nacht der Nikolaus kommt und ihnen Geschenke ______ die Schuhe legt.
c) Die Adventszeit dauert ______ vierten Sonntag vor Weihnachten ______ Heiligen Abend.

d) In Deutschland, in der Schweiz und in Österreich wird Weihnachten schon ________ Abend ________ dem 25. Dezember gefeiert. Dieser Abend heißt „Heiliger Abend“.
e) Die Zeit ________ dem vierten Sonntag vor Weihnachten und dem Heiligen Abend nennt man in Deutschland Adventszeit.
f) Für die Zeit ________ 1. Dezember ________ Heiligen Abend gibt es einen besonderen Kalender. Man nennt ihn Adventskalender.
g) ________ der Nacht ________ dem 31. Dezember und dem 1. Januar feiert man das neue Jahr. Genau ________ Mitternacht, wenn das neue Jahr beginnt, trinken alle Leute Sekt oder Wein, prosten sich zu und wünschen sich „ein gutes Neues Jahr“.

4. Sagen Sie es anders.

Nach Übung **4** im Kursbuch

→ Arbeitsbuch 1: Übungen 13–17 auf Seite 165–167

a) Am ersten Sonntag zündet man die erste Kerze an.

Am ersten Sonntag wird die erste Kerze angezündet.

b) Am Heiligen Abend schmückt man den Tannenbaum.
c) In Deutschland feiert man das neue Jahr laut und lustig.
d) Am Silvesterabend lädt man Gäste zu einer Feier ein.
e) Um Mitternacht veranstaltet man auf der Straße ein privates Feuerwerk.
f) In Basel, Mainz, Köln und Düsseldorf feiert man den Fasching besonders schön und intensiv.
g) Zu Ostern bemalt man gekochte Eier.
h) Für die Kinder versteckt man im Garten Süßigkeiten und kleine Geschenke.

5. Schreiben Sie. Welches Fest war für Sie in Ihrer Kindheit am wichtigsten?

Nach Übung **4** im Kursbuch

Schreiben Sie einen kurzen Bericht für jemanden, der Ihr Land nicht kennt. Geben Sie, wenn möglich, die folgenden Informationen:

- Wie heißt dieses Fest?
- Aus welchem Grund wird es gefeiert? Ist es ein religiöses Fest?
- Wann wird das Fest gefeiert? Ist es immer der gleiche Tag im Jahr?
- Wie lange dauert das Fest?
- Mit wem wird das Fest gefeiert? Mit der Familie? Mit Freunden und Bekannten? Mit dem ganzen Dorf oder der ganzen Stadt?
- Wo wird das Fest gefeiert? Zu Hause? In einem Restaurant? Auf der Straße? In einer Kirche, Moschee, Synagoge?
- Was wird bei diesem Fest gegessen und getrunken?
- Gibt es Geschenke? Welche Geschenke und für wen?
- Was hat Ihnen bei diesem Fest immer besonders gut gefallen?

Für diese Übung gibt es keine Lösung im Schlüssel. Lassen Sie Ihren Text bitte von Ihrer Lehrerin oder Ihrem Lehrer korrigieren.

Lektion 12

Nach Übung **4** im Kursbuch

6. Ergänzen Sie die Sätze mit den passenden Nomen.

Himmel König Stern Schmuck Tat Fest Fabrik Geburt Neujahr Ostern Kalender

a) Meine jüngste Tochter ist zu früh zur Welt gekommen. Bei der ______________ wog sie nur vier Pfund.
b) Es gibt nur wenige Länder auf der Welt, die von einem ______________ regiert werden.
c) Schon viele Wochen vor ______________ werden in den Geschäften Eier und Hasen aus Schokolade verkauft.
d) In unserer Gegend sind viele Menschen arbeitslos, weil die einzige ______________ geschlossen wurde.
e) Weihnachten ist ein ______________, das in der Familie gefeiert wird. In Deutschland ist es nicht üblich, Freunde oder Bekannte dazu einzuladen.
f) Jedes Kind weiß, dass das Christkind und der Weihnachtsmann im ______________ wohnen. Woher der Osterhase kommt, ist leider unbekannt.
g) Das Datum des Nikolaustages muss man nicht im ______________ suchen. Es ist immer der 6. Dezember.
h) Meine Freundin trägt gerne ______________. Ich werde ihr deshalb ein Paar Ohrringe zum Geburtstag schenken.
i) Die Nacht war völlig dunkel; nicht einmal ein ______________ war zu sehen.
j) Meine Kollegin hat im Büro Geld gestohlen. Wegen dieser ______________ ist sie entlassen worden.
k) Der erste Tag im Januar wird ______________ genannt.

Nach Übung **10** im Kursbuch

7. Was können Sie in den folgenden Situationen sagen? Eine Lösung passt nicht.

a) Ihr Kollege muss plötzlich niesen. Was sagen Sie, um nicht unhöflich zu sein?
[A] Gesundheit!
[B] Hoffentlich bekommen Sie keine Erkältung!
[C] Hals- und Beinbruch!

b) Die Mutter Ihres Chefs ist gestorben. Was sagen Sie zu ihm, wenn Sie ihn treffen?
[A] Gute Besserung!
[B] Herzliches Beileid!
[C] Es tut mir sehr leid, dass Ihre Mutter gestorben ist.

c) Sie haben Ihre Freunde eingeladen. Was sagen Sie, bevor alle anfangen zu essen?
[A] Guten Appetit!
[B] Lasst es euch schmecken!
[C] Viel Spaß!

d) Sie besuchen einen Bekannten im Krankenhaus. Was sagen Sie, bevor Sie wieder gehen?
[A] Herzlichen Glückwunsch!
[B] Gute Besserung!
[C] Werden Sie schnell wieder gesund!

e) Sie bringen eine Kollegin zum Flugplatz. Was sagen Sie zum Abschied?
[A] Gute Fahrt!
[B] Guten Flug!
[C] Ich wünsche Ihnen eine gute Reise!

f) Ihre Schwester will ins Bett gehen und sagt Ihnen „Gute Nacht“. Was antworten Sie?
[A] Schlaf gut!
[B] Träume etwas Schönes!
[C] Auf Wiedersehen.

8. Ergänzen Sie.

Nach Übung **10** im Kursbuch

→ Arbeitsbuch 1: Übungen 5, 9 und 10 auf Seite 104 und 108

a) Lieber Konrad, ich wünsche ________ viel Erfolg!
b) Bitte sagen Sie Frau Henken, dass ich ________ viel Erfolg wünsche.
c) Meine Freundin hat ________ viel Erfolg für meine Prüfung gewünscht.
d) Meine Frau und ich wollen uns beruflich selbständig machen. Alle Freunde wünschen ________ viel Erfolg.
e) Lieber Otmar, liebe Christine, ich wünsche ________ viel Erfolg!
f) Sehr geehrter Herr Benz, ich wünsche ________ viel Erfolg!
g) Bitte sag Herrn Ratke, dass ich ________ viel Erfolg wünsche.
h) Bitte sag Doris und Britta, dass ich ________ viel Erfolg wünsche.

9. Wiederholung: Wortschatz. Dinge in der Küche.

Nach Übung **11** im Kursbuch

Kühlschrank Backofen Spüle Spülmaschine Küchenwaage
Herd Bratpfanne
Kochbuch
Mikrowelle Abfalleimer Geschirrtuch Küchenuhr

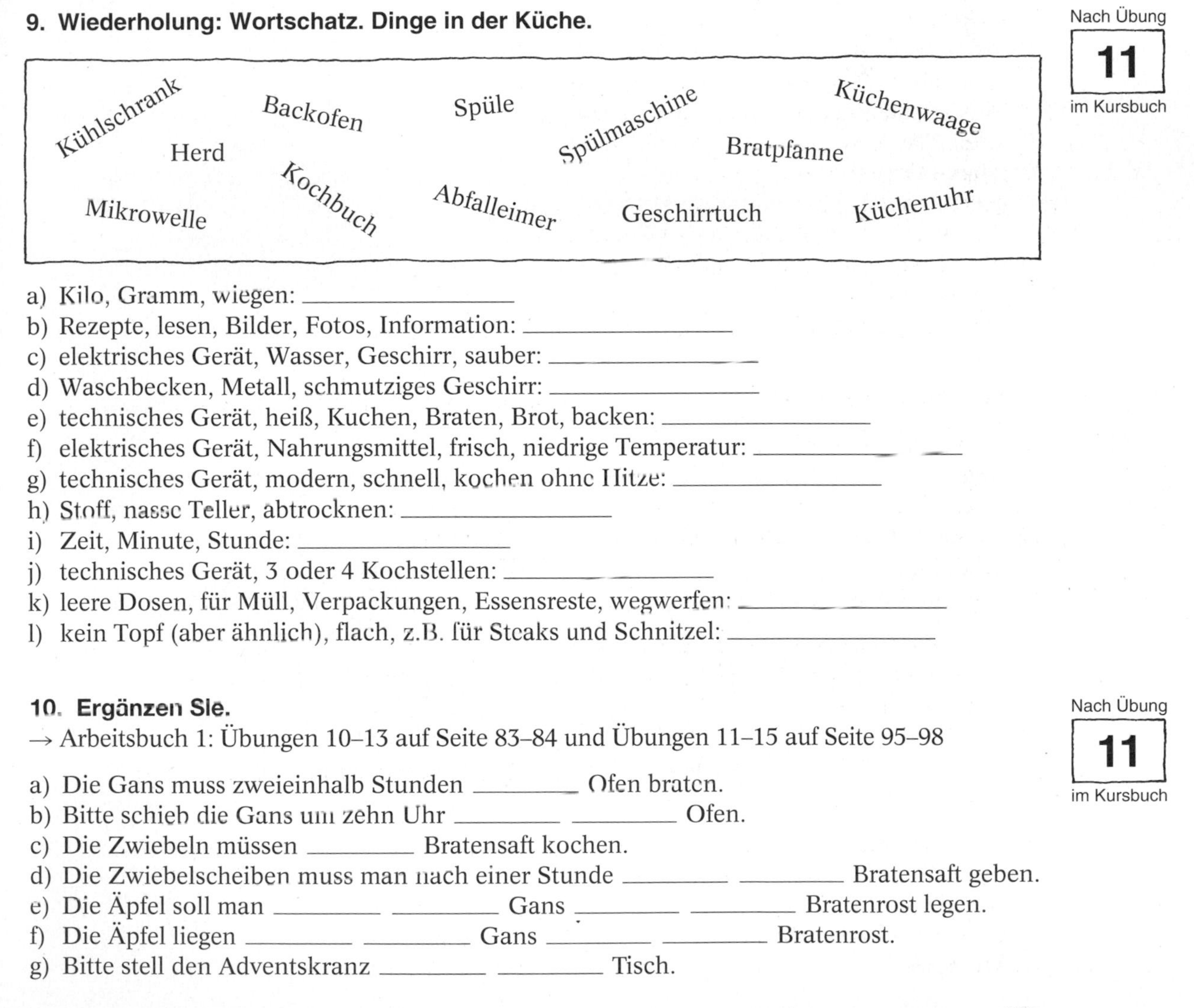

a) Kilo, Gramm, wiegen: ________________
b) Rezepte, lesen, Bilder, Fotos, Information: ________________
c) elektrisches Gerät, Wasser, Geschirr, sauber: ________________
d) Waschbecken, Metall, schmutziges Geschirr: ________________
e) technisches Gerät, heiß, Kuchen, Braten, Brot, backen: ________________
f) elektrisches Gerät, Nahrungsmittel, frisch, niedrige Temperatur: ________________
g) technisches Gerät, modern, schnell, kochen ohne Hitze: ________________
h) Stoff, nasse Teller, abtrocknen: ________________
i) Zeit, Minute, Stunde: ________________
j) technisches Gerät, 3 oder 4 Kochstellen: ________________
k) leere Dosen, für Müll, Verpackungen, Essensreste, wegwerfen: ________________
l) kein Topf (aber ähnlich), flach, z.B. für Steaks und Schnitzel: ________________

10. Ergänzen Sie.

Nach Übung **11** im Kursbuch

→ Arbeitsbuch 1: Übungen 10–13 auf Seite 83–84 und Übungen 11–15 auf Seite 95–98

a) Die Gans muss zweieinhalb Stunden ________ Ofen braten.
b) Bitte schieb die Gans um zehn Uhr ________ ________ Ofen.
c) Die Zwiebeln müssen ________ Bratensaft kochen.
d) Die Zwiebelscheiben muss man nach einer Stunde ________ ________ Bratensaft geben.
e) Die Äpfel soll man ________ ________ Gans ________ ________ Bratenrost legen.
f) Die Äpfel liegen ________ ________ Gans ________ ________ Bratenrost.
g) Bitte stell den Adventskranz ________ ________ Tisch.

h) Der Adventskranz steht ________ ________ Tisch.
i) Die Weihnachtsgeschenke werden ________ ________ Tannenbaum gelegt.
j) Die Weihnachtsgeschenke liegen ________ ________ Tannenbaum.
k) Bei uns zu Hause hängt im Flur ein großer Adventskranz ________ ________ Decke.
l) Bei uns zu Hause hängen wir im Flur einen großen Adventskranz ________ ________ Decke.
m) Man soll den Bratensaft ________ ________ Gans gießen.
n) Am Nikolaustag stellen die Kinder ihre Schuhe ________ ________ Tür oder ________ ________ Fensterbank.

11. Ergänzen Sie.

Nach Übung **12** im Kursbuch

a) Die Äpfel waschen und abtrocken, dann die ____________ und ____________ Äpfel neben die Gans auf den Bratenrost legen. *gewaschenen* *abgetrockneten*
b) Die Gans salzen und mit Äpfeln füllen, dann die ____________ und mit Äpfeln ____________ Gans zubinden und im Ofen braten.
c) Die Zwiebeln in Scheiben schneiden und den Fleischbrühwürfel zerdrücken, dann die in Scheiben ____________ Zwiebeln und den ____________ Fleischbrühwürfel in den Bratensaft geben.
d) Zu Ostern werden im Garten Süßigkeiten und Eier versteckt. Die Kinder müssen die ____________ Süßigkeiten und Eier dann suchen.
e) Am Nachmittag des Heiligen Abends schmücken die Erwachsenen den Weihnachtsbaum. Die Kinder dürfen den ____________ Baum erst am Abend sehen.
f) Am Nikolaustag stellen die Kinder ihre Schuhe vor die Tür. Sie glauben, dass der Nikolaus in der Nacht die vor die Tür ____________ Schuhe mit Geschenken füllt.

12. Welcher Satz passt nicht?

Nach Übung **14** im Kursbuch

a) Möchten Sie noch etwas Gemüse?
[A] Was kostet das Gemüse?
[B] Darf ich Ihnen noch von dem Gemüse geben?
[C] Nehmen Sie noch etwas Gemüse?

b) Das Essen ist ausgezeichnet!
[A] Das Essen schmeckt hervorragend!
[B] Es schmeckt alles ganz fantastisch!
[C] Sie haben wirklich eine schöne Wohnung!

c) Legen Sie doch bitte ab.
[A] Geben Sie mir bitte Ihren Mantel.
[B] Hier können Sie Ihre Jacke aufhängen.
[C] Hier können Sie sich hinlegen, wenn Sie müde sind.

d) Wie wär's mit einem Glas Wein?
[A] Möchten Sie ein Glas Wein trinken?
[B] Trinken Sie ein Glas Wein?
[C] Wäre es nicht besser, den Wein aus einem Glas zu trinken?

e) Prost!
[A] Gute Besserung!
[B] Auf Ihr Wohl!
[C] Zum Wohl!

f) Vielen Dank für Ihren Besuch.
[A] Vielen Dank, dass Sie bei uns waren.
[B] Wir müssen jetzt leider gehen.
[C] Es war schön, dass Sie uns besucht haben.

13. Sagen Sie es anders.

Nach Übung **16** im Kursbuch

→ Arbeitsbuch 1: Üb. 6 und 8 auf Seite 176 und Üb. 12–15 auf Seite 178–179

a) In Deutschland bringt man den Gastgebern meistens ein kleines Geschenk mit.

In Deutschland ist es üblich, den Gastgebern ein kleines Geschenk mitzubringen.
... dass man den Gastgebern ein kleines Geschenk mitbringt.

b) In Deutschland gibt man eine Heirat durch eine Zeitungsanzeige bekannt.
c) In Deutschland meldet man auch bei Freunden einen Besuch vorher an.
d) In Deutschland trinkt man auch nach dem Essen noch Alkohol.
e) In Deutschland ist man auch bei Einladungen von Freunden pünktlich.
f) In Deutschland zeigt man neuen Gästen das Haus oder die Wohnung.
g) In Deutschland lädt man alle Gäste zu einer Hochzeit persönlich ein.
h) In Deutschland feiert man nur seinen Geburtstag und nicht seinen Namenstag.
i) In Deutschland ißt man abends nicht später als um zwanzig Uhr.

14. Jeweils drei Sätze haben die gleiche Bedeutung. Welcher Satz passt nicht dazu?

Nach Übung **16** im Kursbuch

a) [A] Es ist üblich, Blumen mitzubringen, wenn man eingeladen ist.
[B] In der Regel bringt man zu einer Einladung Blumen mit.
[C] Normalerweise bringt man Blumen mit, wenn man eingeladen ist.
[D] Man muss zu einer Einladung auf jeden Fall Blumen mitbringen.

b) [A] Man sollte ohne Erlaubnis keine anderen Personen mitbringen.
[B] Es ist unhöflich, noch andere Leute mitzubringen, die nicht eingeladen sind.
[C] Im allgemeinen freuen sich die Gastgeber, wenn man seine Freunde mitbringt.
[D] Es ist nicht üblich, überraschend noch andere Personen mitzubringen.

c) [A] Man sollte darauf achten, dass man nicht früher als verabredet kommt.
[B] Normalerweise kommt man einige Stunden später als verabredet.
[C] Es ist üblich, ein paar Minuten später als verabredet zu kommen.
[D] Es gilt als höflich, einige Minuten zu spät zu kommen.

d) [A] Wenn man am Nachmittag eingeladen ist, sollte man vor dem Abendessen gehen.
[B] In der Regel gilt eine Einladung am Nachmittag nicht für das Abendessen.
[C] Man sollte schon am Nachmittag sagen, dass man zum Abendessen bleiben möchte.
[D] Normalerweise erwarten die Gastgeber bei einer Einladung am Nachmittag, dass man vor dem Abendessen geht.

e) [A] Gewöhnlich bringt man den Kindern der Gastgeber ein kleines Geschenk mit.
[B] Wenn die Gastgeber Kinder haben, sollte man ihnen auch eine Kleinigkeit mitbringen.
[C] Es ist üblich, auch den Kindern der Gastgeber etwas mitzubringen.
[D] Auf jeden Fall sollte man seine Kinder zu einer Einladung mitbringen.

f) [A] Es ist nicht üblich, rote Rosen zu schenken.
[B] In der Regel schenkt man keine roten Rosen.
[C] Meistens gibt es keine roten Rosen zu kaufen.
[D] Rote Rosen schenkt man gewöhnlich nicht.

Lektion 12

Nach Übung **17** im Kursbuch

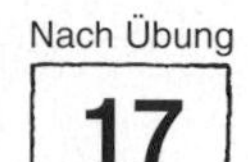

15. Was passt zusammen?

a) Jeder kann die Leute einladen,
b) Es muss nichts Besonderes sein,
c) Natürlich gibt es auch Leute,
d) Wenn man noch schnell etwas erledigen muss,
e) Wer spontane Besuche liebt,
f) Bei einem spontanen Besuch ist es nicht nötig,
g) Man sollte den Fernseher abschalten,
h) Es ist schön zu wissen,

1 die man nicht ohne Verabredung in der Wohnung haben möchte.
2 kann man seinen Gast auch mal allein lassen.
3 wenn man Besuch bekommt.
4 die er einladen möchte.
5 dass man Blumen mitbringt.
6 dass man jemanden zu jeder Zeit besuchen kann.
7 was man seinen Gästen anbietet.
8 hat immer etwas zum Anbieten zu Hause.

Nach Übung **17** im Kursbuch

16. Ergänzen Sie die Sätze mit den Verben.

vorbeikommen klappen läuten baden begegnen sorgen unterbrechen stimmen aufräumen

a) Ich bekomme heute Abend Besuch; vorher muss ich meine Wohnung ______________.
b) Ein guter Gastgeber ______________ dafür, dass immer etwas zum Essen und zum Trinken da ist.
c) Wenn man Besuch bekommt, sollte man seine Arbeit ______________.
d) Ich glaube, wir bekommen Besuch. Eben hat es an der Tür ______________.
e) Ich wohne in der Schillerstraße Nr. 12. Du kannst jederzeit bei mir ______________.
f) Heute ______________ es leider nicht, aber morgen können wir uns treffen.
g) „Wo hast du deinen neuen Freund kennengelernt?" – „Ich bin ihm auf einem Fest ______________."
h) Wenn ich morgens viel Zeit habe, dann ______________ ich, anstatt zu duschen.
i) Unsere Gäste sind immer noch nicht da. Sie wollten schon vor einer Stunde kommen. Da ______________ doch etwas nicht!

Nach Übung **17** im Kursbuch

17. Regeln für eine Einladung. Sagen Sie es anders.

a) Wenn man zu spät kommt, dann sollte man sich entschuldigen und sagen, warum man nicht früher kommen konnte.
Wer zu spät kommt, sollte sich entschuldigen und sagen, warum er nicht früher kommen konnte.
b) Wenn man Blumen mitbringt, kann man fast nichts falsch machen.
c) Wenn man einer Frau rote Rosen schenkt, dann zeigt man damit, dass man sie liebt.
d) Wenn man für den Nachmittag eingeladen ist, sollte man nicht bis zum Abendessen bleiben.
e) Wenn man absolut pünktlich kommt, kommt man vielleicht zu früh.
f) Wenn man unerwartet Kinder oder Freunde mitbringt, dann verärgert man vielleicht seine Gastgeber.
g) Wenn man nicht passend gekleidet ist, stört man eventuell die anderen Gäste.

h) Wenn man will, kann man statt Blumen auch eine Flasche Wein mitbringen.
i) Wenn man bis lange nach Mitternacht bleibt, dann wird man vielleicht das nächste Mal nicht mehr eingeladen.
j) Wenn man Blumen mit dem Papier schenkt, zeigt man damit, dass man die Regeln für Einladungen nicht beherrscht.

18. Ihre Grammatik. Verben mit zwei Verbzusätzen.

Nach Übung **17** im Kursbuch

Verben mit zwei Verbzusätzen haben immer einen trennbaren und einen untrennbaren Verbzusatz. Die Betonung liegt immer auf dem trennbaren Verbzusatz.

Ergänzen Sie und vergleichen Sie dabei:

Verben mit einem (trennbaren) Verbzusatz Verben mit zwei Verbzusätzen.

Trennbarer Verbzusatz vorn

Infinitiv	*„Er …"*	*„zu" + Infinitiv*	*Partizip II*
aufmachen	*macht … auf*	*aufzumachen*	*hat aufgemacht*
aufbewahren	*bewahrt … auf*	*aufzubewahren*	*hat aufbewahrt*
sich vorstellen	*stellt sich … vor*	*sich*	*hat sich*
sich vorbereiten			*hat*

Untrennbarer Verbzusatz vorn

Infinitiv	*„Er …"*	*„zu" + Infinitiv*	*Partizip II*
ablegen	*legt … ab*	*abzulegen*	*hat abgelegt*
sich verabreden	*verabredet sich*	*sich zu verabreden*	*hat sich verabredet*
sich verabschieden			
anstoßen	*stößt … an*		
beantragen	*beantragt*		
zurückkehren	*kehrt … zurück*		
berücksichtigen			

19. Welche Verben sind trennbar, welche nicht?

Nach Übung **18** im Kursbuch

a) einladen: Wen *lädst* du zu deinem Geburtstag *ein*?
b) bekommen: Die Kinder *bekommen* zu Ostern viele Geschenke *–*.
c) mitbringen: Den Gastgebern ____________ man Blumen oder eine Flasche Wein ________.
d) verstehen: Sprechen Sie etwas lauter, ich ____________ Sie nicht ________.
e) einpacken: Bitte ____________ Sie das Geschenk in schönes Papier ________.
f) erkennen: ____________ du Georg auf diesem Foto ________?
g) begießen: ____________ Sie den Braten regelmäßig mit dem Bratensaft ________.
h) umdrehen: ____________ Sie den Braten nach einer Stunde ________.
i) hereinkommen: Bitte ____________ Sie ________!

j) verabreden: __________ bitte mit Sonja einen Termin ______.
k) aufräumen: Wer __________ die Küche ______?
l) umziehen: __________ dich bitte ______!
m) anhalten: __________ Sie bitte______! Ich möchte aussteigen.
n) erzählen: Er __________ den Kindern eine Geschichte ______.
o) berühren: Bitte __________ Sie diesen Schalter nicht ______.
p) einfallen: Thomas __________ immer gute Ideen ______.
q) unterbrechen: Er __________ mich immer ______, wenn ich rede.
r) einschenken: Bitte __________ mir noch ein Glas Wein ______.

Nach Übung **18** im Kursbuch

20. Ergänzen Sie.

irgendwann	irgendwas	irgendwie	irgendwo	irgendwohin	irgendwer

a) Ich kann meine Autoschlüssel nicht finden. __________ müssen sie doch sein!
b) Wir können deine Tante nicht ohne ein Geschenk besuchen. __________ müssen wir ihr schon mitbringen.
c) Ich bin wieder zurück. Hat __________ für mich angerufen?
d) Sie haben wohl Probleme mit ihrem Auto. Kann ich Ihnen __________ helfen?
e) Im Urlaub möchte ich __________ fahren, wo man keine Touristen trifft.
f) Die meisten Paare möchten __________ Kinder haben.

Nach Übung **18** im Kursbuch

21. Ergänzen Sie die Sätze mit den richtigen Formen von „jeder".

→ Arbeitsbuch 1: Übungen 24–25 auf Seite 133

a) Heute gilt gleiches Recht für alle, jeder kann __________ einladen.
b) Mögen Sie __________ Menschen als Gast bei sich haben?
c) Susanne ist nicht gern allein. Sie hat fast __________ Tag Besuch.
d) Holger kocht sehr gut. Bei ihm schmeckt __________ Essen.
e) Familie Paulig macht __________ Jahr im Sommer ein großes Gartenfest.
f) Man kann nicht __________ Gast dasselbe Getränk anbieten.
g) Es sind sehr viele Gäste gekommen. __________ Tisch und __________ Stuhl ist besetzt.
h) Meine Eltern sind __________ Woche bei mir zu Besuch.
i) __________ Gast bekommt vor dem Essen ein Glas Sekt.
j) __________ Frau wird von ihm mit einem Kuss begrüßt.
k) Er hilft __________ Frau, den Mantel auszuziehen.

Nach Übung **18** im Kursbuch

22. Welcher Satz hat die gleiche Bedeutung?

a) Er reißt das Gespräch immer an sich.
[A] Er spricht immer viel zu laut.
[B] Meistens redet er, und die anderen müssen zuhören.
[C] Er unterhält sich nicht gern mit anderen.

b) Er kann sich benehmen.
[A] Er ist ein höflicher und angenehmer Mensch.
[B] Er sieht gut aus.
[C] Er ist besonders intelligent.

c) Er lässt nur seine eigene Meinung gelten.
[A] Er glaubt, dass er alles am besten weiß.
[B] Er hat ganz vernünftige Ansichten.
[C] Meistens versteht man nicht, was er meint.

d) Er lässt sich nichts sagen.
[A] Er sagt nie etwas.
[B] Die Meinung von anderen Leuten interessiert ihn nicht.
[C] Er spricht nicht gern mit anderen Leuten.

e) Er fühlt sich in Gesellschaft nicht wohl.
[A] Er freut sich, wenn er neue Leute kennen lernen kann.
[B] Er ist ziemlich unfreundlich zu Menschen, die er nicht kennt.
[C] Er ist nicht gern mit anderen Menschen zusammen.

23. Was muss gemacht werden?

Nach Übung 19 im Kursbuch

a) die Gäste einladen: *Die Gäste müssen eingeladen werden.*
b) die Einladungskarten schreiben: ______
c) ein Menü auswählen: ______
d) Lebensmittel und Getränke kaufen: ______
e) das Essen kochen: ______
f) die Küche aufräumen: ______
g) das Geschirr abwaschen: ______
h) den Tisch decken: ______
i) die Getränke in den Kühlschrank stellen: ______
j) die Gäste begrüßen: ______
k) die Gäste fragen, was sie trinken wollen: ______
l) das Essen servieren: ______

24. Was kann man machen mit ...?

Nach Übung 19 im Kursbuch

parken essen übersetzen einladen kämmen kochen fahren schicken betreten
besuchen packen lesen abschleppen überqueren anmelden gießen pflücken
waschen
reparieren schneiden backen kaufen begrüßen anrufen schreiben tragen

a) Blumen kann man ______, ______, ______, ______, ______
b) Haare kann man ______, ______, ______
c) Einen Rasen kann man ______, ______, ______
d) Brot kann man ______, ______, ______, ______
e) Ein Auto kann man ______, ______, ______, ______, ______, ______, ______
f) Eine Suppe kann man ______, ______, ______
g) Einen Koffer kann man ______, ______, ______, ______, ______
h) Einen Freund kann man ______, ______, ______, ______
i) Einen Brief kann man ______, ______, ______, ______

Lektion 13

Kernwortschatz

Verben

abholen 152
aufstehen 150
ausschalten 154
beeilen 151
behalten 153
drücken 154
duschen 150
einschalten 154
funktionieren 152
klingeln 150
kosten 152
legen 154
öffnen 154
passieren 146
schließen 154
senden 154
spülen 158
vergrößern 156
versuchen 156
waschen 150
wecken 158
zeichnen 153
ziehen 154

Nomen

e Apfelsine, -n 153
s Auge, -n 158
r Ausweis, -e 156
r Ball, ¨-e 159
e Batterie, -n 152
e Beschreibung, -en 153
e Bibliothek, -en 156
s Blatt, ¨-er 153
r Blitz, -e 154
e Bremse, -n 152
e Brille, -n 152
s Brot, -e 158
r Bus, -se 150
r Deckel, - 155
e Demonstration, -en 156
e Dusche, -n 150
e Elektrizität 157
s Erdgeschoss, -e 157
r Fernseher, - 150
s Feuer, - 159
s Feuerzeug, -e 152
r Finger, - 155
s Flugzeug, -e 157
s Frühstück 158
e Führung, -en 156
e Garage, -n 158
r Geburtstag, -e 158
s Gerät, -e 152
s Gewicht, -e 156
s Gift, -e 159
s Glas, ¨-er 152
r Gummi 158
e Hand, ¨-e 154
r Herd, -e 158
r Hinweis, -e 154
e Inflation, -en 156
e Information, -en 156
r Kaffee 151
e Kamera, -s 154
r Kontakt, -e 155
e Kopie, -n 153
r Kühlschrank, ¨-e 158
r Lärm 159
s Licht 159
e Linie, -n 153
e Luft 156
s Mal, -e 158
r Mantel, ¨- 158
e Maschine, -n 153
r Meter, - 154
e Mitte 153
r Motor, -en 157
r Mund, ¨-er 155
e Nachbarin, -nen 153
e Öffnungszeit, -en 156
s Papier 153
e Pfanne, -n 158
r Plattenspieler, - 152
r Preis, -e 152
r Quadratmeter, - 156
s Radio, -s 150
r Regen 158
r Rest, -e 158
r Schalter, - 154
r Schatten, - 159
e Scheibe, -n 158
e Sekunde, -n 155
r Speck 158
s Spielzeug 157
e Steckdose, -n 154
r Stecker, - 155
e Stimme, -n 158
r Stock, ¨-e 151
e Tasse, -n 158
r Teppich, -e 158
r Termin, -e 152
e Unterhaltung 156
e Vorsicht 154
r Vorteil, -e 159
r Vortrag, ¨-e 156
e Ware, -n 147
s Waschbecken, - 154
e Waschmaschine, -n 150
r Wecker, - 150
s Wetter 159
e Wirkung, -en 156
e Zeichnung, -en 153
r Zentimeter, - 153
e Zigarre, -n 158

Adjektive

automatisch 158
endgültig 156
fällig 158
fertig 152
feucht 155
ganz 150
geöffnet 154
geschlossen 156
halb 151
heiß 158
höchstens 152
kalt 155
kühl 158
leer 152
regelmäßig 156
sauber 158
sauer 151
schmal 153
schmutzig 158
stark 155
trocken 158
ungefähr 152
verschieden- 152
vorsichtig 155
wertvoll 156

Funktionswörter

beide 159
daher 156
trotzdem 159
während 154
wegen 156

Ausdrücke

heute abend 152
zu Fuß 151

Kerngrammatik

Positionsverben (§ 32)

	Infinitiv	*Präteritum*	*Perfekt*
(An einem Ort)	liegen	lag	hat gelegen
(Etwas an einen Ort)	legen	legte	hat gelegt
(An einem Ort)	sitzen	saß	hat gesessen
(Etwas an einen Ort)	setzen	setzte	hat gesetzt
(An einem Ort)	stehen	stand	hat gestanden
(Etwas an einen Ort)	stellen	stellte	hat gestellt
(An einem Ort)	hängen	hing	hat gehangen
(Etwas an einen Ort)	hängen	hängte	hat gehängt
(An einem Ort)	stecken	steckte	hat gesteckt
(Etwas an einen Ort)	stecken	steckte	hat gesteckt
(An einen Ort)	fahren	fuhr	ist gefahren
(Etwas an einen Ort)	fahren	fuhr	hat gefahren

Zusammengesetzte Nomen (§ 1)

Nomen	*Verb*	→	*Zusammengesetztes Nomen*
Taste	wiedergeben		Wiedergabetaste
Dose	stecken		Steckdose
Feld	anzeigen		Anzeigefeld

Verb	→	*Neues Nomen*
regeln		Regler
schalten		Schalter
stecken		Stecker

Lektion 13

Nach Übung **1** im Kursbuch

1. Samstag vor einer Woche. Schreiben Sie einen Text im Präteritum.

Sie müssen nicht alle Angaben benützen. Natürlich können Sie auch andere Tätigkeiten beschreiben.
„Etwa um zehn Uhr wachte ich auf. Aber ich wollte noch nicht aufstehen. Ich kochte nur schnell Kaffee und ...“

- um zehn Uhr aufwachen
- noch nicht aufstehen wollen
- Kaffee kochen
- nachsehen, ob Post im Briefkasten ist (nur Zeitung und Werbeprospekte)
- im Bett eine Tasse Kaffee trinken und Zeitung lesen
- erst gegen Mittag aufstehen
- ein Bad nehmen und dabei Musik hören
- zum Mittagessen in ein Restaurant gehen
- einen kleinen Spaziergang machen
- sich zu Hause eine Sportsendung im Fernsehen anschauen
- im Garten die Blumen gießen
- einen Brief schreiben
- überraschend Besuch von einem Freund bekommen
- gemeinsam zu Abend essen und Karten spielen
- um halb zwölf zu Bett gehen
- gleich einschlafen

Nach Übung **1** im Kursbuch

2. „Ein Tag in meinem Leben.“ Schreiben Sie.

Beschreiben Sie einen Tag aus Ihrem Leben. Wählen Sie eine der drei Möglichkeiten:

a) Ein Tag in Ihrer Kindheit, an den Sie sich noch gut erinnern
b) Ein Tag, an dem etwas Besonderes passiert ist
c) Der gestrige Tag

Tip: Notieren Sie zuerst die Verben, die Sie verwenden wollen, mit der korrekten Präteritumform. Beginnen Sie erst dann, Ihren Text zu schreiben. Bitten Sie Ihre Lehrerin bzw. Ihren Lehrer, den Text zu korrigieren.

Nach Übung  im Kursbuch

3. Wiederholung: Verben. Welches Verb passt nicht dazu?

a) Wasser: waschen, spülen, baden, duschen, anzünden, schwimmen, fließen
b) Freunde: begrüßen, treffen, einladen, reparieren, anrufen, mögen, besuchen
c) Auto: fahren, einsteigen, aussteigen, abbiegen, abschleppen, starten, bremsen, hupen, atmen
d) Geld: verdienen, bezahlen, ausruhen, ausgeben, einkaufen, sparen, einzahlen, zählen, überweisen, wechseln
e) Augen: sehen, entdecken, beobachten, schauen, lesen, weinen, bemerken, riechen, erkennen
f) Mund: sprechen, sagen, reden, rufen, hören, singen, schimpfen, erzählen, küssen
g) Beine: laufen, gehen, rennen, springen, blühen, wandern, stehen, spazieren gehen, tanzen, treten
h) Kopf: denken, überlegen, nachdenken, verstehen, klettern, begreifen, erinnern, glauben, meinen, vergessen
i) Hände: heben, halten, tragen, anfassen, berühren, schieben, drücken, zeichnen, festhalten, lügen, malen, schreiben

4. Wiederholung: Uhrzeit.

Nach Übung **1** im Kursbuch

Notieren Sie die Uhrzeit.

a) (nachmittags) Viertel nach vier: 16.15
b) (vormittags) halb zehn: _____
c) (abends) Viertel vor acht: _____
d) (morgens) fünf nach halb fünf: _____
e) (nachmittags) zehn vor zwei: _____
f) (abends) zwanzig vor neun: _____
g) (morgens) fünf nach halb sieben: _____
h) (abends) elf Uhr: _____
i) (vormittags) Viertel vor zwölf: _____
j) Mitternacht: _____

5. Was passt zusammen?

Nach Übung **2** im Kursbuch

a) Als ich eine neue Glühbirne einsetzen wollte,
b) Ich muss mit einem Stock herumlaufen,
c) Sicher hat die Werkstatt vergessen,
d) Um zur Arbeit zu fahren,
c) Wir haben alle gehofft,
f) Es tut mir wirklich leid,
g) Das ist die dümmste Entschuldigung,

1 eine neue Batterie einzusetzen.
2 dass wir den Lift bald wieder verlassen können.
3 die ich in meinem ganzen Leben gehört habe.
4 dass ich schon wieder zu spät komme.
5 bin ich von der Leiter gefallen.
6 musste ich einen großen Umweg machen.
7 weil mein Fuß verletzt ist.

6. Zeitliche Ordnung im Text. Ergänzen Sie.

Nach Übung **2** im Kursbuch

jetzt	dabei	gestern Abend	zuerst	da	dann	heute Morgen	danach

A. Also, das war so: __________(a) wollte ich eine neue Glühbirne einsetzen und stand also oben auf der Leiter. Ich weiß nicht mehr wie, aber ich bin runtergefallen und habe mir __________(b) am Fuß weh getan. __________(c) sah es nicht so schlimm aus, aber __________(d) wurde der Fuß immer dicker. Na ja, und __________(e) war der Fuß ganz geschwollen. __________(f) bin ich doch lieber zum Arzt gegangen. __________(g) bin ich sofort mit einem Taxi zur Arbeit gefahren. __________(h) muss ich mit einem Stock herumlaufen, aber zum Glück ist der Fuß nicht gebrochen.

zuerst	dann	heute Morgen	danach	dann	da

B. Entschuldigen Sie bitte, aber mir ist __________(a) etwas Komisches passiert. Ich stieg unten in den Lift und wollte rauffahren. __________(b) blieb er plötzlich stehen, irgendwo zwischen dem 6. und 7. Stock. Ich drückte den Alarmknopf. __________(c) passierte nichts, niemand meldete sich. __________(d) hörte ich Stimmen, und __________(e) sagte jemand von außen, daß es nicht lange dauen würde. Aber es dauerte __________(f) doch fast eine Stunde, bis der Lift wieder in Ordnung war und ich aussteigen konnte.

Lektion 13

Nach Übung **2** im Kursbuch

7. Wiederholung: Perfekt. Schreiben Sie die folgenden Sätze im Perfekt.

a) Ich stieg in einen Lift ein.

b) Plötzlich kam von hinten ein Auto.

c) Keiner wusste, was eigentlich los war.

d) Ich fiel von der Leiter.

e) Das Auto fuhr mich an.

f) Dann ging ich zu Fuß zur nächsten Haltestelle.

g) Als es passierte, las ich gerade die Zeitung.

h) Ich dachte nicht an meinen Termin.

i) Nach dem Unfall lief Benzin aus dem Tank.

j) Am Bahnhof nahm ich dann ein Taxi.

Nach Übung

im Kursbuch

8. Was muss heute gemacht werden?

→ Übung 14 auf Seite 74

a) Wohnung putzen:

Die Wohnung muss geputzt werden.

b) Kinderzimmer aufräumen:

c) Wäsche waschen:

d) Lampe im Flur reparieren:

e) die Wäsche bügeln:

f) die Kinder aus der Schule holen:

g) das Geschirr abwaschen:

h) die Schuhe putzen:

i) die Vorhänge in die Reinigung bringen:

9. Welcher Satz passt nicht?

Nach Übung **4** im Kursbuch

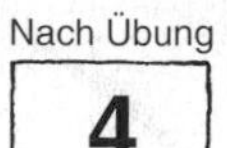

a) Das kostet so um 40 Mark.
[A] Das kostet ungefähr 40 Mark.
[B] Das wird etwa 40 Mark kosten.
[C] Das kostet genau 40 Mark.

b) Kann die Uhr repariert werden?
[A] Ist die Uhr zu reparieren?
[B] Wer wird die Uhr reparieren?
[C] Kann man die Uhr reparieren?

c) Die Uhr läuft nicht mehr.
[A] Die Uhr hat keine Füße mehr.
[B] Die Uhr geht nicht mehr.
[C] Die Uhr funktioniert nicht mehr.

d) Die Reparatur kann teuer werden.
[A] Die Reparatur wird wahrscheinlich nicht billig sein.
[B] Die Reparatur muss nicht bezahlt werden.
[C] Ich nehme an, dass die Reparatur viel Geld kosten wird.

e) Ich brauche die Uhr möglichst bald wieder.
[A] Ich hätte die Uhr gerne so schnell wie möglich wieder zurück.
[B] Ich möchte die Uhr möglichst schnell wiederhaben.
[C] Es ist möglich, dass ich meine Uhr bald brauche.

10. Der falsche Fünfzigmarkschein. Ergänzen Sie den Bericht.

Nach Übung **5** im Kursbuch

Der falsche Fünfzigmarkschein

Ein echter Fünfzigmarkschein

auseinander bei weiter darunter entfernt vertikal links oben über von horizontal zwischen näher zu nahe rechts beisammen zu weit unten

a) Die Nummer steht *zu weit unten* und ______________. Sie müsste etwa 10 Millimeter *weiter oben* und etwa 2 Millimeter ______________ stehen.

b) Die Buchstaben im Wort „Banknote“ stehen ______________. Sie müssten ______________ stehen.

c) Das Sechseck steht ______________ der Zeichnung. Es müsste ______________ oberen Bildrand stehen, also etwas ______________ der Zeichnung.

d) Die Zahl 50 steht ______________. Sie müsste aber ______________ stehen.

e) Das Wort „FÜNFZIG“ steht ______________________.
Es müsste ______________________ Wort „DEUTSCHE“ stehen.
f) Die Unterschrift steht ______________________ der Zeile „Deutsche Bundesbank“.
Sie müsste aber ______________________ stehen, also ______________________ den Zeilen „Deutsche Bundesbank“ und „Frankfurt am Main“.
g) Außerdem steht die Unterschrift ______________________.
Sie müsste etwas ______________________ stehen.
h) Die Null der großen Zahl „50“ steht ______________________ der Fünf.
(Mit anderen Worten: Die beiden Zahlen stehen ______________________.)
Die Null müsste ______________________ der Fünf stehen.
(Die beiden Zahlen müssten also ______________________ stehen.)

Nach Übung **6** im Kursbuch

11. Wie nennt man die Gegenstände oder Personen?

Verbstamm (+ -e-) + Nomen = neues Nomen

a) Einen *Knopf*, mit dem man etwas *umschalten* kann, nennt man Umschaltknopf.
b) Die *Taste*, mit der man die Kassette *stoppt*, nennt man ______________.
c) Den *Vorgang*, mit der eine Batterie *geladen* wird, nennt man ______________.
d) Ein *Feld*, auf dem etwas *angezeigt* wird, nennt man ______________.
e) Die *Maschine*, die *Geschirr spült*, nennt man ______________.
f) Die *Maschine*, mit der man Wäsche *wäscht*, nennt man ______________.
g) Einen *Ofen*, in dem man *backen* kann, nennt man ______________.
h) Die *Kabine*, in der man *duscht*, nennt man ______________.
i) Das *Gerät*, das manche Leute im Ohr haben, um besser *hören* zu können, nennt man ______________.
j) Einen *Regler*, den man schieben muss, nennt man ______________.
k) Eine *Lampe*, die man beim *Lesen* benutzt, nennt man ______________.
l) Ein Gerät, mit dem man etwas (z. B. die Stromstärke) *misst*, nennt man ______________.

Verbstamm + -er = neues Nomen

m) Eine Maschine, mit der man *rechnen* kann, nennt man ______________.
n) Eine Taste, mit der man etwas *einschaltet* oder *ausschaltet*, nennt man ______________.
o) Einen Knopf, mit dem man etwas *regelt* (z. B. die Lautstärke eines Radios), nennt man ______________.
p) Die Maschine, mit der man *Wäsche trocknet*, nennt man ______________.
q) Das Gerät, mit dem man etwas *kopiert*, nennt man ______________.
r) Die Person oder Firma, die etwas *herstellt*, nennt man ______________.
s) Die Person, die eine andere Person oder ein Gerät *prüft*, nennt man ______________.
t) Die Person, die eine andere Person *anruft*, nennt man ______________.
u) Die Person, die ein Auto *fährt*, nennt man ______________.

12. Sagen Sie es anders.

Nach Übung **7** im Kursbuch

a) Zuerst die richtige Filmempfindlichkeit (z. B. 100 ASA) einstellen.

Zuerst müssen Sie die richtige Filmempfindlichkeit einstellen.
Zuerst muss die richtige Filmempfindlichkeit eingestellt werden.
Zuerst ist die richtige Filmempfindlichkeit einzustellen.
Stellen Sie zuerst die richtige Filmempfindlichkeit ein.

b) Zuerst die Klappe des Mobilteils öffnen.
c) Dann die Wahlwiederholtaste drücken.
d) Zum Schluss die Klappe schließen.

13. Was passt?

Nach Übung **8** im Kursbuch

zusammen	rein	ab	heraus	rauf	hinein	herunter	hinauf	zu	hoch	runter

a) ____________ nehmen
____________ nehmen

b) ____________ stecken
____________ stecken

c) ____________ klappen

d) ____________ nehmen

e) ____________ klappen
____________ klappen

f) ____________ drücken
____________ drücken

g) ____________ stecken

h) ____________ ziehen
____________ ziehen
____________ ziehen

Lektion 13

Nach Übung

im Kursbuch

14. Ergänzen Sie.

mit durch hinauf / rauf aus zusammen vor weiter hinunter / runter weg ab heraus / raus

a) Das Auto ist total kaputt. Es ist ______gerostet.
b) Die Bürste ist dreckig. Du musst sie ______spülen.
c) Du hast deinen Schlüssel verloren. Er ist aus deiner Tasche ______gefallen.
d) Das Licht brennt noch. Du musst es ______schalten.
e) Der Winter in Nordschweden ist so kalt, dass man die Automotoren ______wärmen muss.
f) Wenn du die Kleider ______drückst, kannst du den Koffer schließen.
g) Wir wollen Karten spielen. Hast du Lust ______zuspielen?
h) Die Pause ist zu Ende. Ihr müsst ______arbeiten.
i) Ihr Büro ist im 2. Stock. Sie müssen hier die Treppe ______gehen.
j) Was macht ihr am Wochenende? Fahrt ihr ______ oder bleibt ihr zu Hause?
k) Die Treppe ist sehr gefährlich. Passen Sie auf, wenn Sie ______gehen.

Nach Übung **10** im Kursbuch

15. Attribute mit Genitiv oder mit Präpositionen? Ergänzen Sie.

→ Kursbuch, Seite 204; Arbeitsbuch 1: Übung 11 auf Seite 118

a) Das Deutsche Museum hat jährlich 1,5 Millionen Besucher ______ ganzen Welt.
b) Es informiert über die Geschichte der Technik und ______ Naturwissenschaften.
c) Der Besuch ______ Deutschen Museums ist eine Attraktion ______ Touristen.
d) Nach der Zerstörung ______ 2. Weltkrieg wurde das Museum neu aufgebaut.
e) Das Museum bietet auch Informationen ______ Arbeitswelt, ______ Bergbau und ______ Straßenbau.
f) Eine Führung ______ Museum dauert zwei Stunden.
g) Im Kongressbau gibt es spezielle Räume ______ Vorträge und andere Veranstaltungen.
h) Das Original ______ ersten Dieselmotors steht im Erdgeschoss.
i) Kinder ______ 6 Jahren zahlen keinen Eintritt.
j) Schüler und Studenten ______ Ausweis zahlen nur 2 Mark 50 Eintritt.

Nach Übung **13** im Kursbuch

16. Warum waren diese Erfindungen wichtig?

→ Übungen 9 und 10 auf den Seiten 71–72

a) Kraftwerke: keine elektrischen Geräte, auch schwere Arbeiten von Hand machen müssen
Ohne Kraftwerke gäbe es keine elektrischen Geräte, und man müsste auch schwere Arbeiten von Hand machen.
b) Buchdruck: neues Wissen nicht so leicht an andere Personen weitergeben können
c) Auto und Eisenbahn: zu Fuß gehen oder Fahrrad fahren müssen
d) Mikroskop: die Ursache vieler Krankheiten nicht erkannt haben
e) Penizillin: viele Menschen sterben jung
f) Satelliten im Weltraum: die Kontinente durch Telefonkabel verbinden müssen
g) Fotografie: die meisten Leute viel weniger genau wissen, wie die Welt aussieht
h) Fernsehen und Radio: schlechter informiert sein

17. Was passt zusammen?

Nach Übung **14** im Kursbuch

a) In der Küche stand ein automatischer Herd,
b) Eine Stimme aus der Decke sagte,
c) Nicht nur die Versicherungsbeiträge seien fällig,
d) Weil es draußen regnete,
e) Niemand kam zum Frühstück,
f) Eine Spülmaschine reinigte das Geschirr,
g) Nachdem die winzigen Roboter ihre Arbeit getan hatten,

1 sondern auch die Rechnung für Wasser, Strom und Elektrizität.
2 als die Eier mit Speck und die Getränke fertig waren.
3 der das Frühstück machte.
4 war das Haus sauber.
5 von dem niemand gegessen hatte.
6 sollten die Bewohner Stiefel und Mäntel anziehen.
7 dass heute der zweite August sei.

18. Was braucht man dafür?

Nach Übung **14** im Kursbuch

→ Übungen 12, 14 und 22 auf den Seiten 22, 24 und 27

a) Kaffee kochen / Kaffeemaschine

Zum Kaffeekochen braucht man eine Kaffeemaschine.
Um Kaffee zu kochen, braucht man eine Kaffeemaschine.

b) Lebensmittel kühlen / Kühlschrank
c) Wäsche waschen / Waschmaschine
d) Geschirr spülen / Spüle oder Spülmaschine
e) Duschen / warmes Wasser
f) sauber machen / Reinigungsgeräte und Putzmittel
g) aufräumen / Lust und Geduld
h) Eier braten / Pfanne

19. Was meinen die Personen?

Nach Übung **19** im Kursbuch

→ Übungen 5 und 6 auf den Seiten 144–145

a) Nora: „Zuerst findet man neue Erfindungen meistens gut, aber später merkt man oft, dass dadurch die Natur zerstört wird."

Nora meint, zuerst finde man neue Erfindungen meistens gut, aber später merke man oft, dass die Natur zerstört wird.

b) Konrad: „Das Auto verschmutzt die Luft, aber wir können trotzdem nicht darauf verzichten."
c) Gerd: „Die Sprays mit FCKW waren sehr praktisch, aber wir haben damit die Ozonschicht kaputtgemacht."
d) Jens: „Man muss Produkte entwickeln, deren Produktion wenig Energie verbraucht."
e) Andrea: „Die Technik ist gut für die Industrie, aber man muss aufpassen, dass sie den Menschen nicht ihre Arbeitsplätze wegnimmt."
f) Uwe: „Das Auto ist bequem, aber es produziert CO_2, das Gift ist für unseren Wald."
g) Renate: „Durch die moderne Kommunikationstechnik erhält man schnell neue Informationen."
h) Wolfgang: „Die Kernenergie spart Rohstoffe, aber sie ist eine Gefahr für unsere Sicherheit."
i) Anne: „Die Industrie braucht Chemiestoffe. Es muss aber dafür gesorgt werden, dass unser Wasser nicht durch Chemie vergiftet wird."

Lektion 13

Nach Übung **19** im Kursbuch

20. Was passt?

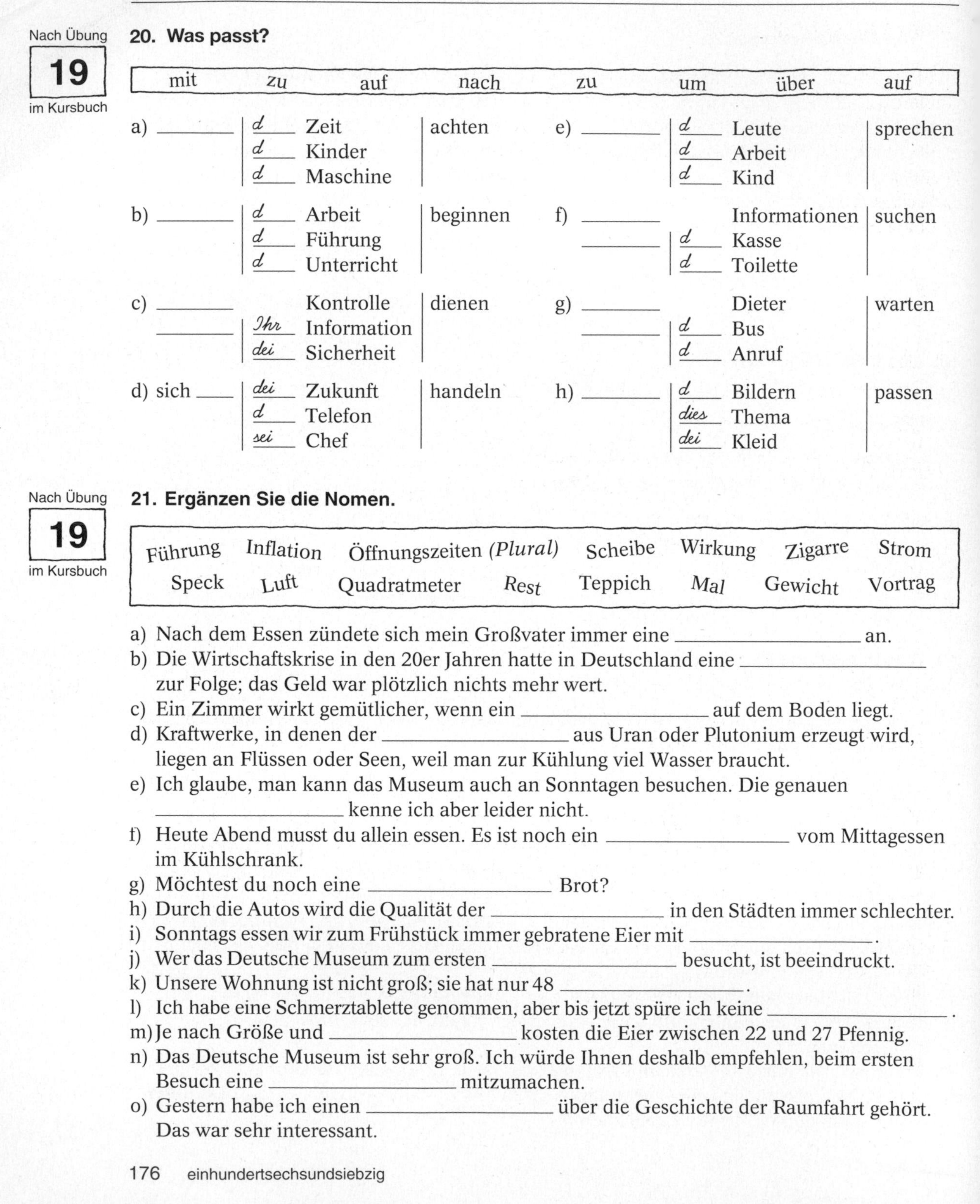

mit	zu	auf	nach	zu	um	über	auf

a) ______ | d______ Zeit / d______ Kinder / d______ Maschine | achten

b) ______ | d______ Arbeit / d______ Führung / d______ Unterricht | beginnen

c) ______ Kontrolle / ______ | Ihr______ Information / dei______ Sicherheit | dienen

d) sich ______ | dei______ Zukunft / d______ Telefon / sei______ Chef | handeln

e) ______ | d______ Leute / d______ Arbeit / d______ Kind | sprechen

f) ______ Informationen / ______ | d______ Kasse / d______ Toilette | suchen

g) ______ Dieter / ______ | d______ Bus / d______ Anruf | warten

h) ______ | d______ Bildern / dies______ Thema / dei______ Kleid | passen

Nach Übung **19** im Kursbuch

21. Ergänzen Sie die Nomen.

Führung	Inflation	Öffnungszeiten *(Plural)*	Scheibe	Wirkung	Zigarre	Strom
Speck	Luft	Quadratmeter	*Rest*	Teppich	*Mal*	Gewicht	Vortrag

a) Nach dem Essen zündete sich mein Großvater immer eine ______________ an.
b) Die Wirtschaftskrise in den 20er Jahren hatte in Deutschland eine ______________ zur Folge; das Geld war plötzlich nichts mehr wert.
c) Ein Zimmer wirkt gemütlicher, wenn ein ______________ auf dem Boden liegt.
d) Kraftwerke, in denen der ______________ aus Uran oder Plutonium erzeugt wird, liegen an Flüssen oder Seen, weil man zur Kühlung viel Wasser braucht.
e) Ich glaube, man kann das Museum auch an Sonntagen besuchen. Die genauen ______________ kenne ich aber leider nicht.
f) Heute Abend musst du allein essen. Es ist noch ein ______________ vom Mittagessen im Kühlschrank.
g) Möchtest du noch eine ______________ Brot?
h) Durch die Autos wird die Qualität der ______________ in den Städten immer schlechter.
i) Sonntags essen wir zum Frühstück immer gebratene Eier mit ______________.
j) Wer das Deutsche Museum zum ersten ______________ besucht, ist beeindruckt.
k) Unsere Wohnung ist nicht groß; sie hat nur 48 ______________.
l) Ich habe eine Schmerztablette genommen, aber bis jetzt spüre ich keine ______________.
m) Je nach Größe und ______________ kosten die Eier zwischen 22 und 27 Pfennig.
n) Das Deutsche Museum ist sehr groß. Ich würde Ihnen deshalb empfehlen, beim ersten Besuch eine ______________ mitzumachen.
o) Gestern habe ich einen ______________ über die Geschichte der Raumfahrt gehört. Das war sehr interessant.

Lektion 14

Kernwortschatz

Verben

ändern 163
anziehen 167
aufschreiben 165
begrüßen 171
beleidigen 171
bemühen 170
bestrafen 170
dauern 162
demonstrieren 163
entstehen 163
gewinnen 171
kümmern 165
mitmachen 163
reichen 164
siegen 170
spüren 164
töten 171
trennen 163
üben 167
überraschen 171
unterhalten 164
unterscheiden 170
weitergehen 165

Nomen

e Absicht, -en 167
e Ankunft 164
e Ansicht, -en 165
r Artikel, - 171
r Ausdruck, ¨e 164
s Ausländeramt, ¨er 171
r Bauch, ¨e 171
e Bedeutung, -en 167
r Bericht, -e 165
r Bleistift, -e 165
r Bundeskanzler, - 171
s Bundesland, ¨er 166
r Charakter, -e 171
r Dichter, - 170
s Diplom, -e 171
s Einschreiben, - 171
s Einwohnermeldeamt, ¨er 171
e Energie, -n 159
r Erfolg, -e 171
s Ergebnis, -se 167
r Film, -e 167
e Folge, -n 164
r Führerschein, -e 171
r Fußgänger, - 171
e Garderobe, -n 171
s Gebiet, -e 166
r Geschäftsmann, -leute 171
e Geschichte 165
s Gewitter, - 171
r Gott, ¨er 170
r Hafen, ¨ 171
r Hammer, ¨ 171
r Handschuh, -e 171
r Hut, ¨e 171
e Idee, -n 171
r Journalist, -en 163
e Karte, -n 169
e Konferenz, -en 171
s Konzert, -e 166
r Krieg, -e 163
e Kultur, -en 166
r Künstler, - 163
e Küste, -n 171
s Lebensmittel, - 164
r Lehrling, -e 171
e Liste, -n 171
s Lokal, -e 167
e Macht 170
s Museum, Museen 166
r Musiker, - 170
e Nachricht, -en 165
r Nationalsozialismus 167
e Natur 159
r Nazi, -s 163
r Nebel 171
e Oper, -n 170
e Opposition 163
r Osten 163
r Parkplatz, ¨e 171
e Partei, -en 163
r Partner, - 171
r Politiker, - 163
s Programm, -e 169
r Protest, -e 163
s Prozent, -e 167
r Quatsch 169
e Regierung, -en 163
r Regisseur, -e 167
r Ring, -e 171
r Roman, -e 170
e Rückkehr 171
e Schachtel, -n 170
e Schallplatte, -n 167
r Schein, -e 163
r Schriftsteller, - 163
e Sicherheit 159
r Tänzer, - 167
e Tasche, -n 171
s Taschentuch, ¨er 171
s Theater, - 166
r Titel, - 162
e Veranstaltung, -en 169
s Verhalten 163
e Versammlung, -en 171
r Vertrag, ¨e 170
r Weltkrieg, -e 163
e Wirklichkeit 170
s Wörterbuch, ¨er 164
r Zahnarzt, ¨e 171
r Zeuge, -n 171
s Ziel, -e 163

Lektion 14

Adjektive

ähnlich 167
amerikanisch 167
berühmt 166
blind 171
böse 170
demokratisch 163
dunkel 170
giftig 163
häufig 170
klassisch 167
kommunistisch 163
konservativ 171
kräftig 171
kritisch 167
langweilig 169
militärisch 163
neugierig 165
selbstverständlich 169
sympathisch 171
tief 171
wahrscheinlich 170
zahlreich 166

Adverbien

bald 163
deswegen 164
lieber 167
nachher 171
prima 169
soviel 170
später 163
wenig 169

Funktionswörter

bis zu 170
einige 165
insgesamt 166
jeweils 162
trotz 170
viele 163
immer mehr 163
nur noch 163
noch nicht 164

Kerngrammatik

Plusquamperfekt (§ 21)

Vorgestern kam ich zu spät ins Büro.	Mein Wecker war stehengeblieben.
Als ich am Bahnhof ankam,	war der Zug gerade abgefahren.
Als ich im Büro ankam,	war ein guter Kunde gerade wieder weggegangen, nachdem er eine Stunde lang auf mich gewartet hatte.

Indefinitpronomen „nichts“, „wenig“, „etwas“, „viel“, „alles“ und Adjektiv (§ 8)

Gibt es etwas Neues?
Das war nichts Besonderes.
Ich habe nicht viel Gutes über ihn gehört.
Er hat nur wenig Interessantes erzählt.
Ich habe ihm alles Gute gewünscht.

1. Sie haben die Kurztexte auf Seite 163 gelesen. Welche der folgenden Sätze stimmen mit deren Inhalt nicht überein?

Nach Übung 3 im Kursbuch

a) Der 2. Weltkrieg dauerte sechs Jahre.
b) Der Krieg hatte über 50 Millionen Menschenleben gekostet.
c) Nach Kriegsende mussten viele Frauen allein für sich und ihre Kinder sorgen.
d) Mit einem Persilschein konnte man Waschmittel kaufen.
e) Alle Nazis bekamen einen Persilschein.
f) Fünfzehn Jahre nach dem Krieg ging es den Deutschen wirtschaftlich schon wieder gut.
g) Seit 1949 flüchteten viele Menschen von der DDR in die Bundesrepublik.
h) 1961 baute die Bundesrepublik die Berliner Mauer.
i) Viele Flüchtlinge haben an der Mauer den Tod gefunden.
j) Die sogenannten Achtundsechziger waren zum größten Teil Studenten.
k) Die Partei „Die Grünen" kämpft für die Interessen der Industrie.
l) Die Mitglieder der Friedensbewegung demonstrierten gegen die Kriegsgefahr und die Atomindustrie.

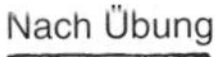

2. Was passt zusammen?

Nach Übung

im Kursbuch

a) Nachdem der Krieg vorbei war,
b) Viele Frauen mussten allein für die Familie sorgen.
c) Der Marschallplan der USA half dabei,
d) Durch den Bau der Mauer in Berlin
e) Viele junge Leute waren unzufrieden darüber,
f) Die Grünen haben es erreicht,
g) Die Friedensbewegung ist keine Partei,

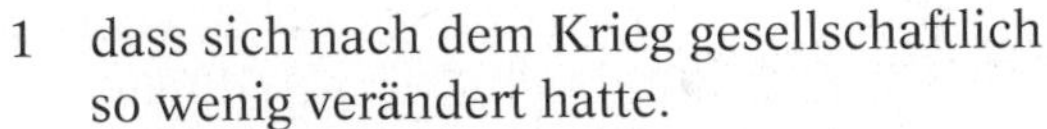

1 dass sich nach dem Krieg gesellschaftlich so wenig verändert hatte.
2 wurden Familien plötzlich getrennt.
3 wollten die Deutschen die Vergangenheit möglichst schnell vergessen.
4 sondern eine politische Kraft außerhalb des Parlaments.
5 die deutsche Wirtschaft wieder aufzubauen.
6 dass die Umwelt inzwischen ein Thema in allen Parteien ist.
7 weil ihre Männer tot oder in Gefangenschaft waren.

3. Ergänzen Sie die Sätze mit dem passenden Nomen.

Nach Übung

im Kursbuch

Schriftsteller Weltkrieg Journalist Künstler Protest Nazi
Titel Regierung Opposition Ziel Osten Mehrheit

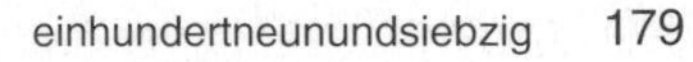

a) Nach dem Krieg wollte kein Deutscher mehr ein ______________ gewesen sein.
b) Die Achtundsechziger hatten das ______________, die Gesellschaft zu verändern.
c) Auch der bekannte ______________ Heinrich Böll gehörte bis zu seinem Tod zur Friedensbewegung.
d) Die Grünen konnten die Umwelt zu einem der wichtigsten Themen in der Politik machen, obwohl sie keine ______________ im Parlament hatten.
e) Nach dem Zweiten ______________ wurde Deutschland geteilt.

f) Der __________ von Bürgern und Umweltschützern hat den Bau eines neuen Flughafens in München lange Zeit verhindert.
g) Ein anderer Name für die Achtundsechziger war „APO“, eine Abkürzung für „außerparlamentarische __________“.
h) In Deutschland wird das Parlament und damit indirekt auch die __________ alle vier Jahre neu gewählt.
i) Ein __________ ist Mitarbeiter einer Zeitung oder einer Zeitschrift.
j) Die Menschen, die im __________ von Berlin lebten, konnten nach dem Bau der Mauer nicht mehr in die Bundesrepublik kommen.
k) Welchen __________ hat das Buch, das Sie gerade lesen?
l) Er kann ganz gut malen, aber ein richtiger __________ ist er nicht.

Nach Übung **3** im Kursbuch

4. Präteritum oder Plusquamperfekt? Ergänzen Sie.

Jeder Deutsche (brauchen) brauchte eine Bescheinigung ____-____(a), die (bestätigen) __________ __________(b), dass man nicht zu den Nazis (gehören) gehört hatte (c).
In den 60er Jahren (kritisieren) __________ __________(d) die Studenten, dass nach dem 2. Weltkrieg die Wirtschaftsordnung nicht (geändert werden) __________ __________ __________(e).
Nachdem über drei Millionen Bürger von der DDR in die Bundesrepublik (flüchten) __________ __________(f), (schließen) __________ die Regierung der DDR alle Grenzen __________(g) und (bauen) __________ eine Mauer zwischen Ost- und West-Berlin __________(h).
Die Deutschen, die im Osten Deutschlands (leben) __________ __________(i), aber (fliehen) __________ __________(j), bevor die Mauer (geöffnet werden) __________ __________ __________(k), (haben) __________ es am schwersten __________(l), weil sie durch die Flucht ihre Häuser und fast ihr ganzes Geld (verlieren) __________ __________(m).
Die meisten Studenten, die in den 60er Jahren gegen den Krieg in Vietnam und den Kapitalismus (demonstrieren) __________ __________(n), (machen) __________ später im Beruf Karriere __________(o) und (werden) __________ zu normalen Bürgern __________(p).
1960, also schon 15 Jahre nach Kriegsende, (geben) __________ es in Deutschland nur noch 100 000 Arbeitslose __________(q). Eine der Voraussetzungen für diese schnelle wirtschaftliche Entwicklung (sein) __________ __________(r), dass die deutsche Industrie billige Kredite aus Amerika (bekommen) __________ __________(s).
Nachdem 1949 eine neue Währung (eingeführt werden) __________ __________ __________(t), (lohnen) __________ es sich wieder __________(u), für Geld zu arbeiten. Vorher (tauschen) __________ man Waren meistens nur __________(v), weil das alte Geld keinen Wert mehr (haben) __________ __________(w).
In den 70er Jahren (beginnen) __________ man __________(x), über Umweltschutz nachzudenken. Davor, in den 50er und 60er Jahren, (achten) __________ niemand auf die Schäden __________(y), die durch die Industrie (entstehen) __________ __________(z).

5. Ihre Grammatik. Ergänzen Sie die Zeitformen der Vergangenheit.

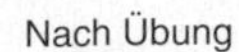

Nach Übung 3 im Kursbuch

	hören	fliehen	entlassen werden
ich	*hörte* *habe gehört* *hatte gehört*	*floh* *bin geflohen* *war geflohen*	*wurde entlassen* *bin entlassen worden* *war entlassen worden*
du			
er / sie / es / man			
wir			
ihr			
sie / Sie			

6. Beantworten Sie die folgenden Fragen schriftlich.

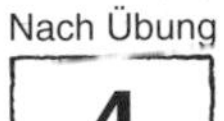

Nach Übung 4 im Kursbuch

a) Wie viele Tage nach Kriegsende brachte Hedwig ihr jüngstes Kind zur Welt?

b) Wo schlief Hedwigs eineinhalbjähriger Sohn?

c) Wo schlief Hedwigs Vater?

d) Was nahm Hedwig für die Kinder mit, wenn sie als Trümmerfrau arbeitete?

e) Worin transportierte Hedwig das gesammelte oder gestohlene Brennmaterial?

f) Was musste Hedwig tun, um Lebensmittel zu bekommen?

g) Woraus fertigte Hewig Kleidungsstücke an?

h) Wo hat Hedwig heute noch Schmerzen?

Lektion 14

Nach Übung **7** im Kursbuch

7. Welche beiden Sätze sagen sinngemäß das Gleiche?

a) [A] Ich weiß nicht, wo er seine Beine gelassen hat.
[B] Ich frage mich, was er mit seinen Beinen gemacht hat.
[C] Ich möchte wissen, warum er keine Beine mehr hat.

b) [A] Sie haben von dem Elend nicht viel mitbekommen.
[B] Sie haben sich große Sorgen gemacht.
[C] Sie haben nicht viel gemerkt von der schlimmen Situation.

c) [A] Es blieb nicht aus, dass ich stehlen musste.
[B] Ich blieb zu Hause, um nicht stehlen zu müssen.
[C] Manchmal hatte ich keine andere Wahl als zu stehlen.

d) [A] In den Geschäften gab es nicht viel zu kaufen.
[B] Vor den Lebensmittelgeschäften musste man in der Schlange stehen.
[C] Man musste lange warten, bevor man in den Geschäften etwas kaufen konnte.

e) [A] Aus alten Säcken fertigte ich Kleidung für die Kinder an.
[B] Aus dem Stoff von alten Säcken nähte ich Kleider für die Kinder.
[C] Für die Kinder machte ich Kleider, die aussahen wie alte Säcke.

f) [A] Meine Gelenke sind nicht mehr in Ordnung.
[B] Ich habe keine Gelenke mehr.
[C] Ich habe Probleme mit meinen Gelenken.

Nach Übung **8** im Kursbuch

8. Wiederholung: Indirekter Fragesatz.
→ Übungen 13 und 14 auf den Seiten 22–23

wie	was	warum	wer	wo	wohin	wann	welcher

a) Ich frage mich, _______________ man sich mit Ereignissen beschäftigen soll, die schon viele hundert Jahre zurückliegen.
b) Heute wollte der Lehrer von mir wissen, _______________ der erste Weltkrieg angefangen hat, aber ich konnte mich nicht an die Jahreszahl erinnern.
c) Morgen schreiben wir einen Test in Geschichte. Weißt du noch, _______________ wir dafür lernen sollen?
d) In Geschichte interessiert mich besonders, _______________ die Menschen früher gelebt haben.
e) Nach dem Zweiten Weltkrieg wussten viele Flüchtlinge nicht, _______________ sie gehen sollten.
f) Es interessiert mich einfach nicht, _______________ König oder Kaiser vor tausend Jahren regiert hat.
g) Mich interessiert die Frage, _______________ die ersten Menschen gelebt haben. Wahrscheinlich war es in Ostafrika, aber ganz sicher weiß man es nicht.
h) Weißt du noch, _______________ Julius Cäsar getötet hat? – Ja, das war Brutus.

9. Wiederholung: Meinung und Einstellung. Was passt zusammen?

Nach Übung

im Kursbuch

a) Ich bin davon überzeugt, dass die Wiedervereinigung noch viel Geld kosten wird.
b) Ich glaube, dass die Wiedervereinigung noch viel Geld kosten wird.
c) Ich bezweifle, dass die Wiedervereinigung noch viel Geld kosten wird.
d) Ich mache mir Sorgen, dass die Wiedervereinigung noch viel Geld kosten wird.
e) Es ist mir egal, dass die Wiedervereinigung noch viel Geld kosten wird.

1 Ich glaube nicht, dass die Wiedervereinigung noch viel Geld kosten wird.
2 Ich fürchte, dass die Wiedervereinigung noch viel Geld kosten wird.
3 Es macht mir nichts aus, dass die Wiedervereinigung noch viel Geld kosten wird.
4 Ich bin sicher, dass die Wiedervereinigung noch viel Geld kosten wird.
5 Ich nehme an, dass die Wiedervereinigung noch viel Geld kosten wird.

10. Was meinen die Jugendlichen?

Nach Übung

im Kursbuch

→ Arbeitsbuch 1: Übungen 12–15 auf den Seiten 178–179

a) Maria: Man kann aus der Geschichte viel lernen.
Maria meint, man könne aus der Geschichte viel lernen.
Maria meint, dass man aus der Geschichte viel lernen könne.

b) Kurt: Man sollte sich nicht mit alten Sachen beschäftigen, die schon lange vergessen sind.
c) Babsi: Geschichte ist spannend, weil sie voller Zufälle ist.
d) Nicole: Die Menschen haben aus ihrer Geschichte nichts gelernt.
e) Werner: Die Geschichtswissenschaft sollte sich auch für das Leben der normalen Menschen interessieren.
f) Thomas: Man muss sich mit Geschichte beschäftigen, weil sie zu unserem Leben gehört.
g) Astrid: Aus der Geschichte kann man erklären, warum das Leben heute so ist und nicht anders.

11. Schreiben Sie.

Nach Übung **9** im Kursbuch

Sie erinnern sich sicher an einen Kinofilm, der Ihnen besonders gut gefallen hat. Schreiben Sie darüber einen kurzen Text; Sie können ihn später im Kurs vorlesen. (Sie können natürlich auch über ein Theaterstück oder eine Oper schreiben.)

Geben Sie, wenn möglich, die folgenden Informationen:

- Wie hieß der Film?
- Wann (ungefähr) haben Sie ihn gesehen?
- Wo haben Sie ihn gesehen?
- Welche Schauspieler hatten die Hauptrollen?
- Erzählen Sie etwas über die Handlung des Films.
- Wie hieß der Regisseur?
- Was für ein Film war es? Ein Liebesfilm, ein Actionfilm, ein Horrorfilm, eine Komödie?
- Warum hat Ihnen dieser Film besonders gut gefallen?

Lektion 14

Nach Übung **9** im Kursbuch

12. Bringen Sie die Sätze in Ordnung.

In den Texten auf S.166 und 167 im Kursbuch haben Sie die fünf Sätze gelesen, die hier durcheinander geraten sind. Versuchen Sie, die Sätze wieder in Ordnung zu bringen, ohne im Kursbuch nachzulesen.

a) eines so wie Durchschnitt Einnahmen Ausgaben fünfmal sind die Theaters die groß im

Im Durchschnitt sind ______________________________

____

b) Deutsche Museum berühmtesten in eines der Museen Deutschland in München ist das

Eines der berühmtesten ______________________________

____

c) Höhepunkte sind im Musikfestspiele Stadt einer Kulturleben

Musikfestspiele ______________________________

____

d) Musikhörer heute keiner zu gegeben Zeit so viele hat es wie

Zu keiner Zeit ______________________________

____

e) Kinobesucher 80 sind zwischen alt 14 Prozent und 29 etwa aller Jahre

Etwa 80 Prozent ______________________________

____

f) Hamburger Stuttgarter berühmtesten am sind Ballett zur Zeit wohl das und das

Am berühmtesten ______________________________

____

Nach Übung **11** im Kursbuch

13. „Etwas" oder „nichts" + Adjektiv. Ergänzen Sie.

a) Bei dem Unfall wurde niemand verletzt. Es ist (schlimm) *nichts* ________ *Schlimmes* ________ passiert.

b) Es ist (schlimm) ________ ________ passiert. Herr Kramer hatte einen Unfall. Er liegt schwer verletzt im Krankenhaus.

c) ○ Hat der Chef dich heute genauer informiert? – □ Nein, er hat mir (neu) ________ ________ erzählt.

d) ○ Möchtest du einen Kaffee oder einen Tee? – □ Nein danke, ich möchte lieber (kalt) ________ ________ trinken.

e) Die Schuhe gefallen mir, aber so viel Geld möchte ich nicht ausgeben. Haben Sie vielleicht (billiger) ________ ________ .

f) ○ Willst du heute abend fernsehen? – □ Nein, es gibt (interessant) ________ ________________ im Programm.

g) Diese Maschine kann ich Ihnen sehr empfehlen. Es gibt (besser) ________ ________________.

h) Maria hat nächste Woche Geburtstag. Ich will ihr (schön) ________ ________________ für ihre Wohnung schenken.

i) Meine Schwester hat häufig Magenschmerzen. Der Arzt hat gesagt, dass sie (scharf) ________ ________________ essen darf.

j) Ich habe nichts mehr zu lesen. Hast du vielleicht (spannend) ________ ________________ für mich?

14. Bemerkungen zu einem Theaterbesuch. Welcher Satz passt nicht zu den drei anderen?

Nach Übung **11** im Kursbuch

a) [A] Das ist nichts für mich.
[B] Das gefällt mir nicht.
[C] Das kenne ich nicht.
[D] Das ist nicht nach meinem Geschmack.

b) [A] Davon verstehe ich nichts.
[B] Dafür habe ich kein Verständnis.
[C] Davon habe ich keine Ahnung.
[D] Damit kenne ich mich nicht aus.

c) [A] Das wollte ich schon immer mal sehen.
[B] Ich habe schon lange den Wunsch, das zu sehen.
[C] Es interessiert mich schon lange, das zu sehen.
[D] Das möchte ich mehrmals sehen.

d) [A] Das war nicht gut.
[B] Das hat sich nicht gelohnt.
[C] Das war viel zu teuer.
[D] Das war es nicht wert.

e) [A] Na ja, es ging so.
[B] Nun ja, es war nicht schlecht.
[C] Nichts Besonderes, aber man konnte es sich ansehen.
[D] Es war zum Davonlaufen

f) [A] Das ist großer Quatsch.
[B] Ich bin vollkommen begeistert.
[C] Ich finde es einfach fantastisch.
[D] Es ist wunderbar.

15. Wo passen die Präpositionen?

Nach Übung **12** im Kursbuch

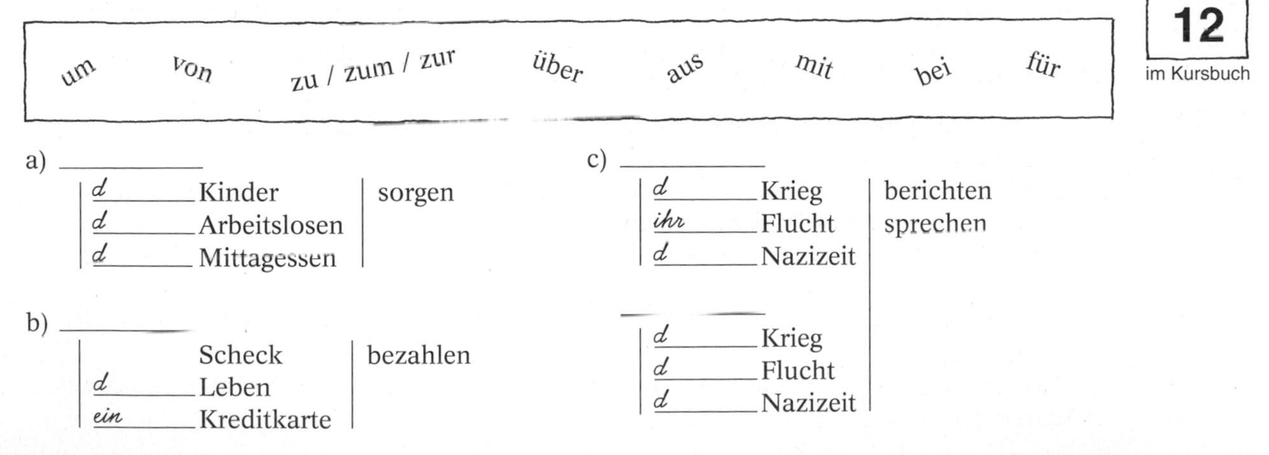

um | von | zu / zum / zur | über | aus | mit | bei | für

a) ________
d________ Kinder
d________ Arbeitslosen
d________ Mittagessen
sorgen

b) ________
________ Scheck
d________ Leben
ein________ Kreditkarte
bezahlen

c) ________
d________ Krieg
ihr________ Flucht
d________ Nazizeit
berichten
sprechen

____
d________ Krieg
d________ Flucht
d________ Nazizeit

d) ________
- *d*_____ Demonstration | mitmachen
- *uns*_____ Spiel
- *ei*_____ Ausflug

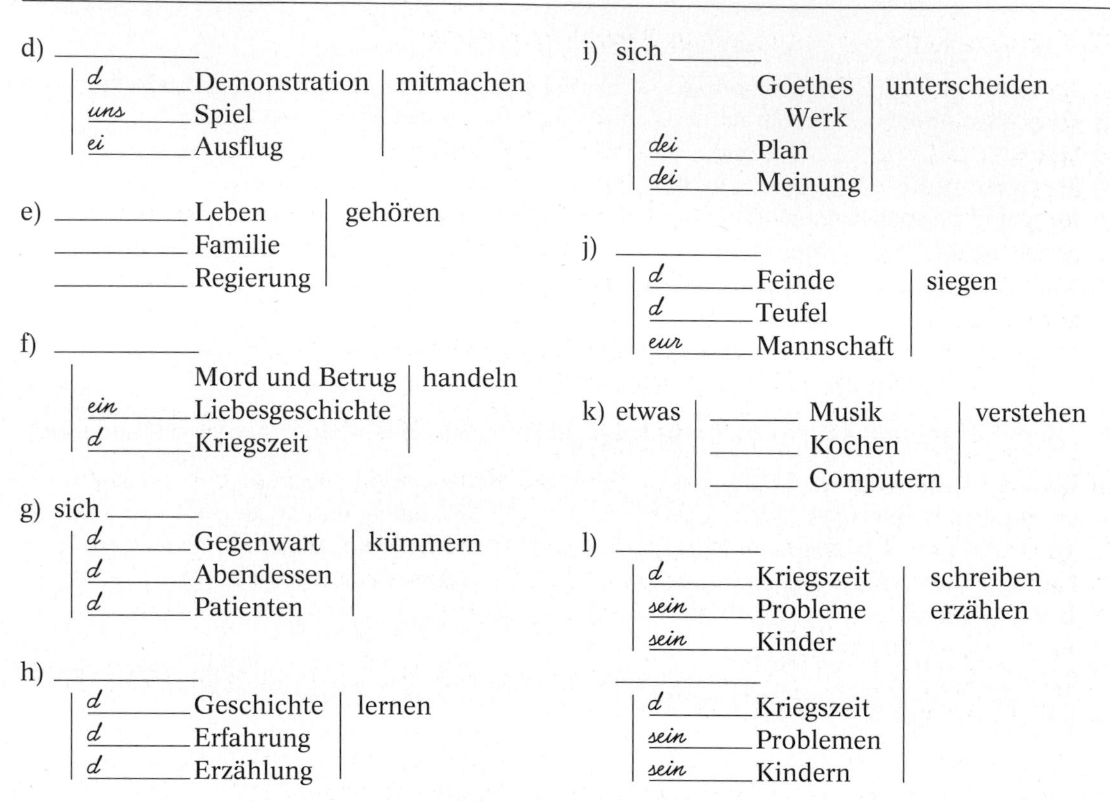

e) _____ Leben | gehören
- _____ Familie
- _____ Regierung

f) ________
- Mord und Betrug | handeln
- *ein*_____ Liebesgeschichte
- *d*_____ Kriegszeit

g) sich ________
- *d*_____ Gegenwart | kümmern
- *d*_____ Abendessen
- *d*_____ Patienten

h) ________
- *d*_____ Geschichte | lernen
- *d*_____ Erfahrung
- *d*_____ Erzählung

i) sich ________
- Goethes Werk | unterscheiden
- *dei*_____ Plan
- *dei*_____ Meinung

j) ________
- *d*_____ Feinde | siegen
- *d*_____ Teufel
- *eur*_____ Mannschaft

k) etwas
- _____ Musik | verstehen
- _____ Kochen
- _____ Computern

l) ________
- *d*_____ Kriegszeit | schreiben erzählen
- *sein*_____ Probleme
- *sein*_____ Kinder

____
- *d*_____ Kriegszeit
- *sein*_____ Problemen
- *sein*_____ Kindern

Nach Übung 12 im Kursbuch

16. Wiederholung: Adverbien. Welches Adverb passt?

a) Johann Wolfgang von Goethe arbeitete *fast / endlich / erst* sein ganzes Leben lang am „Faust".
b) Der zweite Teil des „Faust" erschien *erst / fast / nur* nach Goethes Tod, im Jahre 1832.
c) Goethe hat die Geschichte des Dr. Faustus *wenigstens / allerdings / normalerweise* nicht selbst erfunden.
d) Andere Dichter haben *ebenfalls / außerdem / eigentlich* Bücher über Faust geschrieben.
e) Christopher Marlowe schrieb *fast / schon / kaum* im Jahre 1589 ein Theaterstück über Faust.
f) Als Faust *ausnahmsweise / möglichst / schließlich* sagt, dass er zufrieden sei, muss er nicht mit dem Teufel gehen, obwohl er seine Wette mit ihm verloren hat.
g) In früheren Dichtungen war Faust *beinahe / vielleicht / immer* mit der Hölle bestraft worden.
h) Goethes „Faust" ist *jeweils / jedenfalls / jedesmal* von allen Faust-Werken das berühmteste.
i) Dass Goethe ein Theaterstück über Faust geschrieben hat, weiß *etwa / fast / möglichst* jeder, der in Deutschland zur Schule gegangen ist.

17. Plusquamperfekt oder Konjunktiv II der Vergangenheit?

Nach Übung **12** im Kursbuch

a) Als im Jahr 1832 der zweite Teil von Goethes Faust als Buch erschien, ________ Goethe schon gestorben.
b) Wenn Goethe als Kind das Stück von Marlowe nicht gesehen ________, dann ________ er seinen „Faust" vielleicht nie geschrieben.
c) Mephisto musste Faust alle Geheimnisse der Welt zeigen, weil er einen Vertrag mit ihm geschlossen ________.
d) Nachdem Faust mit Mephistos Hilfe viele Dinge erfahren ________, sagte er, dass er zufrieden sei.
e) In den Büchern, die vor Goethes Zeit über Faust geschrieben worden ________, ________ Faust immer mit der Hölle bestraft worden.
f) Wenn Goethe im 16. Jahrhundert gelebt ________, dann ________ auch er in seinem Drama Faust mit der Hölle bestrafen müssen.
g) Im 16. Jahrhundert ________ es sicher nicht möglich gewesen, das Faust-Drama so zu schreiben, wie Goethe es getan hat.
h) Thomas Mann schrieb seinen Roman „Dr. Faustus" in den USA, nachdem er durch die Nationalsozialisten gezwungen worden ________, Deutschland zu verlassen.
i) In diesem Roman spiegeln sich auch die Erfahrungen, die Thomas Mann mit dem Faschismus gemacht ________.
j) Thomas Mann ________ seinen Faust-Roman und viele andere Werke nicht schreiben können, wenn er in Deutschland geblieben ________.

18. Wiederholung: Nomen. Dinge aus dem Alltag. Was passt zusammen?

Nach Seite **113** im Kursbuch

a)	die	Apfel	beere	*die Erdbeere*
b)	das	Auf	mittel	________
c)	das	Brief	zeug	________
d)	der	Bar	schreiber	________
e)	der	Kleider	zug	________
f)	das	Nahrungs	meter	________
g)	die	Kopf	sine	________
h)	die	Führer	karte	________
i)	die	~~Erd~~	bürste	________
j)	das	Feuer	kissen	________
k)	der	Scheck	schein	________
l)	die	Thermo	klinge	________
m)	der	Blei	bügel	________
n)	die	Kugel	marke	________
o)	das	Rasier	geld	________
p)	der	Zahn	stift	________

Nach Seite **113** im Kursbuch

19. Kreuzworträtsel

A. Lösen Sie das Rätsel.

Waagerecht:

1 Meine Schwester will zwei Jahre im Ausland arbeiten. Sie hofft, dass sie dann nach ihrer ▭ bessere Chancen im Beruf hat. **4** Zum Glück hatte ein ▭ den Unfall beobachtet und der Polizei genau berichtet, was passiert war. **5** Er spricht schon sehr gut Deutsch. Nur manchmal hat er Mühe, den genau passenden ▭ zu finden. **8** Der alte Lebensmittelladen soll von einem reichen ▭ gekauft worden sein. Bisher weiß niemand, was er damit machen will. **12** Beim Schachspiel gilt: Schwarze Dame auf schwarzes ▭, weiße Dame auf weißes ▭. **13** Im Sommer wird das ▭ zu diesem Park um 22.00 Uhr geschlossen. **14** Erinnerst du dich noch an den ▭, den wir unserem Deutschlehrer mal gespielt haben? **15** Bei ▭ muss man das Fahrlicht am Auto auch tagsüber einschalten. **18** Entschuldigen Sie, haben Sie ▭? Ich habe keine Streichhölzer dabei. **19** Unser Nachbar hat einen ganz schlechten ▭. Er ist ein Trinker, und manchmal schlägt er seine Kinder. **20** Mein Sohn hat die Schule vor dem Abitur verlassen. Natürlich hatte das zur ▭, dass er nicht studieren konnte.
23 Kommst du bitte mal? Der Briefträger ist da mit einem ▭ für dich! Das musst du selbst

unterschreiben. **24** Komm, wir gehen ins Kino. Wir wollen doch nicht jeden ▒ zu Hause bleiben! **26** Vor den Wahlen darfst du einem ▒ nicht alles glauben, was er sagt. Nach den Wahlen übrigens auch nicht! **27** Lass das Auto mal stehen und fahr mit dem ▒, das ist viel gesünder! **28** Am Abend nach der Abiturprüfung machen wir ein großes ▒, um unseren Schulabschluss zu feiern.

Senkrecht:

1 „Das Messer im Wasser" ist ein ganz toller Film. Für mich ist Roman Polanski sowieso der beste ▒ außerhalb der USA. **2** Die Modenschau war überhaupt nicht gut! Das Licht war nicht hell genug, die Musik war viel zu laut, und am teuersten Kleid der ganzen Kollektion fehlte sogar ein ▒! **3** Ich sammle alle Briefe und Postkarten, die ich bekomme. Sie liegen in einer ▒ im Wohnzimmerschrank. **5** Nach meiner ▒ ist es ein großer Fehler, dass im Deutschunterricht fast keine klassische Literatur mehr gelesen wird. **6** Hast du gesehen, Dörte trägt jetzt einen ▒. Hat sie sich verlobt? **7** Du darfst Jürgen nicht immer in Brasilien anrufen, das wird viel zu teuer! Schreib ihm doch mal einen ▒! **8** Schau mal, dort unter der Bank liegt etwas. Sieht aus wie ein ▒ – ja, tatsächlich, das sind zwanzig Mark! Wer hat die wohl verloren? **9** Mehr als die Hälfte der Balletttänzerinnen und -tänzer in Deutschland sind ▒. **10** In einer Großstadt passiert wahrscheinlich jede Nacht irgendein ▒ – ein Mord, ein Überfall oder ein schwerer Diebstahl. Da gibt es für die Polizei immer Arbeit. **11** Unsere Wohnung wäre ja ganz in Ordnung, aber unser ▒ in der Wohnung links neben uns ist leider ein sehr unangenehmer Mensch. **16** Unsere Stadt hat nur 25 000 ▒, aber wir haben trotzdem ein Theater. **17** Dieser Film ist ja schecklich traurig. Ich bin schon ganz nass geweint. Hast du ein ▒ für mich? **21** Goethe ist sicher der berühmteste deutsche ▒. **22** Mein Freund studiert Psychologie. Er ist jetzt im letzten Semester. Sobald er sein ▒ hat, wollen wir heiraten. **25** Seit dem 19. Jahrhundert werden Theater meistens durch die ▒ einer Stadt gegründet.

B. Ordnen Sie die Nomen.

der	die	das

Lektion 14

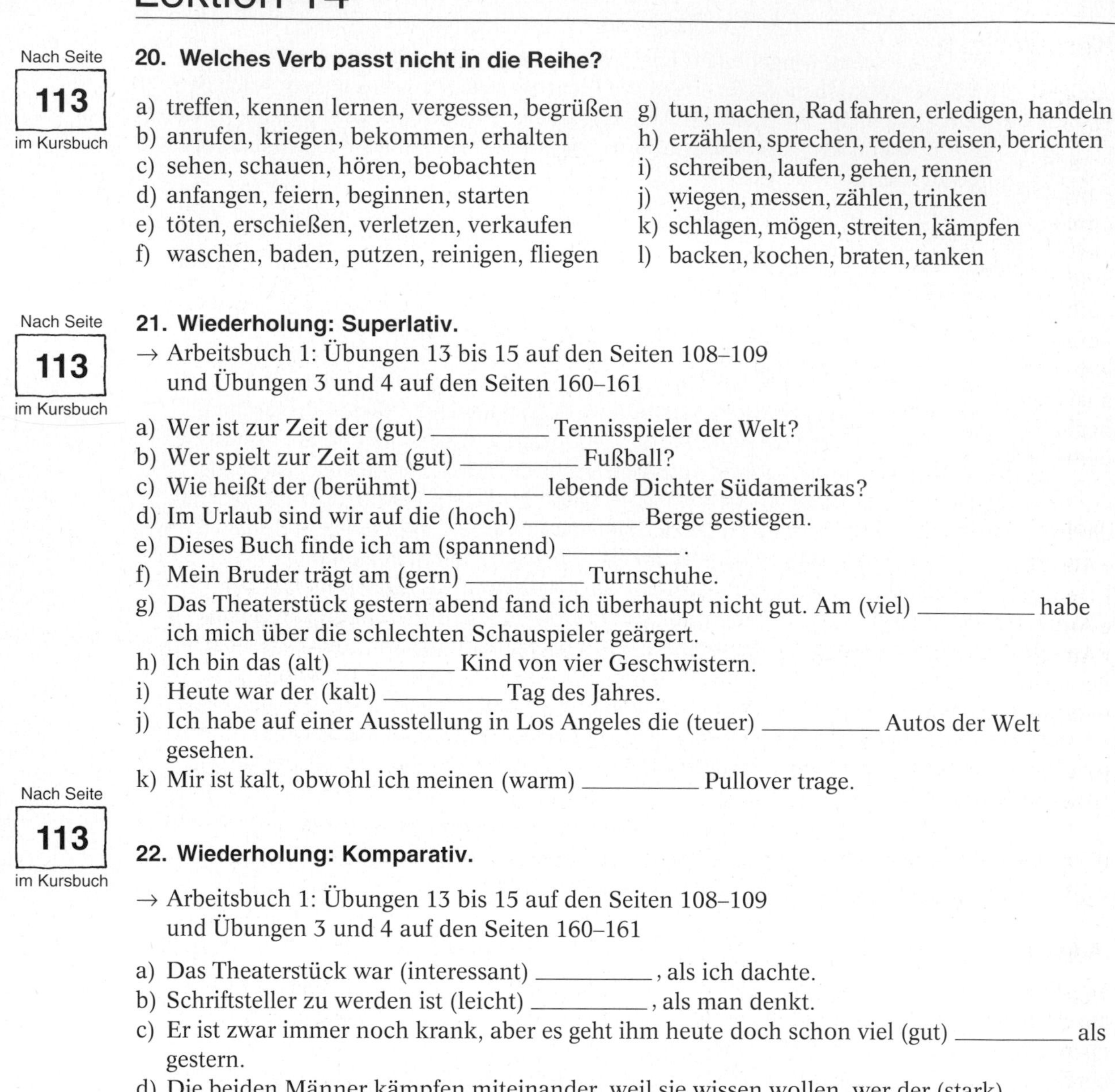

Nach Seite **113** im Kursbuch

20. Welches Verb passt nicht in die Reihe?

a) treffen, kennen lernen, vergessen, begrüßen
b) anrufen, kriegen, bekommen, erhalten
c) sehen, schauen, hören, beobachten
d) anfangen, feiern, beginnen, starten
e) töten, erschießen, verletzen, verkaufen
f) waschen, baden, putzen, reinigen, fliegen
g) tun, machen, Rad fahren, erledigen, handeln
h) erzählen, sprechen, reden, reisen, berichten
i) schreiben, laufen, gehen, rennen
j) wiegen, messen, zählen, trinken
k) schlagen, mögen, streiten, kämpfen
l) backen, kochen, braten, tanken

Nach Seite **113** im Kursbuch

21. Wiederholung: Superlativ.

→ Arbeitsbuch 1: Übungen 13 bis 15 auf den Seiten 108–109
und Übungen 3 und 4 auf den Seiten 160–161

a) Wer ist zur Zeit der (gut) __________ Tennisspieler der Welt?
b) Wer spielt zur Zeit am (gut) __________ Fußball?
c) Wie heißt der (berühmt) __________ lebende Dichter Südamerikas?
d) Im Urlaub sind wir auf die (hoch) __________ Berge gestiegen.
e) Dieses Buch finde ich am (spannend) __________.
f) Mein Bruder trägt am (gern) __________ Turnschuhe.
g) Das Theaterstück gestern abend fand ich überhaupt nicht gut. Am (viel) __________ habe ich mich über die schlechten Schauspieler geärgert.
h) Ich bin das (alt) __________ Kind von vier Geschwistern.
i) Heute war der (kalt) __________ Tag des Jahres.
j) Ich habe auf einer Ausstellung in Los Angeles die (teuer) __________ Autos der Welt gesehen.
k) Mir ist kalt, obwohl ich meinen (warm) __________ Pullover trage.

Nach Seite **113** im Kursbuch

22. Wiederholung: Komparativ.

→ Arbeitsbuch 1: Übungen 13 bis 15 auf den Seiten 108–109
und Übungen 3 und 4 auf den Seiten 160–161

a) Das Theaterstück war (interessant) __________, als ich dachte.
b) Schriftsteller zu werden ist (leicht) __________, als man denkt.
c) Er ist zwar immer noch krank, aber es geht ihm heute doch schon viel (gut) __________ als gestern.
d) Die beiden Männer kämpfen miteinander, weil sie wissen wollen, wer der (stark) __________ ist.
e) Wir müssen uns eine (billig) __________ Wohnung suchen, weil wir die Miete nicht mehr bezahlen können.
f) Hier im Haus ist es (kühl) __________ als draußen.
g) Meine (jung) __________ Schwester lebt noch bei meinen Eltern.
h) Mein Bruder hat ein (hoch) __________ Einkommen als ich.
i) Oben auf dem Aussichtsturm hat man natürlich eine (gut) __________ Aussicht als hier unten.
j) Der Rock gefällt mir ganz gut, aber ich möchte lieber einen (kurz) __________.

Lektion 15

Kernwortschatz

Verben

abschneiden 180
anfangen 182
angehen 179
ansehen 176
anstellen 182
ärgern 179
aufhören 182
aufmachen 174
aufregen 179
ausfallen 182
beginnen 181
benutzen 177
berichten 178
beschweren 178
bestehen 173
bewerben 178
bitten 178
einfallen 182
erzählen 181
fehlen 182
gebrauchen 182
holen 175
kritisieren 178
lachen 179
laufen 175
lieben 180
liefern 178
lösen 179
losgehen 180
merken 178
messen 182
nützen 182
passen 174
prüfen 180
schaden 182
sitzen 175
sparen 182
stattfinden 174
trinken 181
überzeugen 177
untersuchen 178
verlangen 182
vorbeifahren 175
warnen 178
zählen 181
zwingen 177

Nomen

r Abschnitt, -e 180
e Achtung 175
e Angst, ¨e 176
r Anschluss, ¨e 175
e Aufgabe, -n 178
e Aufmerksamkeit 177
e Auskunft, ¨e 178
e Bewerbung, -en 111
r Eindruck, ¨e 176
s Einkommen, - 177
e Eltern (Plural) 180
e Erfahrung, -en 180
r Fall, ¨e 177
e Freude 176
s Gesicht, -er 176
e Gruppe, -n 175
r Hund, -e 179
e Lösung, -en 180
r Meister, - 178
e Methode, -n 178
e Minute, -n 182
e Fantasie 179
s Problem, -e 180
e Prüfung, -en 174
e Qualität, -en 182
r Ratschlag, ¨e 181
e Schrift, -en 176
r Sinn 177
e Sorge, -n 180
r Spaß, ¨e 180
e Speise, -n 177
e Stunde, -n 182
s Tempo 182
r Test, -s 176
r Test, -s 177
s Unglück 180
r Unsinn 182
e Verhältnis, -se 178
e Vorstellung, -en 178
e Werkstatt, ¨en 174
e Zeitung, -en 178
e Zusammenarbeit 179

Adjektive

ängstlich 179
ausgezeichnet 177
ausreichend 182
bereit 179
blass 176
einfach 178
einzig 180
folgend- 176
früh 182
furchtbar 181
gefährlich 175
gering 182
intelligent 176
klar 178
klug 172
nass 154
nervös 178
normal 177
öffentlich 178
praktisch 174
privat 178
schnell 175
sparsam 177
täglich 182
überzeugt 180
verboten 175
zufrieden 179
zuverlässig 177

Adverbien

außerdem 182
besonders 178
jedenfalls 180
mindestens 181
normalerweise 181
rechtzeitig 181
sofort 179
sogar 180
übrigens 180
unbedingt 180
völlig 180
zuletzt 182

Lektion 15

Funktionswörter

ab und zu 179	dagegen 181	etwas anderes 182	mehrere 175
also 182	eben 179	je … desto … 182	sonst 181

Kerngrammatik

Partizip II und Partizip I als Attribut (§ 29 und 37)

aufgewirbeltes Wasser	Wasser, das aufgewirbelt wird
eine ungleichmäßig beleuchtete Straße	eine Straße, die ungleichmäßig beleuchtet ist
ein dafür geeigneter Kindersitz	ein Kindersitz, der dafür geeignet ist
entgegenkommende Fahrzeuge	Fahrzeuge, die entgegenkommen
die vorn sitzende Person	die Person, die vorn sitzt
spielende Kinder	Kinder, die spielen

Verben mit Präpositionalergänzung (§ 49 und 50)

mit Präposition + Dativ

teilnehmen	an	handeln	mit	fragen	nach
verstehen	unter	reden		suchen	
bestehen	aus	…		…	
erwarten	von	Angst haben	vor	dienen	zu
halten		warnen		gehören	
…		…		…	

mit Präposition + Akkusativ

achten	auf	sorgen	für	Auskunft geben	über
ankommen		sich anmelden		berichten	
…		…		…	
denken	an	tun	gegen	gehen	um
sich erinnern		tauschen		sich bewerben	
…				…	

Subjunktor „je" („… desto") (§ 40b)

Je früher man anfängt, desto besser ist das Resultat.
Je bedeutender eine Prüfung ist, desto früher sollte man mit dem Lernen aufhören.

Nomen aus Verben (§ 2a)

Man versucht zu schätzen, wie lange man für das Lernen braucht.
Das Hervorholen von Wissen wird durch Lernprozesse gestört.
Dieses Aufhören erfordert Überwindung.

Lektion 15

1. Welche Sätze sind sachlich falsch?

Nach Übung **2** im Kursbuch

a) Eine mündliche Prüfung hat man bestanden, wenn man alle Fragen falsch beantwortet hat.
b) Bei der KFZ-Prüfung durch den TÜV wird der technische Zustand eines Fahrzeugs geprüft.
c) Nach der Abschlussprüfung in Medizin darf sich ein Arzt „Meister" nennen.
d) Der „Meister" ist ein qualifizierter Abschluss in den Handwerksberufen.
e) Wer die Führerscheinprüfung nicht besteht, darf selbst kein Auto fahren.
f) Bei einem Lehrerexamen wird der Lehrer von den Schülern geprüft.
g) Das Abitur ist die Abschlussprüfung des Gymnasiums.
h) Um den Führerschein zu bekommen, muss man eine schriftliche und eine praktische Prüfung ablegen.
i) Wer die Lehrzeit mit einer Prüfung abgeschlossen hat, darf selbst Lehrlinge ausbilden.

2. Beschreiben Sie die drei Fotos auf Seite 175 im Kursbuch.

Nach Übung **4** im Kursbuch

Suchen Sie zuerst die passenden Wörter und Ausdrücke zu jedem Bild.

a) Auf dem Bild zu Frage 1 sieht man…
b) Das Bild zu Frage 2 zeigt …
c) Auf dem Bild zu Frage 6 ist … zu sehen, …

(Im Lösungsschlüssel finden Sie Beispiele. Bitten Sie Ihre Lehrerin oder Ihren Lehrer um Korrektur.)

Landstraße Wohngebiet Rücklichter nass
Fußball Gegenverkehr Kinder Scheinwerfer
Bäume am Straßenrand Halteverbot dunkel
parkende Autos rechts im Bild hell …

3. Lesen Sie noch einmal den Text auf Seite 175 im Kursbuch und schließen Sie dann das Buch. An welche Nomen können Sie sich erinnern?

Nach Übung **4** im Kursbuch

a)	die	Fahrzeug	frage	*die Prüfungsfrage*
b)	das	Fahr	gewicht	
c)	die	Beifahrer	bahn	
d)	die	Klein	verhältnisse	
e)	die	Dunkel	geschwindigkeit	
f)	der	Gewitter	bewerber	
g)	der	~~Prüfungs~~	sitz	
h)	der	Führerschein	verkehr	
i)	das	Sicht	kind	
j)	das	Schritt	feld	
k)	der	Gesamt	schauer	

Lektion 15

Nach Übung **4** im Kursbuch

4. Sagen Sie es anders.

a) Entgegenkommende Fahrzeuge werden erst spät erkannt.
Fahrzeuge, die entgegenkommen, werden erst spät erkannt.

b) Schlecht beleuchtete Fahrzeuge sind in der Dunkelheit schwer zu erkennen.
c) Kleinkinder dürfen nur in speziell für Kinder konstruierten Sitzen im Auto mitgenommen werden.
d) Sie müssen immer auf die vorausfahrenden Fahrzeuge achten.
e) Eines der Fußball spielenden Kinder könnte zurücklaufen.
f) In der Dunkelheit kann man die auf der Straße gehenden Fußgänger schlecht sehen.
g) Auch die schneller fahrenden Autos dürfen hier nicht überholen.

Nach Übung 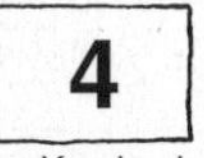 im Kursbuch

5. Sagen Sie es anders.

a) Schlecht beleuchtete Fahrzeuge sind in der Dunkelheit schwer zu erkennen.
Schlecht beleuchtete Fahrzeuge kann man in der Dunkelheit schwer erkennen.

b) Das Auto war nicht mehr rechtzeitig zu bremsen. Es fuhr zu schnell.
c) Die Fußgänger auf der Straße waren nicht zu sehen.
d) Bei nasser Straße ist unbedingt langsam zu fahren.
e) Der Motor ist kaum zu hören, so leise ist er.
f) In solchen Straßen ist besonders auf spielende Kinder zu achten.
g) Der Motor war leicht zu reparieren.
h) Bei Nebel ist auch am Tag das Licht einzuschalten.
i) Die Fragen sind schwer zu verstehen.
j) Die Fragen sind in 40 Minuten zu beantworten.

Nach Übung 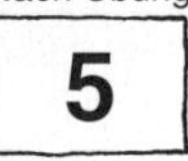 im Kursbuch

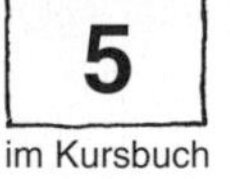

6. Wie ist Kurt? Schreiben Sie.

a) nie Angst haben, sich lächerlich machen
Kurt hat nie Angst davor, sich lächerlich zu machen.

b) sich immer drängeln, im Mittelpunkt stehen

c) Spaß haben, vor vielen Menschen sprechen

d) sich ständig bemühen, anderen Menschen von seinen Erfolgen erzählen

e) überzeugt sein, der Beste sein

f) andere Leute zwingen, ihm zuhören

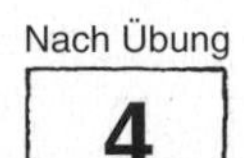

g) immer sorgen, sich selbst in Szene setzen können

7. Was passt zusammen?

Nach Übung **5** im Kursbuch

a) Versuchen Sie doch mal,
b) Sie fühlen sich nur wohl,
c) Glauben Sie denn,
d) Weil Sie genügend Selbstbewusstsein haben,
e) Sie sollten bedenken.
f) Sie sind bei Ihren Mitmenschen beliebt,

1 dass die anderen Menschen keine Fehler haben?
2 brauchen Sie die Bewunderung der anderen nicht.
3 vor mehreren Leuten frei zu sprechen.
4 weil Sie viel Rücksicht auf andere nehmen.
5 dass andere auch gern mal etwas sagen möchten.
6 wenn Sie im Mittelpunkt stehen.

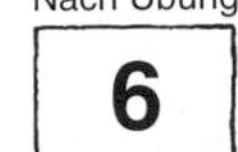

8. Welcher Satz sagt das gleiche?

Nach Übung **6** im Kursbuch

a) Es hat mir die Sprache verschlagen.
[A] Jemand hat mir auf den Mund geschlagen.
[B] Ich bin so erstaunt, dass ich nichts mehr sagen kann.

b) Ich bin aus dem Konzept geraten.
[A] Man hat mir das Rezept verraten.
[B] Ich weiß nicht mehr, was ich als nächstes sagen wollte.

c) Die anderen kochen auch nur mit Wasser.
[A] Die anderen sind auch nur ganz normale Menschen.
[B] Die anderen sind auch schlechte Köche.

d) Neben ihm verblassen die anderen.
[A] Wenn er da ist, bemerkt man die anderen Leute nicht mehr.
[B] Jeder wird blass im Gesicht, wenn er kommt.

e) Er steht im Mittelpunkt des Interesses.
[A] Er interessiert sich für viele Dinge.
[B] Alle interessieren sich für ihn.

f) Am Arbeitsplatz läuft alles schief.
[A] Der Schreibtisch im Büro ist kaputt.
[B] Im Beruf gibt es ständig Ärger und Probleme.

g) Er platzt sofort mit allen Neuigkeiten heraus.
[A] Er erzählt sofort alle Neuigkeiten, ohne nachzudenken, ob es passend ist.
[B] Er will immer sofort wissen, was es Neues gibt.

h) Er läuft zur Höchstform auf.
[A] Er ist in bester Verfassung und zeigt, was er kann.
[B] Er ist ein schneller Läufer.

9. Wie heißen die Nomen aus dem Text „Sadistische Rituale"?

Nach Übung **7** im Kursbuch

Seelen	Persönlichkeits	Nerven	Test	Grab	Bewerbungs
Leistungs	Stellen		Kontakt	Flug	Bahn

a) die ____________ kraft
b) das ____________ leben
c) das ____________ ticket
d) der ____________ test
e) der ____________ bewerber
f) der ____________ spezialist
g) die ____________ gesellschaft
h) die ____________ bereitschaft
i) das ____________ gespräch
j) die ____________ fähigkeit
k) der ____________ stein

Lektion 15

Nach Übung **9** im Kursbuch

10. Welches Adjektiv passt?

Ein Mensch, ...

a) ... der gerne und viel arbeitet, ist ________________.	fleißig / gemütlich / neugierig
b) ... der nicht gerne arbeitet, ist ________________.	arbeitslos / faul / kräftig
c) ... der ständig Streit anfängt, ist ________________.	lustig / langweilig / aggressiv
d) ... der sich oft fürchtet, ist ________________.	fürchterlich / schrecklich / ängstlich
e) ... der nichts weiß und nichts gelernt hat, ist ________________.	kritisch / intelligent / dumm
f) ... der immer die Wahrheit sagt, ist ________________.	ehrlich / aufmerksam / gesund
g) ... der sich immer gut benimmt, ist ________________.	merkwürdig / höflich / sauber
h) ... der ein großes Wissen hat, ist ________________.	klug / liberal / sportlich
i) ... der alles hat, was er sich wünscht, ist ________________.	zuverlässig /zufrieden / verrückt
j) ... den die meisten Leute mögen, ist ________________.	sympathisch / schwierig / reich

Nach Übung **10** im Kursbuch

11. Zwei Sätze sagen etwa das Gleiche. Welcher Satz passt nicht dazu?

a) A Davon halte ich nichts.
B Das finde ich nicht gut.
C Ich kann das nicht mehr halten.

b) A Ich bin immer guter Laune.
B Ich bin noch nie krank gewesen.
C Ich bin immer fröhlich und zufrieden.

c) A Das ist meine ganz persönliche und private Sache.
B Das geht niemanden etwas an.
C Dafür interessiert sich niemand.

d) A Wir hatten eine Meinungsverschiedenheit.
B Wir waren gleicher Meinung.
C Wir hatten Streit.

e) A Das ist meine Sache.
B Das gehört mir.
C Das mache ich so, wie ich will.

f) A Dieser Witz ist unanständig.
B Dieser Witz ist nicht sehr lustig.
C Dieser Witz ist nichts für Kinder.

Nach Übung **13** im Kursbuch

12. Ergänzen Sie die richtigen Präpositionen (mit Artikel, wenn nötig).

a) Norbert hat die Prüfung ________ Mathematik bestanden.
b) Die Antwort ________ ________ letzte Frage weiß ich nicht.
c) Hast du große Angst ________ ________ Prüfung?
d) Er hat viel Verständnis ________ ________ Probleme der Studenten.
e) Bitte nehmen Sie Rücksicht ________ ________ Kinder.
f) Ihre Chancen ________ ________ Prüfung sind ganz gut.
g) Alle Bewerberinnen ________ ________ Stelle mussten einen Test machen.
h) Die Testergebnisse geben keine genaue Auskunft ________ ________ Charakter des Bewerbers.
i) Die Teilnahme ________ Test ist freiwillig.
j) Du solltest mit der Vorbereitung ________ ________ Prüfung unbedingt früh genug anfangen.

13. „Mit“, „durch“ oder „für“? Welche Präposition passt?

Nach Übung **13** im Kursbuch

a) Der Fahrer wurde ________ ________ Polizei aufgefordert, seinen Führerschein zu zeigen.
b) Er ist mit einem Auto gefahren, obwohl er nur einen Führerschein ________ Motorräder hat.
c) In dieser Straße darf man nur ________ Schrittgeschwindigkeit fahren.
d) Auf der Party hat sie den ganzen Abend ________ Konrad geflirtet.
e) ________ ________ meisten Bewerber sind die Tests eine Qual.
f) Die Psychologen behaupten, dass man ________ ________ Tests keine genauen Informationen über die Bewerber bekommt.
g) Sabine lernt jeden Tag mindestens acht Stunden ________ ________ Prüfung.
h) Ich werde beim Lernen immer ________ ________ Krach in der Nachbarwohnung gestört.
i) Am liebsten lerne ich zusammen ________ ei________ Freundin oder ei________ Freund. Das macht mehr Spaß.

14. Schreiben Sie.

Nach Übung **14** im Kursbuch

Ein Freund von Ihnen steht vor einer Prüfung und ist ziemlich nervös. Schreiben Sie ihm von ihren eigenen Prüfungserfahrungen.

> Lieber Pedro,
>
> vor deiner Prüfung will ich dir noch alles Gute wünschen. Du schaffst es ganz bestimmt! Vor einer Prüfung ist man immer sehr nervös, aber oft klappt es dann besser, als man gedacht hat.
>
> Ich erinnere mich noch gut an meine letzte Prüfung. Das war …

Überlegen Sie vorher:
- Was für eine Prüfung war das? (Führerschein, Schulabschluss, …)
- Wie haben Sie sich davor gefühlt? (große Angst, nervös, unsicher, …)
- Wie haben Sie sich vorbereitet? (viel gelernt, oft geübt, jeden Tag, …)
- Wie lange haben Sie sich vorbereitet? (Wochen, Tage, …)
- Welche Tips können Sie aus eigener Erfahrung geben? (früh schlafen gehen, früh am Morgen lernen, auf gesunde Ernährung achten, Pausen machen, …)
- Wie ist ihre Prüfung verlaufen?
- …

(Bitten Sie Ihre Lehrerin oder Ihren Lehrer um die Korrektur Ihres Briefes.)

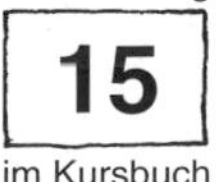

15. Wo ist ein Infinitivsatz möglich, wo nur ein Nebensatz mit „dass“?

Nach Übung **15** im Kursbuch

a) Es macht mir Spaß, … (Ich werde von allen bewundert)

Es macht mir Spaß, von allen bewundert zu werden.

Es macht mir Spaß, … (Meine Frau wird von allen bewundert.)

Es macht mir Spaß, dass meine Frau von allen bewundert wird.

b) Ich befürchte, ... (Ich schaffe die Prüfung nicht.)
c) Ich freue mich, ... (Du hast die Prüfung bestanden.)
d) Die Firma hat Frau Marger mitgeteilt, ... (Sie kommt für die Stelle nicht in Frage.)
e) Er ist bereit, ... (Er beantwortet alle Fragen.)
f) Es ist wichtig, ... (Man macht einen guten Eindruck.)
g) Er ist sicher, ... (Sie bekommt die Stelle.)
h) Frau Dr. Hiller hofft, ... (Sie findet eine Lösung für unsere Probleme.)

Nach Übung **15** im Kursbuch

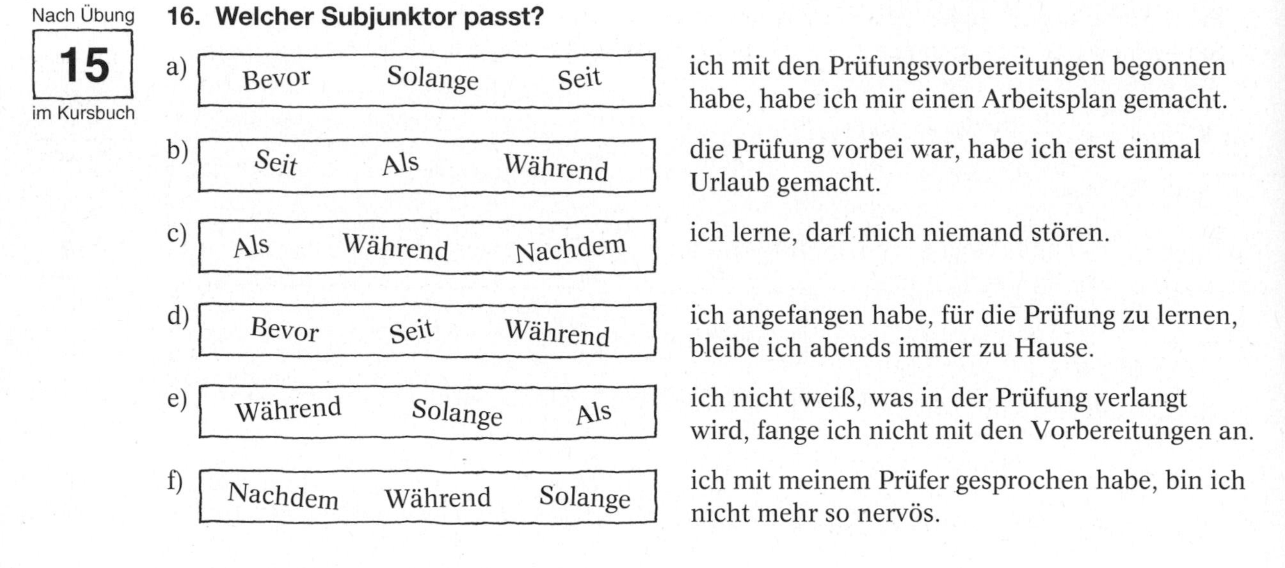

16. Welcher Subjunktor passt?

a) Bevor / Solange / Seit — ich mit den Prüfungsvorbereitungen begonnen habe, habe ich mir einen Arbeitsplan gemacht.

b) Seit / Als / Während — die Prüfung vorbei war, habe ich erst einmal Urlaub gemacht.

c) Als / Während / Nachdem — ich lerne, darf mich niemand stören.

d) Bevor / Seit / Während — ich angefangen habe, für die Prüfung zu lernen, bleibe ich abends immer zu Hause.

e) Während / Solange / Als — ich nicht weiß, was in der Prüfung verlangt wird, fange ich nicht mit den Vorbereitungen an.

f) Nachdem / Während / Solange — ich mit meinem Prüfer gesprochen habe, bin ich nicht mehr so nervös.

Nach Übung **16** im Kursbuch

17. Ergänzen Sie die Sätze mit dem passenden Verb.

vorbeifahren   schaden   losgehen   bewerben   ausfallen   angehen   abschneiden

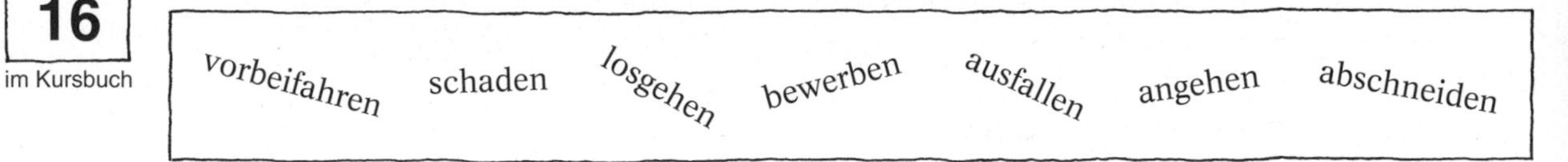

a) Ich habe letzte Woche meine Prüfung gemacht. – Ja? Dann erzähl doch mal. Wie ist sie denn __________?
b) Im Moment ist es wirklich sehr schwer, eine Stelle zu finden. Ich habe mich schon bei zwölf verschiedenen Firmen __________.
c) Wenn an einer Unfallstelle schon Hilfe da ist, sollte man nicht aus Neugierde anhalten, sondern langsam __________.
d) Meine Schwester ist sehr ehrgeizig. Bei Prüfungen will sie immer am besten von allen __________.
e) Vor einer Prüfung bin ich immer sehr nervös; aber wenn es dann __________, werde ich ganz ruhig.
f) Noch eine Frage, Herr Bauer. Leben Sie allein, oder wohnt Ihre Freundin bei Ihnen? – Tut mir leid, aber ich glaube nicht, dass Sie das etwas __________.
g) Wenn man am Tag vor der Prüfung noch lernt, __________ das mehr, als es nützt.

Nach Übung **16** im Kursbuch

18. Schreiben Sie.

a) früher anfangen → besser lernen

Je früher man anfängt, desto besser lernt man.

b) der Prüfungstermin näher kommen → weniger lernen sollen
c) eine Prüfung bedeutender sein → früher mit dem Lernen aufhören sollen
d) ehrgeiziger sein → größere Prüfungsangst haben
e) Farbe eines Autos heller sein → besser in der Dunkelheit erkennen können
f) Franz mehr im Mittelpunkt des Interesses stehen → sich besser fühlen
g) Simon länger reden → die Zuhörer sich mehr langweilen

Nach Übung **16** im Kursbuch

19. Wo passen die Präpositionen?

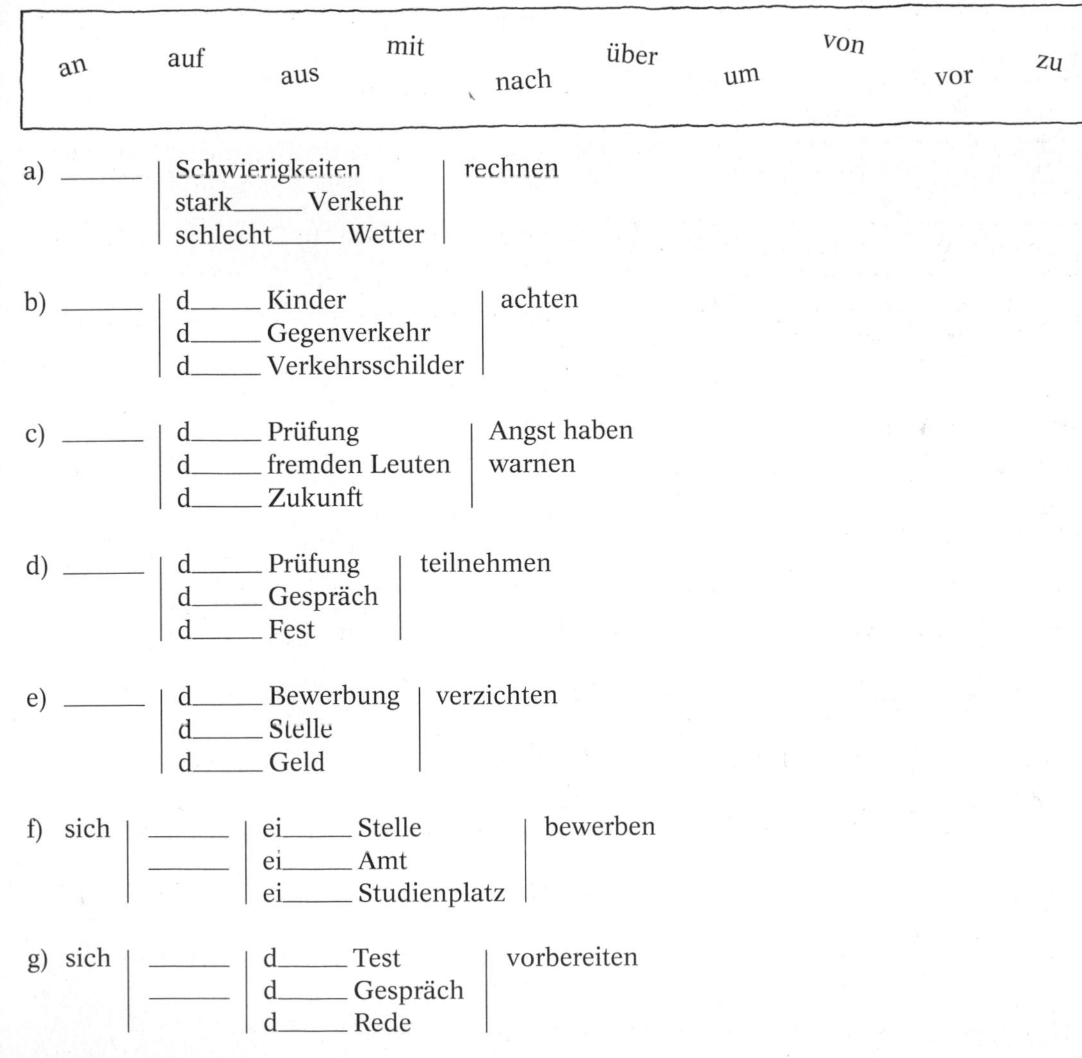

an	auf	aus	mit	nach	über	um	von	vor	zu

a) ______ | Schwierigkeiten / stark______ Verkehr / schlecht______ Wetter | rechnen

b) ______ | d______ Kinder / d______ Gegenverkehr / d______ Verkehrsschilder | achten

c) ______ | d______ Prüfung / d______ fremden Leuten / d______ Zukunft | Angst haben / warnen

d) ______ | d______ Prüfung / d______ Gespräch / d______ Fest | teilnehmen

e) ______ | d______ Bewerbung / d______ Stelle / d______ Geld | verzichten

f) sich | ______ / ______ | ei______ Stelle / ei______ Amt / ei______ Studienplatz | bewerben

g) sich | ______ / ______ | d______ Test / d______ Gespräch / d______ Rede | vorbereiten

h) nichts / viel / wenig | ______ | d______ Sache / d______ Aufgaben / d______ Unglück | wissen

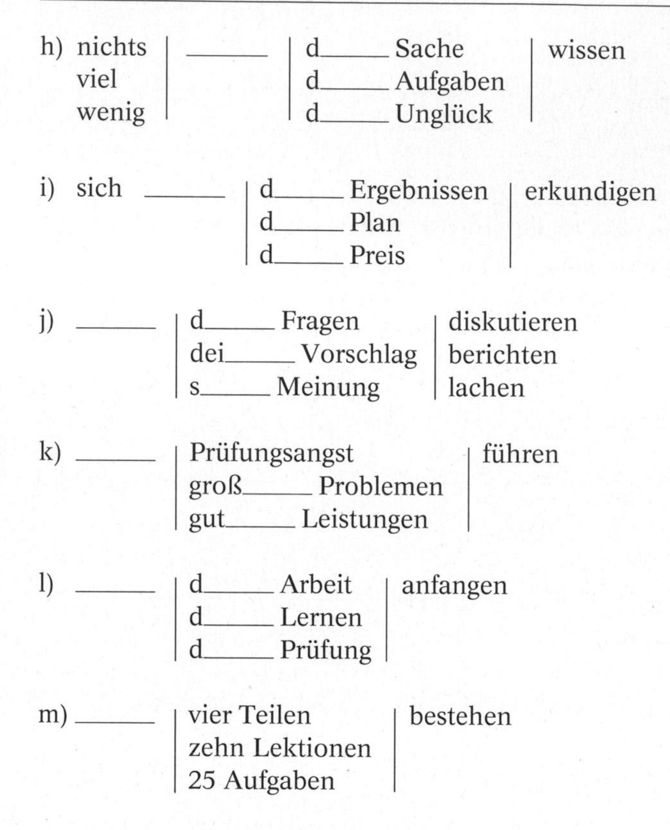

i) sich ______ | d______ Ergebnissen / d______ Plan / d______ Preis | erkundigen

j) ______ | d______ Fragen / dei______ Vorschlag / s______ Meinung | diskutieren / berichten / lachen

k) ______ | Prüfungsangst / groß______ Problemen / gut______ Leistungen | führen

l) ______ | d______ Arbeit / d______ Lernen / d______ Prüfung | anfangen

m) ______ | vier Teilen / zehn Lektionen / 25 Aufgaben | bestehen

Nach Übung **16** im Kursbuch

20. Welches Nomen passt?

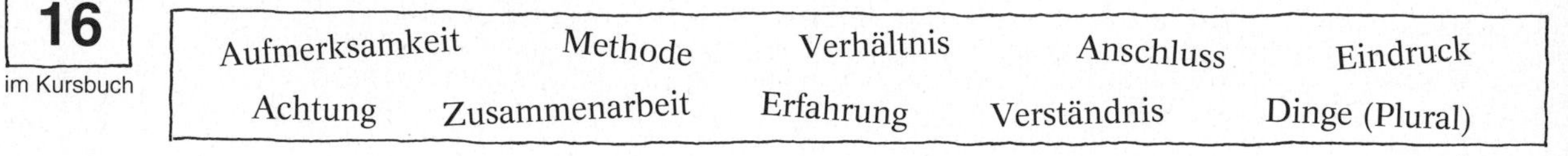

Aufmerksamkeit	Methode	Verhältnis	Anschluss	Eindruck
Achtung	Zusammenarbeit	Erfahrung	Verständnis	Dinge (Plural)

a) ______________, hier müssen Sie ganz langsam fahren. Es ist ein Kindergarten in der Nähe.
b) Unserem Chef ist es wichtig, dass er ein gutes ______________ zu seinen Angestellten hat.
c) Während seiner Rede hatte er die volle ______________ der Zuhörer.
d) Die beiden sind sich sehr ähnlich; deshalb haben sie viel ______________ füreinander.
e) Unser Sohn hat keine Freunde. Ich frage mich, warum er keinen ______________ an andere junge Leute findet.
f) Ich glaube nicht, dass ein Einstellungstest die richtige ______________ ist, den besten Bewerber herauszufinden.
g) Es genügt nicht, dass Sie ein intelligenter Mensch sind. Für uns ist es auch wichtig, dass die ______________ mit den Kollegen klappt.
h) Nach meiner ______________ mit Prüfungen weiß ich, dass es keinen Sinn hat, bis zur letzten Minute zu lernen.
i) Paul wird morgen geprüft. Ich habe den ______________, dass er sehr nervös ist.
j) Im Test wurde ich auch gefragt, ob meine Ehe glücklich sei. Ich finde es nicht richtig, dass man über so persönliche ______________ Auskunft geben soll.

Schlüssel

Lektion 1

1. **a)** nass und kühl **b)** heiß und trocken **c)** kalt **d)** feucht und kühl **e)** warm und trocken

2. angenehm, freundlich, schön, gut, schlecht, mild, unfreundlich, unangenehm

3. Landschaft / Natur: Tier, Pflanze, Meer, Berg, Blume, Insel, See, Strand, Fluss, Wald, Boden, Wiese, Park, Baum
Wetter: Gewitter, Grad, Regen, Klima, Wind, Wolke, Schnee, Eis, Sonne, Nebel

4. **a)** viel, zu viel, ein paar **b)** ein bisschen, sehr, besonders **c)** sehr, besonders, ganz **d)** ganz, einige, zu viele

5. **a)** schneit es **b)** Es regnet **c)** gibt es **d)** geht es **e)** klappt es **f)** **g)** Es ist so kalt **h)** gibt es

6. **a)** Sie **b)** Es **c)** es **d)** Er **e)** Sie **f)** Es **g)** Es **h)** Sie **i)** es **j)** Er **k)** Er **l)** Es **m)** Es **n)** Er
In welchen Sätzen ...? b), c), f), g), i), l), m)

7.
wie? plötzlich, langsam, allmählich
wie oft? täglich, jedes Jahr, manchmal, selten
wann? im Herbst, nachts, am Tage, zwischen Sommer und Winter
wie lange? fünf Jahre, ein paar Monate, wenige Tage

8. Norden – Westen – Osten – Süden

9. **a)** Sommer **b)** Herbst **c)** Winter **d)** Frühling

10. **a)** vor zwei Tagen **b)** spät am Abend **c)** am Mittag **d)** in zwei Tagen **e)** früh am Morgen **f)** am Nachmittag

11. **a)** am Mittag **b)** früh abends **c)** spätabends **d)** am frühen Nachmittag **e)** am späten Nachmittag **f)** frühmorgens **g)** am frühen Vormittag **h)** am Abend

12. **a)** Samstagmittag **b)** Freitagmittag **c)** Dienstagabend **d)** Montagvormittag **e)** Montagnachmittag **f)** Samstagmorgen

13.
Wann? im Winter, bald, nachts, vorige Woche, damals, vorgestern, jetzt, früher, letzten Monat, am Abend, nächstes Jahr, heute Abend, frühmorgens, heute, sofort, gegen Mittag, gleich, um 8 Uhr, am Nachmittag, diesen Monat, am frühen Nachmittag, am Tage, mittags, morgen
Wie oft? selten, nie, oft, immer, jeden Tag, meistens, manchmal
Wie lange? ein paar Minuten, kurze Zeit, den ganzen Tag, einige Jahre, 7 Tage, für eine Woche, wenige Wochen, fünf Stunden

14. **a)** nächsten Monat **b)** voriges / letztes Jahr **c)** nächste Woche **d)** nächstes Jahr **e)** vorigen / letzten Monat **f)** diesen Monat **g)** dieses Jahr **h)** letzte Woche

15.

der Monat	die Woche	das Jahr
den ganzen Monat	die ganze Woche	das ganze Jahr
letzten Monat	letzte Woche	letztes Jahr
vorigen Monat	vorige Woche	voriges Jahr
nächsten Monat	nächste Woche	nächstes Jahr
diesen Monat	diese Woche	dieses Jahr
jeden Monat	jede Woche	jedes Jahr

16. b) Liebe Mutter,
ich bin jetzt seit acht Wochen in Bielefeld. Hier ist das Wetter so kalt und feucht, dass ich oft stark erkältet bin. Dann muss ich viele Medikamente nehmen. Deshalb freue ich mich, dass ich in den Semesterferien zwei Monate nach Spanien fahren kann.
Viele Grüße,
Deine Herminda

c) Lieber Karl,
ich bin jetzt Lehrer an einer Technikerschule in Bombay. Hier ist das Klima so feucht und heiß, dass ich oft Fieber bekomme. Dann kann ich nichts essen und nicht arbeiten. Deshalb möchte ich wieder zu Hause arbeiten.
Viele Grüße,
Dein Benno

17. a) Strand **b)** Tal **c)** Insel **d)** Rasen

18. a) Aber **b)** Da **c)** Trotzdem **d)** denn **e)** dann **f)** und **g)** also **h)** Übrigens **i)** Zum Schluss **j)** Deshalb

19. a) (1) der, (2) den, (3) auf dem, (4) in dem, (5) dessen, (6) in dem, (7) an dem, (8) an dem (wo)
b) die · die · auf der · auf der (wo) · zu der · deren · für die · auf der (wo)
c) das · in dem (wo) · dessen · in dem (wo) · in dem (wo) · in dem (wo) · das · in dem (wo)
d) die · deren · die · durch die · die · in denen (wo) · für die · in denen (wo)

	Vorfeld	Verb$_1$	Subjekt	Angabe	Ergänzung	Verb$_2$	Verb$_1$ im Nebensatz
	Ich	möchte			an einem See	wohnen,	
(1)	der				nicht sehr tief		ist.
(2)	den		nur wenige Leute		kennen.		
(3)	auf dem		man			segeln	kann.
(4)	in dem		man	gut		schwimmen	kann.
(5)	dessen Wasser				warm		ist.
(6)	in dem		es		viele Fische		gibt.
(7)	an dem		es		keine Hotels		gibt.
(8)	an dem		es	mittags immer	Wind		gibt.

20. a) Gerät **b)** Abfall **c)** Benzin **d)** Pflanze **e)** Regen **f)** Strom **g)** Medikament **h)** Tonne **i)** Gift **j)** Plastik **k)** Temperatur **l)** Strecke **m)** Schallplatte **n)** Limonade **o)** Bäcker **p)** Schnupfen **q)** Fleisch **r)** Käse

21. a) Er benutzt kein Geschirr aus Kunststoff, das man nach dem Essen wegwerfen muss. **b)** Er kauft nur Putzmittel, die nicht giftig sind. **c)** Er schreibt nur auf Papier, das aus Altpapier gemacht ist. **d)** Er kauft kein Obst in Dosen, das er auch frisch bekommen kann. **e)** Er trinkt nur Saft, den es in Pfandflaschen gibt. **f)** Er kauft seiner Tochter nur Spielzeug, das sie nicht so leicht kaputtmachen kann. **g)** Er kauft nur Brot, das nicht in Plastiktüten verpackt ist. **h)** Er isst nur Eis, das keine Verpackung hat. **i)** Er kauft keine Produkte, die er nicht unbedingt braucht.

22. a) eine Dose aus Blech **b)** eine Dose für Tee **c)** ein Spielzeug aus Holz **d)** eine Dose aus Plastik **e)** ein Löffel für Suppe **f)** eine Tasse aus Kunststoff **g)** ein Eimer für Wasser **h)** eine Gabel für Kuchen **i)** ein Glas für Wein **j)** ein Taschentuch aus Papier **k)** eine Flasche aus Glas **l)** ein Messer für Brot **m)** ein Topf für Suppe **n)** ein Spielzeug für Kinder **o)** eine Tasse für Kaffee **p)** eine Flasche für Milch **q)** eine Tüte aus Papier **r)** ein Schrank für Kleider **s)** ein Container für Papier **t)** ein Haus aus Stein **u)** eine Wand aus Stein **v)** Schmuck aus Gold

23. a) Die leeren Flaschen werden gewaschen und dann wieder gefüllt. **b)** Jedes Jahr werden in Deutschland 30 Millionen Tonnen Abfall auf den Müll geworfen. **c)** In Aschaffenburg wird der Müll im Haushalt sortiert. **d)** Durch gefährlichen Müll werden (wird) der Boden und das Grundwasser vergiftet. **e)** Ein Drittel des Mülls wird in Müllverbrennungsanlagen verbrannt. **f)** Altglas, Altpapier und Altkleider werden in öffentlichen Containern gesammelt. **g)** Nur der Restmüll wird noch in die normale Mülltonne geworfen. **h)** In Aschaffenburg wird der Inhalt der Mülltonnen kontrolliert. **i)** Auf öffentlichen Feiern in Aschaffenburg wird kein Plastikgeschirr benutzt. **j)** Vielleicht werden bald alle Getränke in Dosen und Plastikflaschen verboten.

24. **a)** Wenn man weniger Müll produzieren würde, dann müsste man weniger Müll verbrennen. **b)** Wenn man einen Zug mit unserem Müll füllen würde, dann wäre er 12 500 Kilometer lang. **c)** Wenn man weniger Verpackungsmaterial produzieren würde, dann könnte man viel Energie sparen. **d)** Wenn man alte Glasflaschen sammeln würde, dann könnte man daraus neue Flaschen herstellen. **e)** Wenn man weniger chemische Produkte produzieren würde, dann hätte man weniger Gift im Grundwasser und im Boden. **f)** Wenn man Küchen- und Gartenabfälle sammeln würde, dann könnte man daraus Pflanzenerde machen. **g)** Wenn man weniger Müll verbrennen würde, dann würden weniger Giftstoffe in die Luft kommen.

25. **a)** machen **b)** spielen **c)** verbrennen **d)** produzieren **e)** überraschen **f)** mitmachen

26. **a)** scheinen **b)** wegwerfen **c)** baden gehen **d)** übrigbleiben **e)** fließen **f)** feiern **g)** herstellen **h)** zeigen

Lektion 2

1. **a)** Handtuch **b)** Pflaster **c)** Zahnpasta **d)** Hemd **e)** geschlossen **f)** wiegen **g)** zumachen **h)** Schweizer **i)** Regenschirm **j)** Fahrplan **k)** untersuchen **l)** ausmachen **m)** Batterie **n)** Ausland **o)** fliegen **p)** Flugzeug **q)** Reise **r)** Kleidung reinigen

2. *zu Hause:* Heizung ausmachen, Fenster zumachen, Koffer packen, Wäsche waschen
im Reisebüro: Hotelzimmer reservieren, Fahrkarten holen, Fahrplan besorgen
für das Auto: Motor prüfen lassen, Benzin tanken, Wagen waschen lassen
Gesundheit: sich impfen lassen, Krankenschein holen, Medikamente kaufen
Bank: Geld wechseln, Reiseschecks besorgen

3. *ausmachen / anmachen:* Heizung, Ofen, Radio, Motor, Licht, Fernseher, Herd
zumachen / aufmachen: Schirm, Koffer, Hemd, Flasche, Tasche, Buch, Tür, Auge
abschließen / aufschließen: Hotelzimmer, Auto, Koffer, Haus, Tür

4. **a)** weg **b)** ein **c)** mit **d)** zurück **e)** weg **f)** mit **g)** weiter **h)** mit **i)** zurück **j)** weg **k)** mit **l)** mit **m)** weiter **n)** weg **o)** mit **p)** zurück **q)** mit **r)** aus **s)** mit **t)** aus **u)** ein **v)** ein **w)** aus · weiter

5. **a)** A **b)** B **c)** B **d)** A **e)** B **f)** A **g)** A **h)** B **i)** A

6. **a)** Ihr Chef lässt sie im Büro nicht telefonieren. **b)** Meine Eltern lassen mich nicht allein Urlaub machen. **c)** Sie lässt ihren Mann nicht kochen. **d)** Seine Mutter lässt ihn morgen lange schlafen. **e)** Er lässt seine Katze impfen. **f)** Ich muss meinen Pass verlängern lassen. **g)** Den Motor muss ich reparieren lassen. **h)** Ich lasse sie mit ihm spielen. **i)** Sie lässt die Wäsche reinigen. / Sie lässt die Wäsche waschen. **j)** Er lässt immer seine Frau fahren.

7. Zuerst lässt Herr Schulz im Rathaus die Pässe und die Kinderausweise verlängern. Dann geht er zum Tierarzt; dort lässt er seine Katze untersuchen. Danach fährt er in die Autowerkstatt und lässt die Bremsen kontrollieren, weil sie nach links ziehen. Im Fotogeschäft lässt er schnell den Fotoapparat reparieren. Später lässt er sich beim Friseur noch die Haare schneiden. Schließlich lässt er an der Tankstelle das Öl und die Reifen prüfen und das Auto volltanken. Dann fährt er nach Hause. Seine Frau lässt er den Koffer nicht packen, er tut es selbst. Dann ist er endlich fertig. *(Auch andere Lösungen sind möglich.)*

8. **a)** Ofen **b)** Schlüssel **c)** Krankenschein **d)** Blatt **e)** Salz **f)** Papier **g)** Uhr **h)** Seife **i)** Pflaster **j)** Fahrrad **k)** Liste **l)** Waschmaschine **m)** Liste **n)** Telefonbuch **o)** normalerweise **p)** üben **q)** Saft

9. **a)** reservieren **b)** geplant **c)** buche **d)** beantragen **e)** bestellen **f)** geeinigt **g)** überzeugt **h)** gerettet **i)** erledigen

10. **a)** keinen · nicht **b)** kein · nicht · keine · nicht · nichts · keine **c)** nicht · keinen · nichts

11. etwas vorschlagen: Ich schlage vor, Benzin mitzunehmen. Wir sollten Benzin mitnehmen. Ich meine, dass wir … Ich finde es wichtig, … Wir müssen unbedingt … Ich würde Benzin mitnehmen.

die gleiche Meinung haben:	Ich finde auch, dass wir … Stimmt! Benzin ist wichtig. Ich bin auch der Meinung, … Ich bin einverstanden, dass …
eine andere Meinung haben:	Ich bin dagegen, … Benzin? Das ist nicht notwendig. Es ist Unsinn, … Benzin ist nicht wichtig, … Ich bin nicht der Meinung, dass …

12. a) Zum Waschen braucht man Wasser. **b)** Zum Kochen braucht man einen Herd. **c)** Zum Skifahren braucht man Schnee. **d)** Zum Schreiben braucht man Papier und einen Kugelschreiber. **e)** Zum Fotografieren braucht man einen Fotoapparat und einen Film. **f)** Zum Telefonieren braucht man oft ein Telefonbuch. **g)** Zum Lesen sollte man gutes Licht haben. **h)** Zum Schlafen braucht man Ruhe. **i)** Zum Wandern sollte man gute Schuhe haben. **j)** Zum Lesen brauche ich eine Brille.

13. a) Wo **b)** Womit **c)** Warum **d)** Wer **e)** Wie **f)** Wie viel **g)** Wo **h)** Wohin **i)** Woher **j)** Woran **k)** Was

14. a) Ute überlegt, ob sie in Spanien oder in Italien arbeiten soll. **b)** Stefan und Bernd fragen sich, ob sie beide eine Arbeitserlaubnis bekommen. **c)** Herr Braun möchte wissen, wo er ein Visum beantragen kann. **d)** Ich frage mich, wie schnell ich im Ausland eine Stelle finden kann. **e)** Herr Klar weiß nicht, wie lange man in den USA bleiben darf. **f)** Frau Seger weiß nicht, ob ihre Englischkenntnisse gut genug sind. **g)** Frau Möller fragt sich, wie viel Geld sie in Portugal braucht. **h)** Herr Wend weiß nicht, wie teuer die Fahrkarte nach Spanien ist. **i)** Es interessiert mich, wie leicht man in London eine Wohnung findet.

Junkt.	Vorfeld	Verb$_1$	Subj.	Erg.	Ang.	Ergänzung	Verb$_2$	Verb$_1$ im Nebensatz
a)	Ute	überlegt,						
ob			sie			in Sp. oder in It.	arbeiten	soll.
b)	S. und B.	fragen	sich,					
ob			sie beide			eine Arb.		bekommen.
c)	Herr B.	möchte					wissen,	
	wo			er		ein Visum	beantragen	kann.
d)	Ich	frage		mich,				
	wie schnell		ich		im Ausland	eine Stelle	finden	kann.

15. a) Ausland **b)** Fremdsprache **c)** Jugendherberge **d)** Freundschaft **e)** Heimat **f)** Angst **g)** Prüfung **h)** Erfahrung **i)** Bedienung **j)** Buchhandlung **k)** Gast

16. a) B **b)** C **c)** A **d)** B

17. a) Ich gehe ins Ausland, um dort zu arbeiten. / Ich gehe ins Ausland, weil ich dort arbeiten will. **b)** Ich arbeite als Bedienung, um Leute kennen zu lernen. / Ich arbeite als Bedienung, weil ich Leute kennen lernen möchte. **c)** Ich mache einen Sprachkurs, um Englisch zu lernen. / Ich mache einen Sprachkurs, weil ich Englisch lernen möchte. **d)** Ich wohne in einer Jugendherberge, um Geld zu sparen. / Ich wohne in einer Jugendherberge, weil ich Geld sparen muss. **e)** Ich gehe zum Rathaus, um ein Visum zu beantragen. / Ich gehe zum Rathaus, weil ich ein Visum beantragen will. **f)** Ich fahre zum Bahnhof, um meinen Koffer abzuholen. / Ich fahre zum Bahnhof, weil ich meinen Koffer abholen will. **g)** Ich fliege nach Ägypten, um die Pyramiden zu sehen. / Ich fliege nach Ägypten, weil ich die Pyramiden sehen möchte.

18. a) tolerante Männer **b)** ernstes Problem **c)** egoistischen Ehemann **d)** herzliche Freundschaft **e)** nette Leute **f)** komisches Gefühl **g)** selbständiger Junge **h)** dicken Hund **i)** alten Mutter

19. a) dieselbe **b)** verschieden · gleichen (anders · gleiche) **c)** andere · ähnliche

derselbe	dieselbe	dasselbe	dieselben
der gleiche	die gleiche	das gleiche	die gleichen
ein anderer	eine andere	ein anderes	andere

denselben den gleichen einen anderen	dieselbe die gleiche eine andere	dasselbe das gleiche ein anderes	dieselben die gleichen andere
demselben dem gleichen einem anderen	derselben der gleichen einer anderen	demselben dem gleichen einem anderen	denselben den gleichen anderen

20. **a)** Bedeutungen **b)** Einkommen **c)** Erfahrung **d)** Kontakt **e)** Pech **f)** Schwierigkeiten **g)** Angst **h)** Gefühl **i)** Zweck

21. A 5, B 8, C 6, D 2, E 7, F 3, G 1, H 4

22. **a)** Er ist nach Deutschland gekommen, um hier zu arbeiten. **b)** Er ist nach Deutschland gekommen, damit seine Kinder bessere Berufschancen haben. **c)** ..., um mehr Geld zu verdienen. **d)** ..., um später in Italien eine Autowerkstatt zu kaufen. / ... eine Autowerkstatt kaufen zu können. **e)** ..., damit seine Kinder Deutsch lernen. **f)** ..., damit seine Frau nicht mehr arbeiten muss. **g)** ..., um in seinem Beruf später mehr Chancen zu haben. **h)** ..., damit seine Familie besser lebt. **i)** ..., um eine eigene Wohnung zu haben.

23. **a)** Mode **b)** Schwierigkeit **c)** Regel **d)** Lohn / Einkommen **e)** Diskussion **f)** Presse **g)** Bauer **h)** Verwandte **i)** Gefühl **j)** Besitzer(in) **k)** Ausländer(in) **l)** Änderung **m)** Bedeutung

24. **a)** weil **b)** – **c)** zu **d)** damit **e)** – **f)** zu **g)** dass **h)** Um **i)** zu **j)** – **k)** zu **l)** damit **m)** – **n)** zu **o)** um **p)** zu **q)** – **r)** zu **s)** um **t)** zu **u)** dass

25. **a)** schon **b)** noch nicht **c)** noch **d)** nicht mehr **e)** schon etwas **f)** noch nichts **g)** noch etwas **h)** nichts mehr **i)** immer noch nicht **j)** schon wieder **k)** noch immer **l)** nicht immer

26. **a)** durstig **b)** aufhören **c)** Lehrling **d)** Kellnerin **e)** angestellt **f)** höchstens **g)** rausgehen **h)** Apotheke **i)** letzte Woche **j)** steigen

27. **a)** für · interessiert **b)** gilt · in · für **c)** arbeitet · bei **d)** mit · über · gesprochen **e)** hatte · Angst vor (bei) **f)** Kontakt zu · gefunden **g)** hat · Schwierigkeiten mit **h)** über · denken **i)** bei · helfen **j)** beschweren · über **k)** an · ans · denken **l)** an · gewöhnt **m)** auf · hoffen **n)** über · klagen **o)** über · gesagt **p)** bin für

Lektion 3

1. **a)** In Stuttgart ist ein Bus gegen einen Zug gefahren. **b)** In Deggendorf ist ein Hund mit zwei Köpfen geboren. **c)** In Linz hat eine Hausfrau vor ihrer Tür ein Baby *(oder* eine Tasche mit einem Baby) gefunden. **d)** In Basel hat es wegen Schnee Verkehrsprobleme gegeben. **e)** New York war ohne Strom *(oder* ohne Licht). **f)** In Duisburg haben Arbeiter für die 35-Stunden-Woche demonstriert.

2. **a)** Beamter, Pass, Zoll **b)** Gas, Öl, Strom **c)** Aufzug, Wohnung, Stock **d)** Briefumschlag, Päckchen, Paket **e)** Kasse, Lebensmittel, Verkäufer **f)** Bus, Straßenbahn, U-Bahn

3. **a)** Das Auto fährt ohne Licht. **b)** Ich habe ein Päckchen mit einem Geschenk bekommen. **c)** Wir hatten gestern wegen eines Gewitters keinen Strom. / Wegen eines Gewitters hatten wir gestern ... **d)** Diese Kamera funktioniert ohne Batterie. **e)** Ich konnte gestern wegen des schlechten Wetters nicht zu dir kommen. / Wegen des schlechten Wetters konnte ich gestern ... **f)** Jeder in meiner Familie außer mir betreibt Sport. **g)** Der Arzt hat wegen einer Verletzung mein Bein operiert. / Wegen einer Verletzung hat der Arzt ... **h)** Ich bin gegen den Streik. **i)** Die Industriearbeiter haben für mehr Lohn demonstriert. **j)** Man kann ohne Visum nicht nach Australien fahren. / Ohne Visum kann man ...

Schlüssel

4.

	ein Streik	eine Reise	ein Haus	Probleme
für	einen Streik	eine Reise	ein Haus	Probleme
gegen	einen Streik	eine Reise	ein Haus	Probleme
mit	einem Streik	einer Reise	einem Haus	Problemen
ohne	einen Streik	eine Reise	ein Haus	Probleme
wegen	eines Streiks (einem Streik)	einer Reise	eines Hauses (einem Haus)	Problemen
außer	einem Streik	einer Reise	einem Haus	Problemen

5. **a)** geben **b)** anrufen **c)** abschließen **d)** besuchen **e)** kennen lernen **f)** vorschlagen **g)** verlieren **h)** beantragen **i)** unterstreichen **j)** finden **k)** bekommen

6. **a)** die Meinung **b)** die Änderung **c)** die Antwort **d)** der Ärger **e)** der Beschluss **f)** die Demonstration **g)** die Diskussion **h)** die Erinnerung **i)** die Frage **j)** der Besuch **k)** das Essen **l)** das Fernsehen / der Fernseher **m)** die Operation **n)** die Reparatur **o)** der Regen **p)** der Schnee **q)** der Spaziergang **r)** das Gespräch **s)** der Streik **t)** die Untersuchung **u)** die Verletzung **v)** der Vorschlag **w)** die Wahl **x)** die Wäsche **y)** die Wohnung **z)** der Wunsch

7. **a)** über **b)** mit **c)** vor **d)** von **e)** gegen **f)** über · mit **g)** über **h)** mit **i)** zwischen **j)** für

8. **a)** Mehrheit **b)** Wahlrecht **c)** Partei **d)** Koalition **e)** Abgeordneter **f)** Steuern **g)** Minister **h)** Schulden **i)** Wähler **j)** Monarchie

9. **a)** Landtag **b)** Bürger **c)** Finanzminister **d)** Präsident **e)** Ministerpräsident **f)** Minister

10. **a)** Vor **b)** seit **c)** Von · bis **d)** nach **e)** Zwischen **f)** Im **g)** Wegen **h)** für **i)** gegen **j)** Während

11. Wann? a), c), d), e), i)
Wie lange? b), f), g), h), j)

12. **a)** In der DDR wurde die Politik von der Sowjetunion bestimmt. **b)** Das Grundgesetz der BRD wurde von Konrad Adenauer unterschrieben. **c)** 1952 wurde von der Sowjetunion ein Friedensvertrag vorgeschlagen. **d)** Dieser Plan wurde von den West-Alliierten nicht angenommen. **e)** 1956 wurden in der (von der ...) DDR und in der (von der ...) BRD eigene Armeen gegründet. **f)** Seit 1953 wurde der „Tag der deutschen Einheit" gefeiert. **g)** In Berlin wurde 1961 eine Mauer gebaut. **h)** Die Grenze zur Bundesrepublik wurde geschlossen. **i)** Seit 1969 wurden politische Gespräche geführt. **j)** Im Herbst 1989 wurde die Grenze zwischen Ungarn und Österreich geöffnet.

13. **a)** 1968 **b)** 1848 **c)** 1917 **d)** 1789 **e)** 1830 **f)** 1618 **g)** 1939 **h)** 1066 **i)** 1492

14. dasselbe: a), b), d), g) nicht dasselbe: c), e), f)

15. **a)** A **b)** B **c)** C **d)** A **e)** B **f)** C **g)** B **h)** A **i)** B

16. **a)** Die Studenten haben beschlossen zu demonstrieren. **b)** Die Abgeordneten haben kritisiert, dass die Steuern zu hoch sind. **c)** Sandro möchte wissen, ob Deutschland eine Republik ist. **d)** Der Minister hat erklärt, dass die Krankenhäuser zu teuer sind. **e)** Die Partei hat vorgeschlagen, eine Koalition zu bilden. **f)** Die Menschen hoffen, dass die Situation besser wird. **g)** Herr Meyer überlegt, ob er nach Österreich fahren soll. **h)** Die Regierung hat entschieden, die Grenzen zu öffnen. **i)** Die Arbeiter haben beschlossen zu streiken. **j)** Der Minister glaubt, dass der Vertrag unterschrieben wird.

17. **a)** 5 **b)** 10 **c)** 8 **d)** 2 **e)** 4 **f)** 1 **g)** 9 **h)** 6 **i)** 3 **j)** 7

18. **a)** einer **b)** einem **c)** einer **d)** ein **e)** einer · einem **f)** einem **g)** einen **h)** ein **i)** einer **j)** einem

19. **a)** der **b)** die **c)** dem **d)** dem · das **e)** der · den **f)** den **g)** der **h)** die **i)** die **j)** die

20. **a)** Wegen seiner Armverletzung liegt Boris Becker zwei Wochen im Krankenhaus. **b)** Bekommen die Ausländer bald das Wahlrecht? **c)** Die Regierungen Chinas und Frankreichs führen politische Gespräche. **d)** Der Bundeskanzler ist mit den Vorschlägen des Finanzministers nicht einverstanden. **e)** In Sachsen würde ein neues Parlament gewählt. **f)** Nach der Öffnung der Grenze feierten Tausende auf den Straßen von Berlin. **g)** Die Regierung hat noch keine (hat eine ...) Lösung der Steuerprobleme gefunden. **h)** Der Vertrag über Kultur zwischen Russland und Deutschland wurde (gestern) unterschrieben. **i)** In Deutschlands Städten gibt es zu viel Müll. **j)** Das Wetter wird ab morgen wieder besser.

Lektion 4

1. **a)** auf **b)** für **c)** von **d)** über **e)** auf **f)** mit · über **g)** zu **h)** mit **i)** über **j)** von

2. **a)** Woran denkst du gerade? **b)** Wohin fährst du im Urlaub? **c)** Worauf freust du dich? **d)** Wonach hat der Mann gefragt? **e)** Worüber möchtest du dich beschweren? **f)** Worüber denkst du oft nach? **g)** Woher kommst du? **h)** Wofür hast du dein ganzes Geld ausgegeben? **i)** Wovon hat Karin euch lange erzählt? **j)** Worüber sind viele Leute enttäuscht?

3. **a)** mich **b)** mir **c)** mich **d)** mich **e)** mich **f)** mich **g)** mir **h)** mich **i)** mich **j)** mir **k)** mich **l)** mich **m)** mir **n)** mir **o)** mich **p)** mich **q)** mir **r)** mich **s)** mich **t)** mir

4. a) Man kann — sie besuchen, ihnen Briefe schreiben, sie auf einen Spaziergang mitnehmen, ihnen Pakete schicken, ihnen zuhören, sie manchmal anrufen

   b) Man muss — sie morgens anziehen, sie abends ausziehen, ihnen die Wäsche waschen, ihnen das Essen bringen, sie waschen, ihnen im Haus helfen, sie ins Bett bringen

5. **a)** sich **b)** ihr **c)** sich **d)** sich **e)** ihr **f)** sie **g)** ihr **h)** sie **i)** sich

6. **a)** Gehört das Haus Ihnen? **b)** Gehört der Schlüssel Karin? **c)** Gehört das Paket euch? **d)** Gehört der Wagen ihnen? **e)** Gehört der Ausweis ihm? **f)** Gehört die Tasche Ihnen? **g)** Das Geld gehört mir! **h)** Gehören die Bücher euch? **i)** Gehören die Pakete Ihnen? **j)** Die Fotos gehören ihnen.

7. Familie Simmet wohnt seit vier Jahren mit der Mutter von Frau Simmet zusammen, weil ihr Vater gestorben ist. Ihre Mutter kann sich überhaupt nicht mehr helfen: Sie kann sich nicht mehr anziehen und ausziehen, Frau Simmet muss sie waschen und ihr das Essen bringen. Deshalb musste sie vor zwei Jahren aufhören zu arbeiten. Sie hat oft Streit mit ihrem Mann, weil er sich jeden Tag über ihre Mutter ärgert. Herr und Frau Simmet möchten sie schon lange in ein Altersheim bringen, aber sie finden keinen Platz für sie. Frau Simmet glaubt, dass ihre Ehe bald kaputt ist.
   (Andere Lösungen sind möglich.)

8. **a)** heim **b)** versicherung **c)** tag **d)** abend **e)** platz **f)** haus **g)** schein **h)** amt **i)** raum **j)** paar **k)** jahr

9. a) Ergänzen Sie:

Name:	Franz Kühler
Geburtsdatum:	14.3.1927
Geburtsort:	Essen
Familienstand:	Witwer
Kinder:	zwei Söhne
Schulausbildung:	Volksschule in Bochum, 1933 bis 1941
Berufsausbildung:	Industriekaufmann
früherer Beruf:	Buchhalter
letzte Stelle:	Firma Jellinek in Essen
Alter bei Anfang der Rente:	65 Jahre
Rente pro Monat:	DM 1800,–
jetziger Aufenthalt:	„Seniorenpark Essen-Süd"

   b) Schreiben Sie einen Text:

   Mein Name ist Gertrud Hufendiek. Ich bin am 21.1.1935 in Münster geboren. Ich bin ledig und habe keine Kinder. Von 1941 bis 1945 habe ich die Volksschule besucht, von 1945 bis 1951 die Realschule. Dann habe ich eine Lehre als Kauffrau gemacht. Bei der Firma Piepenbrink in Bielefeld habe ich als Exportkauffrau gearbeitet. Mit 58 Jahren bin ich in Rente gegangen. Ich bekomme 1600 Mark Rente im Monat und wohne jetzt im Seniorenheim „Auguste-Viktoria" in Bielefeld.
   (Andere Lösungen sind möglich.)

10. **a)** Jugend **b)** Minderheit **c)** Freizeit **d)** Stadtmitte **e)** Nachteil **f)** Erwachsener **g)** Scheidung **h)** Tod **i)** Friede **j)** Gesundheit **k)** Ursache **l)** Junge

11. **a)** A **b)** B **c)** B **d)** A **e)** C **f)** C

12. **a)** Regal **b)** Handwerker **c)** Zettel **d)** Bleistift **e)** Werkzeug **f)** Steckdose **g)** Pflaster **h)** Farbe **i)** Seife **j)** Bürste

Schlüssel

13. a) 2 **b)** 3 **c)** 7 **d)** 1 **e)** 8 **f)** 4 **g)** 6 **h)** 5

14. a) – mir die **b)** ihn mir – **c)** sie Hans – **d)** – mir das **e)** sie mir – **f)** – mir die **g)** sie deiner Freundin – **h)** – uns den **i)** es ihnen – **j)** sie meinem Lehrer –

15.

	Vorf.	Verb1	Subj.	Ergänzung			Angabe	Ergänz.	Verb2
				Akk.	Dativ	Akk.			
a)		Können	Sie		mir		bitte	die G.	erklären?
b)		Können	Sie		mir	die G.	bitte genauer		erklären?
c)		Können	Sie		mir	die	bitte		erklären?
d)		Können	Sie	sie	mir		bitte		erklären?
e)	Ich	habe			meiner S.		gestern	mein A.	gezeigt.
f)		Holst	du		mir		bitte	die S.?	
g)	Ich	suche			dir		gern	deine B.	
h)	Ich	bringe			dir	dein W.	sofort.		
i)		Zeig			mir	das	doch mal!		
j)	Ich	zeige		es	dir		gleich.		
k)		Geben	Sie		mir	die L.		jetzt?	
l)		Holen	Sie	sie	sich		doch!		
m)	Dann	können	Sie		mir	das G.	ja vielleicht		schicken.
n)	Den M.	habe	ich		ihr		vorige W.		gekauft.

16. a) Um acht Uhr hat er die Kinder in die Schule gebracht. **b)** Um zehn Uhr ist er einkaufen gegangen. **c)** Um elf Uhr hat er für höhere Renten demonstriert. **d)** Um zwölf Uhr hat er seiner Frau in der Küche geholfen. **e)** Um ein Uhr hat er geschlafen. **f)** Um drei Uhr hat er im Garten gearbeitet. **g)** Um fünf Uhr hat er den Kindern bei den Hausaufgaben geholfen. **h)** Um halb sechs hat er mit den Kindern Karten gespielt. **i)** Um sechs Uhr hat er eine Steckdose repariert. **j)** Um sieben Uhr hat er sich mit Freunden getroffen. **k)** Um neun Uhr hat er die Kinder ins Bett gebracht. **l)** Um elf Uhr hat er einen Brief geschrieben. *(Andere Lösungen sind möglich.)*

17. a) Xaver liebte immer nur Ilona. **b)** Das schrieb er seiner Frau auf einer Postkarte. **c)** Viele Männer versprachen ihr die Liebe. **d)** Sie saßen in ihrer Drei-Zimmer-Wohnung. **e)** Sie lasen ihre alten Liebesbriefe. **f)** Mit 18 lernten sie sich kennen. **g)** Xaver kam mit einem Freund vorbei. **h)** Die Jungen hörten zu, wie die Mädchen sangen. **i)** Dann setzten sie sich zu ihnen. **j)** 1916 heirateten sie. **k)** Die Leute im Dorf redeten über sie. **l)** Aber sie verstanden es. **m)** Jeden Sonntag ging er in die Berge zum Wandern. **n)** Sie wusste, dass Mädchen dabei waren. **o)** Darüber ärgerte sie sich manchmal. **p)** Sie fragte ihn nie, ob er eine Freundin hatte.

18. a) erzählt **b)** Sprichst **c)** erzählt **d)** unterhalten **e)** Sag **f)** redest **g)** gesagt **h)** sprechen **i)** unterhalten **j)** reden

19. a) stehen **b)** setzen **c)** liegt **d)** sitze **e)** liegt **f)** steht **g)** stehen **h)** gesetzt **i)** gesessen **j)** liegt

20. a) Sie haben sich in der U-Bahn kennengelernt. **b)** Wir lieben uns. **c)** Sie besuchen sich. **d)** Wir helfen uns. **e)** Wir sehen uns. **f)** Sie mögen sich. **g)** Sie haben sich Briefe geschrieben. **h)** Ihr braucht euch. **i)** Sie wünschen sich ein Auto.

21. a) Wenn es regnet, gehe ich nie aus dem Haus. **b)** Bevor er geheiratet hat, hat er viele Mädchen gekannt. **c)** Weil ich dich liebe, schreibe ich dir jede Woche einen Brief. **d)** Es dauert noch ein bisschen, bis der Film anfängt. **e)** Wenn es schneit, ist die Welt ganz weiß. **f)** Als er gestorben ist, haben alle geweint. **g)** Während die Kollegen gestreikt haben, habe ich gearbeitet.

22. **a)** Frau Heidenreich ist eine alte Dame, die früher Lehrerin war. **b)** Sie hat einen Verein gegründet, der Leihgroßmütter vermittelt. **c)** Frau Heidenreich hat Freundinnen eingeladen, denen sie von ihrer Idee erzählt hat. **d)** Die älteren Damen kommen in Familien, die Hilfe brauchen. **e)** Frau Heidenreich hat sich früher um ein kleines Mädchen gekümmert, das in der Nachbarschaft lebte. **f)** Eine Dame ist ganz zu einer Familie gezogen, bei der sie vorher Leihgroßmutter war. **g)** Eine Dame kam in eine andere Familie, die nur jemanden für die Hausarbeit suchte. **h)** Es gibt viele alte Menschen, denen eine richtige Familie fehlt. **i)** Alle Leute brauchen einen Menschen, für den sie da sein können. **j)** Manchmal gibt es Probleme, über die man aber in der Gruppe reden kann.

23. **a)** ... sie Rentner sind. **b)** ... Familien ohne Großmutter zu helfen. **c)** ... gibt er eine Anzeige auf. **d)** ... will sie noch einmal heiraten. **e)** ... sie gehören zu uns. **f)** ... er fühlt sich dort nicht wohl. **g)** ... sucht er sich immer wieder Arbeit. **h)** ... sie lieben sich immer noch.

Lektion 5

1. **a)** der Anzug **b)** die Hose **c)** das Hemd **d)** die Handschuhe **e)** der Hut **f)** der Schirm **g)** die Schuhe **h)** die Socken **i)** die Jacke **j)** der Pullover **k)** die Mütze **l)** das Kleid **m)** der Rock **n)** die Bluse **o)** der Mantel **p)** die Brille

2. **a)** dick **b)** gefährlich **c)** schmutzig **d)** pünktlich **e)** ruhiger **f)** traurig **g)** vorsichtige **h)** ehrlich **i)** langweilig **j)** lustig **k)** neugierig **l)** freundlich **m)** dumm

3. **a)** weiße · blaue · graue **b)** rote · blauen **c)** schwarzen · Braune **d)** warmen **e)** neues **f)** schwarzen · rote · braune · weiße **g)** grüne · blauer **h)** roten · weißen **i)** hässlichen · komischen **j)** rotes · schwarzen **k)** hübschen **l)** schmutzigen **m)** schwarzen **n)** graue · gelben

4. **a)** Kantine **b)** Schulklasse **c)** Stelle **d)** Ausbildung **e)** Job **f)** Beruf **g)** Wissenschaft

5. **a)** Obwohl Gerda erst seit zwei Monaten ein Auto hat, ist sie schon eine gute Autofahrerin. **b)** Obwohl das Auto letzte Woche in der Werkstatt war, fährt es nicht gut. **c)** Ich fahre einen Kleinwagen, weil der weniger Benzin braucht. **d)** Wenn Doris in zwei Jahren mehr Geld verdient, kauft sie sich ein Auto. **e)** Die Polizei hat Jens angehalten, weil er zu schnell gefahren ist. **f)** Wenn Andrea 18 Jahre alt wird, möchte sie den Führerschein machen. **g)** Obwohl Thomas noch keinen Führerschein hat, fährt er schon Auto.

6. **a)** Fernseher **b)** Bild / Zeichnung **c)** Sendung **d)** Maler **e)** Orchester **f)** singen **g)** Schauspieler **h)** Zuschauer **i)** Künstler **j)** (im) Kino **k)** Eintritt

7. **a)** Er könnte dir doch im Haushalt helfen. **b)** Ich würde ihm keinen Kuchen mehr backen. **c)** Ich würde mir wieder ein Auto kaufen. **d)** Er müsste sich eine neue Stelle suchen. **e)** Er sollte sich neue Freunde suchen. **f)** Ich würde mich nicht über ihn ärgern. **g)** Er könnte doch morgens spazieren gehen. **h)** Ich würde ihm mal meine Meinung sagen. **i)** Er sollte selbst einkaufen gehen. **j)** Ich würde mal mit ihm über euer Problem sprechen.

8. **a)** über ihren Hund, über die Regierung, über den Sportverein **b)** mit der Schule, mit der Untersuchung, mit dem Frühstück, mit der Arbeit **c)** um eine Zigarette, um Auskunft, um die Adresse, um eine Antwort, um Feuer **d)** für die schlechte Qualität, für den Brief, für meine Tochter, für die Verspätung **e)** von seiner Krankheit, vom Urlaub, über ihren Hund, von seinem Bruder, von ihrem Unfall, über den Sportverein **f)** über ihren Hund, auf den Sommer, auf das Wochenende, auf den Urlaub, über die Regierung, auf das Essen, über den Sportverein **g)** auf eine bessere Regierung, auf besseres Wetter, auf Sonne **h)** für eine Schiffsreise, für meine Tochter, für ein Haus

9. Man muss die Sätze **j), m), p)** mit „sich" ergänzen.
Man kann die Sätze **a), d), e), g), h), k), m), n), r)** mit „sich" ergänzen.

10. **a)** arm **b)** sozial **c)** Exporte **d)** Jobs

11. **a)** Energie **b)** Handel **c)** Industrie **d)** Geld **e)** Wirtschaft **f)** Arbeitnehmer **g)** Auto **h)** Besitz

Schlüssel

12. **a)** Das Auto wurde nicht gewaschen. **b)** Das Fahrlicht wurde nicht repariert. **c)** Die Reifen wurden nicht gewechselt. **d)** Der neue Spiegel wurde nicht montiert. **e)** Die Handbremse wurde nicht geprüft. **f)** Die Sitze wurden nicht gereinigt. **g)** Das Blech am Wagenboden wurde nicht geschweißt.

13. **a)** heiraten **b)** kennen lernen **c)** sich streiten **d)** küssen **e)** lieben **f)** sich unterhalten **g)** sich aufregen **h)** lügen **i)** flirten

14. verwandt: Tante, Ehemann, Tochter, Bruder, Vater, Opa, Mutter, Sohn, Schwester, Großmutter, Eltern, Onkel
    nicht verwandt: Angestellte, Bekannte, Chef, Freundin, Kollegin, Nachbar

15. **a)** Versuch doch mal, Ski fahren zu lernen. Es ist nicht schwierig. **b)** Ich verspreche dir, im nächsten Sommer wieder mit dir in die Türkei zu fahren. / Ich verspreche dir, dass ich im nächsten Sommer wieder mit dir in die Türkei fahre. **c)** Es hat doch keinen Zweck, bei diesem Wetter das Auto zu waschen. / Es hat doch keinen Zweck, dass du bei diesem Wetter das Auto wäschst. **d)** Kannst du mir helfen, meinen Regenschirm zu suchen? **e)** Meine Meinung ist, dass Johanna und Albert viel zu früh geheiratet haben. **f)** Es hat aufgehört zu schneien. **g)** Hast du Lust, ein bisschen Fahrrad zu fahren? **h)** Heute habe ich keine Zeit, schwimmen zu gehen. **i)** Ich finde, dass du weniger rauchen solltest.

16. Tiere: Katze, Kalb, Hund, Pferd, Schwein, Vieh, Fisch, Huhn, Vogel, Kuh
    Pflanzen: Rasen, Baum, Blume, Gras
    Landschaft: Küste, Park, Wald, Gebirge, See, Hügel, Tal, Insel, Berg, Feld, Strand, Fluss, Ufer, Bach, Meer
    Wetter: Nebel, Wolke, Regen, Schnee, Wind, Sonne, Eis, Klima, schneien, regnen, Gewitter

17. **a)** die **b)** in dem **c)** von dem **d)** den **e)** von dem **f)** mit denen **g)** auf deren **h)** in der **i)** mit dessen **j)** deren **k)** die

18. **a)** aus der Stadt **b)** eine Frage **c)** das Diplom **d)** mit dem Auto **e)** den Fernseher **f)** eine Schwierigkeit **g)** das Gepäck **h)** das Hemd in den Schrank, das Auto in die Garage

19. **a)** Zahnpasta **b)** waschen **c)** Apotheke **d)** putzen **e)** Strom **f)** Streichholz **g)** Topf **h)** Reise **i)** Grenze **j)** Wochenende **k)** Zelt **l)** Gabel **m)** Telefonbuch **n)** Stadt **o)** Jahr **p)** Ausland

20. **a)** ob er schwer verletzt wurde. **b)** wie lange er im Krankenhaus bleiben muss. **c)** wo der Unfall passiert ist. **d)** ob noch jemand im Auto war. **e)** wohin er fahren wollte. **f)** ob der Wagen ganz kaputt ist. **g)** ob man ihn schon besuchen kann. **h)** ob sie die Reparatur des Wagens bezahlt.

21. **a)** verlieren **b)** erinnern **c)** lachen **d)** kritisieren **e)** hören **f)** trinken **g)** schaffen **h)** feiern **i)** erinnern **j)** finden **k)** nehmen **l)** sterben

22. **a)** durch **b)** auf **c)** bei **d)** von · nach · unter **e)** Zwischen **f)** bis **g)** über **h)** gegen · im **i)** aus · in **j)** von · bis **k)** bis · über **l)** zwischen **m)** nach **n)** Seit **o)** In **p)** Mit **q)** bis **r)** während

23. **a)** Soldaten **b)** Präsident **c)** Bürger **d)** Partei **e)** Krieg **f)** Kabinett **g)** Demokratie **h)** Gesetze **i)** Nation **j)** Zukunft **k)** Katastrophe

24. **a)** fühlen **b)** sitzen **c)** sprechen **d)** kennen **e)** waschen **f)** hören **g)** singen **h)** fragen **i)** lachen **j)** aufräumen

25. allein: sich verbrennen, sich gewöhnen, sich interessieren, sich bewerben, sich erinnern, sich beeilen, sich duschen, sich ärgern, sich anziehen, sich setzen, sich ausruhen
    mit anderen: sich unterhalten, sich begrüßen, sich verstehen, sich beschweren, sich schlagen, sich besuchen, sich treffen, sich anrufen, sich streiten, sich verabreden, sich einigen

26. **a)** dir · es mir **b)** euch · sie uns **c)** sich · sie sich **d)** Ihnen · sie mir **e)** uns · sie euch **f)** sich · es sich

27. **a)** Titel **b)** Boot **c)** zählen **d)** Hunger **e)** Geburt **f)** nähen **g)** schütten **h)** drinnen **i)** weiblich **j)** Badewanne **k)** springen **l)** Gras **m)** atmen **n)** Rezept **o)** Vieh **p)** Autor **q)** Wolke **r)** Gemüse **s)** Monate **t)** Soldat

28. a) Ort und Raum

wo? auf der Brücke, am Anfang der Straße, oben, neben der Schule, bei Dresden, dort, draußen, drinnen, hinter der Tür, bei Frau Etzard, rechts im Schrank, im Restaurant, unten, hier, zwischen der Kirche und der Schule, vor dem Haus, über unserer Wohnung

woher? aus Berlin, aus dem Haus, aus der Schule, aus dem Kino, vom Einkaufen, vom Arzt, von der Freundin

wohin? gegen den Stein, nach links, nach Italien, ins Hotel, zu Herrn Berger, zur Kreuzung

b) Zeit

wann? bald, damals, danach, dann, am folgenden Tag, in der Nacht, früher, gestern, gleich, um halb acht, heute, irgendwann, am letzten Montag, im nächsten Jahr, morgens, jetzt, sofort, später, letzte Woche, vorher, während der Arbeit, zuerst, zuletzt, dienstags, vor dem Mittagessen

wie lange? schon drei Wochen, eine Woche lang, seit gestern, den ganzen Tag, sechs Stunden, bis morgen

wie häufig? dauernd, immer, häufig, manchmal, meistens, oft, regelmäßig, selten, ständig, täglich, jeden Abend,

29. a) breit **b)** tief **c)** oder **d)** Wand **e)** selbst **f)** Satz **g)** Glas h) frisch **i)** Tip **j)** geboren **k)** krank **l)** hart **m)** Milch **n)** Brot **o)** einschlafen **p)** laufen **q)** müde **r)** schenken

Lektion 6

1 **A. a)** die Mülldeponie **b)** der Berggipfel **c)** die Blumenwiese **d)** die Bergbahn **e)** die Parkbank (die Gartenbank) **f)** das Gartentor (das Parktor) **g)** der Obstbaum **h)** das Wasserkraftwerk **i)** die Autobahn **j)** der Sonnenschirm **k)** der Bauernhof **l)** der Meeresstrand **m)** der Kirchturm **n)** der Aussichtsturm **o)** der Schulhof **p)** der Wanderweg **q)** der Badestrand **r)** die Anlegestelle **s)** das Surfbrett **t)** die Haltestelle **u)** das Ruderboot

B. a) die Mülldeponie, der Berggipfel, die Bergbahn, die Parkbank, das Gartentor, der Obstbaum, das Wasserkraftwerk, die Autobahn
b) die Blumenwiese, der Sonnenschirm, der Bauernhof
c) der Meeresstrand, der Aussichtsturm
d) der Kirchturm, der Schulhof
e) der Wanderweg, das Surfbrett, das Ruderboot
f) der Badestrand, die Anlegestelle, die Haltestelle

2 **a)** das **b)** die **c)** der **d)** das **e)** die **f)** der **g)** die **h)** das **i)** der **j)** die **k)** das **l)** die **m)** das **n)** die **o)** das **p)** die, der

3 **a)** auf den **b)** auf dem **c)** an der **d)** zur **e)** an der **f)** im **g)** durch den **h)** im **i)** am **j)** über die **k)** unter dem **l)** am **m)** auf der **n)** um die **o)** über die **p)** in der **q)** in der **r)** zum **s)** auf dem **t)** am **u)** über den **v)** um den

4 **a)** die Wiese **b)** der Fluss **c)** das Obst **d)** das Tor **e)** das Boot **f)** der Schirm **g)** der Stall **h)** der Zaun **i)** der Garten **j)** der Bauernhof **k)** der Misthaufen **l)** der Berg **m)** der Weg **n)** die Sonne **o)** der Baum **p)** der Bus

5 Freie Lösung

6 **a)** Ich habe mich am Strand gesonnt.
b) Ich bin im Park spazieren gegangen.
c) Ich bin auf den Aussichtsturm gestiegen.
d) Ich habe am See geangelt.
e) Ich habe auf dem Meer gerudert.
f) Ich habe im Garten Obst gepflückt.
g) Ich habe am Strand eine Sandburg gebaut.
h) Ich bin am Fluss entlanggefahren.
i) Ich habe im Meer gebadet.
j) Ich habe am Strand jemanden kennen gelernt.
k) Ich habe mich im Schwimmbad geduscht.
l) Ich habe auf der Straße Geld gefunden.
m) Ich habe im Café gefrühstückt.
n) Ich habe einen Brief nach Hause geschrieben.
o) Ich habe im Museum fotografiert.
p) Ich habe mir im Kino einen Film angesehen.
q) Ich habe vor dem Hotel geparkt.
r) Ich habe mich im Hotelzimmer ausgeruht.

7 **a)** außerhalb **b)** nebenan **c)** um … herum **d)** innerhalb **e)** entlang **f)** gegenüber **g)** Um

8 **a)** hübsches, großen, komplette, tolles, kleines, moderne, richtiges, warmem
b) neuen, gutes, bequeme, schönen, ruhigen, schlechtem, großen, kalten, warmes, warmes
c) langer, gemütliches, separates, kleine, fließendem, warmem, speziellen, kleines, normalen, normalen, moderne

9 **A.**

ich	kam	traf	blieb	ging	stand
	käme	träfe	bliebe	ginge	stünde / stände
du	kamst	trafst	bliebst	gingst	standest
	kämest	träfest	bliebest	gingest	stündest / ständest
er, sie, es, man	kam	traf	blieb	ging	stand
	käme	träfe	bliebe	ginge	stünde / stände
wir	kamen	trafen	blieben	gingen	standen
	kämen	träfen	blieben	gingen	stünden / ständen
ihr	kamt	trafet	bliebt	gingt	standet
	kämt	träfet	bliebet	ginget	stündet / ständet
sie, Sie	kamen	trafen	blieben	gingen	standen
	kämen	träfen	blieben	gingen	stünden / ständen

B. **a)** nahm, nähme **b)** schlief, schliefe **c)** brachte, brächte **d)** dachte, dächte **e)** fuhr, führe **f)** flog, flöge **g)** lief, liefe **h)** lag, läge **i)** trug, trüge **j)** stand, stünde / stände **k)** gab, gäbe **l)** behielt, behielte

10 **a)** sie käme immer pünktlich.
b) sie riefe mich jeden Tag an.
c) sie ginge öfter mit mir aus.
d) sie gäbe weniger Geld für ihr Auto aus.
e) sie schriebe mir jede Woche einen Brief.
f) sie ginge öfter mit mir spazieren.
g) sie käme jeden Tag vorbei.
h) sie bliebe immer mit mir zusammen.
i) sie ließe mich nie allein.
j) sie stünde (stände) morgens früher auf.
k) sie bekäme ein Kind.
l) sie fände mich attraktiv.
m) sie träfe sich nicht mit anderen Männern.
n) sie verstünde (verstände) meine Probleme.
o) sie gefiele anderen Männern nicht so gut.
p) sie hätte mehr Zeit für mich.
q) sie wäre etwas freundlicher.

11 **a)** hätte – könnte **b)** dürfte **c)** müsste **d)** hätte **e)** müsste **f)** hätte **g)** wäre **h)** dürfte **i)** müsste

12 Das kleine Haus auf der Wiese ist unser Haus. Der Turm dahinter ist ein alter Wasserturm. Die Garage habe ich letztes Jahr angebaut; rechts davon ist immer noch der Misthaufen (eines unserer Hühner spaziert gerade darauf herum), und hinter dem Misthaufen steht unser Apfelbaum. Wenn du genau hinsiehst, dann kannst du sogar sehen, dass ein Amselpärchen darauf ein Nest gebaut hat.
Links neben unserem Haus habe ich den großen Sonnenschirm aufgestellt. Der Mann, der darunter sitzt und Zeitung liest, bin ich! Vor mir steht der Tisch, den du mir geschenkt hast, und das dunkle Ding unter dem Tisch ist unsere Katze. Mein Gartenhaus kannst du leider nicht sehen, denn die Garage steht genau davor.

13 Hallo, Carlo, was ist … → Na ja, ich muss … → Was? Du wohnst … → Mein Vermieter braucht … → Kannst du nichts dagegen … → Du weißt doch, was das Gesetz … → Aber das wusste er … → Das finde ich auch. Aber … → Das weiß ich auch nicht. …

14 **a)** Der Vertrag sollte vorher genau geprüft werden.
b) In der Wohnung darf keine laute Musik gemacht werden.
c) Der Vermieter muss informiert werden.
d) Das Wohnzimmer muss renoviert werden.
e) Die Wohnung kann sofort gemietet werden.
f) Die Türen dürfen nicht gestrichen werden.
g) Die Miete sollte pünktlich gezahlt werden.
h) Die Wände müssen neu gestrichen werden.
i) Das muss bewiesen werden.

15 Waagerecht: **3** SOFA **7** WASCHMASCHINE **8** HEIZUNG **10** TAPETE **11** DUSCHE **13** LAMPE **14** REGAL
Senkrecht: **1** SCHRANK **2** SPIEGEL **3** STUHL **4** BADEWANNE **5** TISCH **6** SESSEL **9** KUEHLSCHRANK **10** TEPPICH **12** BETT

16 **a)** 4 **b)** 7 **c)** 9 **d)** 6 **e)** 2 **f)** 5 **g)** 1 **h)** 8 **i)** 3

17 **a)** der Lichtschalter **b)** die Schere **c)** die Haarbürste **d)** der Kamm **e)** der Rasierapparat **f)** der Waschlappen **g)** das Handtuch **h)** die Steckdose **i)** der Stecker **j)** die Zahnbürste **k)** die Zahnpasta **l)** der Spiegel **m)** die Seife **n)** der Wasserhahn **o)** das Waschbecken

18 Lösungsvorschlag:
1. Der Ofen steht nicht mehr rechts in der Ecke.
2. Auf dem Fußboden liegt jetzt gar kein Teppich mehr.
3. Der kleine Schrank steht jetzt rechts an der Wand.
4. Der Plattenspieler steht nicht mehr auf dem kleinen Schrank, sondern auf dem Fußboden.
5. Das Bild hängt nicht mehr links neben dem Fenster, sondern rechts.
6. Die Lampe hängt nicht mehr tief herunter.

19 **a)** bedienen **b)** sich erkälten **c)** heizen **d)** meinen **e)** ordnen **f)** prüfen **g)** rechnen **h)** regieren **i)** reinigen **j)** senden **k)** verbinden **l)** zeichnen

20 **A. a)** Lied, das die Heimat besingt **b)** Stadtteil, der am Rand einer Stadt liegt **c)** Schirm, der vor der Sonne schützt **d)** Blume mit gelber Blüte, die hoch wächst **e)** Schrank, der nur mit einer Zahlenkombination zu öffnen ist **f)** Brücke, die über einen Fluß führt
B. a) abfahren **b)** arbeiten **c)** baden **d)** beginnen **e)** bestehen **f)** dauern **g)** einsteigen **h)** fehlen **i)** feiern **j)** folgen **k)** fragen **l)** funktionieren

21 **a)** des **b)** der **c)** der **d)** einer – einer **e)** der – des – eines **f)** einer – eines **g)** eines **h)** eines **i)** eines – der **j)** eines – eines – einer **k)** eines **l)** eines – einer **m)** der – eines

22 **a)** C **b)** A **c)** B **d)** B **e)** A **f)** A

23 **a)** der **b)** den **c)** dem **d)** dessen **e)** die **f)** die **g)** der **h)** deren **i)** das **j)** das **k)** dem **l)** dessen **m)** die **n)** die **o)** denen **p)** deren

24 **a)** was **b)** wo **c)** was **d)** wo **e)** was **f)** wohin

25 **a)** 3 **b)** 5 **c)** 6 **d)** 1 **e)** 7 **f)** 4 **g)** 8 **h)** 2

Lektion 7

1

a) -en / -es	der Bahnübergang, das Auto		
b) -e / -er		**n)** -e	die Kuh
c) -er / -en		**o)** -er / -en	der Erfolg
d) -er / -en	der Radfahrer, die Katze	**p)** -en / -er	die Ampel
e) -en / -es	das Verkehrsschild	**q)** -e / -en	das Stück, die Autobahn
f) -es	das Paar	**r)** -e / -e / -em / -en	das Vergnügen, das Pferd
g) -he	die Mauer	**s)** -er / -en / -er	die Jacke
h) -en / -en	die Richtung	**t)** -e / -es	die Fähre
i) -en / -en	die Seite	**u)** -er / -er / -es / -es	das Mädchen
j) -en	der Unfall	**v)** -e / -en / -en	der Hund
k) -es / -en		**w)** -en / -en	der Weg, der Hut
l) -en	der Verkehr	**x)** -e / -e	die Familie, die Wohnung
m) -e / -er	die Schlange, die Kreuzung	**y)** -en / -en	der Stock

2 Freie Lösung.

3 a) → i) → e)→ d) → f) → g) → b) → c) → h)

4 Lösungsvorschläge:
a) Einmal bin ich mit dem Auto nach ... gefahren. In der Nähe von ... wollte ich einen LKW überholen. Dabei stieß ich mit einem anderen Auto zusammen. Der Fahrer des anderen Autos hatte ein Autotelefon, er rief die Polizei. Zum Glück waren wir nicht verletzt. Aber mein Auto musste ich danach in die Werkstatt bringen.
b) Einmal bin ich im Park spazieren gegangen. Da sah ich plötzlich eine kleine Katze hoch oben in einem Baum. Sie war auf den Baum geklettert und wusste jetzt nicht mehr weiter. Ich wartete noch einen Moment, dann stieg ich selber auf den Baum. Ich nahm die Katze, aber mit der Katze in der Hand konnte ich nicht mehr heruntersteigen. Schließlich musste ich selbst um Hilfe rufen. Bald kam eine Frau, der ich die Katze geben konnte. Danach mussten wir beide über die Situation lachen.
c) Letzte Woche wollten wir mit der Eisenbahn wegfahren. Wir nahmen ein Taxi zum Bahnhof, weil wir nicht mehr viel Zeit hatten. Aber dann standen wir mit dem Taxi plötzlich in einem großen Stau. Schließlich stiegen wir aus und gingen zu Fuß zum Bahnhof. Den Zug erreichten wir zum Glück gerade noch.

5 **a)** → 4 **b)** → 6 **c)** → 10 **d)** → 8 **e)** → 2 **f)** → 9 **g)** → 1 **h)** → 5 **i)** → 7 **j)** → 11 **k)** → 3

6 **a)** ins **b)** im **c)** am **d)** über den **e)** auf dem **f)** am **g)** an den **h)** auf den / über den **i)** im **j)** in den **k)** auf dem **l)** nach **m)** in **n)** ins **o)** im **p)** durch das **q)** am

7 **a)** hindurch **b)** hinunter **c)** hinüber **d)** hinauf – hinunter **e)** hinein **f)** hinein **g)** hinaus
Ihre Grammatik: hindurch, hinunter, hinüber, hinauf, hinein, hinaus

8 **a)** → 3 **b)** → 4 **c)** → 6 **d)** → 1 **e)** → 5 **f)** → 2

9 **a)** sind **b)** haben **c)** sind **d)** haben **e)** sind **f)** haben **g)** sind **h)** haben **i)** haben **j)** sind **k)** haben **l)** haben **m)** sind **n)** haben **o)** sind **p)** haben **q)** sind **r)** haben **s)** sind **t)** sind **u)** haben **v)** haben **w)** sind **x)** haben **y)** sind **z)** sind
Perfekt mit „sein“: Bewegung: fahren, fliegen, springen, abbiegen, klettern, spazieren gehen, wandern, einziehen, ziehen
Perfekt mit „sein“: Veränderung eines Zustands: aufstehen, aufwachen, einschlafen

Schlüssel

10 a) gelegt – liegen (hängen) **b)** steckt **c)** sitzen **d)** stehen **e)** liegt (sitzt) **f)** gesetzt **g)** gehängt

11 a) → 4 **b)** → 6 **c)** → 3 **d)** → 7 **e)** → 8 **f)** → 1 **g)** → 10 **h)** → 2 **i)** → 5 **j)** → 9

12 a) blau **b)** Burg **c)** Fahrrad **d)** Fähre **e)** Mond **f)** Kurve

13 a) schieben **b)** abschleppen **c)** eröffnen **d)** regeln **e)** stoßen **f)** zusammenstoßen **g)** überqueren **h)** verhaften **i)** anhalten

14 a) 3 **b)** 5 **c)** 7 **d)** 6 **e)** 1 **f)** 2 **g)** 4

15. a) Angstlust ist die Lust auf ein gefährliches Leben.
b) Reiselust ist die Lust, viel zu reisen.
c) Ein Freizeitmensch ist ein Mensch, der nur für die Freizeit lebt.
d) Ein Freizeitforscher ist ein Wissenschaftler, der die Freizeit erforscht.
e) Ein Autobahnabschnitt ist ein Teil einer Autobahn.
f) Eine Wochenendreise ist eine kurze Reise am Samstag und am Sonntag.
g) Landschaftszerstörung sind Vorgänge, die die Landschaft kaputtmachen.
h) Ein Industrieland ist ein Land, das viel Industrie hat. (… ein Land, in dem es viel Industrie gibt.)
i) Freizeit ist die Zeit, in der man nicht arbeiten muss.
j) Zukunftsangst ist die Angst vor der Zukunft.
k) Ein Freizeitspaß ist ein Spaß in der Freizeit.
l) Risikobereitschaft ist die Bereitschaft, etwas Gefährliches zu tun.
m) Urlaubszeit ist die Zeit, in der die meisten Menschen Urlaub haben.

16 a) wird ein Drittel der Bevölkerung dauernd Urlaub machen.
b) wird es auf unseren Straßen viel mehr Verkehr als heute geben. (… viel mehr Verkehr geben als heute.)
c) werden die Menschen für ihre Freizeit noch viel mehr Geld ausgeben. (… noch viel mehr Geld ausgeben für ihre Freizeit.)
d) werden viele Leute nicht wissen, was sie in ihrer Freizeit machen sollen.
e) werden die Leute viel mehr Freizeit als heute haben. (… haben als heute.)
f) werden Straßen, Städte, Hotels , Züge, Kinos und Theater wegen der „Massenfreizeit" ständig überfüllt sein.
g) werden die Menschen nur noch dreißig Stunden pro Woche arbeiten.
h) wird das Motto des Freizeitmenschen wahrscheinlich „Mobil und immer aktiv sein" heißen. (… wahrscheinlich heißen: „Mobil und immer aktiv sein".)

Ihre Grammatik:

Vorfeld	$Verb_1$	Subj.	Angabe	Ergänzung	$Verb_2$
a) Die Menschen	werden		nicht		gefragt.
b) Die Menschen	werden		von Computern		kontrolliert.
c) Die Menschen	werden			die Computer	kontrollieren.
d) Die Menschen	werden			wie Computer.	
e) Die Menschen	werden			mehr Hobbys	haben.
f) Die Menschen	werden			zu Warte-Profis.	
g) Die Menschen	werden			viel älter als früher.	

17 a) Hilfsverb – Passiv **b)** Hilfsverb – Passiv **c)** Hilfsverb – Futur **d)** normales Verb **e)** Hilfsverb – Futur **f)** normales Verb **g)** normales Verb

18 A. a) bedrohen **b)** vorbereiten **c)** prüfen **d)** wohnen **e)** versichern **f)** bedienen **g)** bestellen **h)** kündigen **i)** regieren **j)** erfahren **k)** erinnern **l)** heizen **m)** ändern **n)** leisten **o)** verwalten **p)** meinen **q)** entscheiden
B. a) müde **b)** möglich **c)** pünktlich **d)** sauber **e)** wirklich **f)** ähnlich **g)** schwierig **h)** deutlich **i)** ehrlich **j)** freundlich **k)** gemütlich **l)** gefährlich **m)** genau **n)** häßlich **o)** langsam **p)** notwendig

19 a) Heute wird mehr Sport als früher getrieben. (… mehr Sport getrieben als früher.)
b) Heute werden an den Grenzen keine Pässe mehr kontrolliert.
c) Das Geld wird nächste Woche überwiesen.
d) Unser Auto wird in Belgien repariert.
e) Heute werden die Steuerformalitäten in den Unternehmen und nicht an der Grenze erledigt. (… in den Unternehmen erledigt und nicht an der Grenze.)
f) Der Schlagbaum wird durchgesägt.
g) In der Freizeit wird zu viel Geld ausgegeben.

20

konnte	durfte	sollte	musste	wollte
konntest	durftest	solltest	musstest	wolltest
konnte	durfte	sollte	musste	wollte
konnten	durften	sollten	mussten	wollten
konntet	durftet	solltet	musstet	wolltet
konnten	durften	sollten	mussten	wollten

21 a) Ich habe Angst, dass die Preise steigen.
b) Viele Firmen klagen darüber, dass die Bürokratie in Europa zunimmt.
c) Wir sind nicht damit einverstanden, dass die Preise im nächsten Jahr erhöht werden.
d) Die meisten Leute kritisieren, dass die Steuern erhöht werden.
e) Ich bin froh darüber, dass die Steuergesetze geändert werden.
f) Die Bevölkerung erwartet, dass die Situation verbessert wird.
g) Ich habe nicht verstanden, dass er sich für diese Firma entschieden hat.
h) Ich hoffe, dass die Mark auch in Zukunft stabil bleibt.

22 a) A und B **b)** A und C **c)** B und C **d)** A und B **e)** B und C **f)** A und C **g)** A und B **h)** B und C

23 a) Urlaub im Zelt finde ich zu unbequem.
b) Übernachten wollen wir in einem Hotel.
c) In unserem Hotel können Sie auch frühstücken.
d) Auf Schiffsreisen werde ich immer seekrank.
e) Schweres Gepäck brauchen Sie nicht zu tragen.
f) Freie Plätze gibt es nicht mehr.
g) Bezahlen können Sie mit Scheck oder Kreditkarte.
h) Ihren Pass müssen Sie nicht mitnehmen.

24 a) C **b)** A **c)** B **d)** A **e)** B **f)** B

Lektion 8

1 a) Bein, Gabel: der Friseur
b) Wurst, Salat: der Bäcker
c) Apotheke, Garage: die Kellnerin
d) Winter, Gewitter: die Polizistin
e) Seife, Ofen: der Feuerwehrmann
f) Fabrik, Industrie: der Bauer
g) Fieber, Konzert: die Lehrerin
h) Museum, Montag: der Pfarrer
i) Kundin, Radio: die Sekretärin
j) Möbel, Meer: der Soldat

2 richtig: a), c), e), i), j), l), m), p), q), u), v), z)
falsch: b), d), f), g), h), k), n), o), r), s), t), w), x), y)

3 **1** war **2** mithalfen **3** begannen **4** bauten **5** trennten **6** trampte **7** reiste … ein **8** gab **9** blieb **10** ging **11** gefiel **12** waren **13** traf **14** lasen **15** suchte **16** meldeten **17** unterschrieben **18** kamen … an **19** arbeitete **20** sprachen **21** verstand **22** lernte **23** wurde **24** bezahlte **25** bauten **26** hieß **27** flogen **28** fand **29** machte **30** war **31** bot **32** musste **33** wartete **34** brauchte

4 **A.** auf „-te“:
bauen – baute – hat gebaut
trennen – trennte – hat getrennt
trampen – trampte – ist getrampt
einreisen – reiste ein – ist eingereist
suchen – suchte – hat gesucht
lernen – lernte – hat gelernt
bezahlen – bezahlte – hat bezahlt
machen – machte – hat gemacht
müssen – musste – hat gemusst
brauchen – brauchte – hat gebraucht

auf „-ete“:
melden – meldete – hat gemeldet
arbeiten – arbeitete – hat gearbeitet
warten – wartete – hat gewartet

B. mit „a“:
sein – war – ist gewesen
mithelfen – halfen mit – haben mitgeholfen
beginnen – begann – hat begonnen
geben – gab – hat gegeben
treffen – traf – hat getroffen
lesen – las – hat gelesen
ankommen – kam an – sind angekommen
sprechen – sprach – hat gesprochen
verstehen – verstand – hat verstanden
finden – fand – hat gefunden

mit „i“ oder „ie“:
bleiben – blieb – ist geblieben
gehen – ging – ist gegangen
gefallen – gefiel – hat gefallen
unterschreiben – unterschrieb – hat unterschrieben
heißen – hieß – hat geheißen

mit „o“:
fliegen – flog – ist geflogen
bieten – bot – hat geboten

mit „u“:
werden – wurde – ist geworden

Schlüssel

5 **a)** Von – bis **b)** in den **c)** In den **d)** Nach dem **e)** Während der **f)** Im – seit dem **g)** Im **h)** Am – bis **i)** Vor der **j)** Nach **k)** Seit

6 **a)** Herr Bong rät den jungen Leuten davon ab, den Beruf des Schreiners zu lernen.
b) Herr Bong hat Freude daran, Möbel herzustellen.
c) Ich habe mich darüber geärgert, so lange warten zu müssen. / … dass ich so lange warten musste.
d) Ich habe dich ja davor gewarnt, dieses Auto zu kaufen.
e) Jens hat mir dabei geholfen, mein Haus zu bauen.
f) Ich habe ihn gestern darauf hingewiesen, dass wir hier ein Problem haben. / … dass ich … habe. / … dass er … hat.

7 **a)** A **b)** B **c)** A **d)** A **e)** A **f)** B **g)** B

8 **a)** 274 + 703 = 977
b) 468 + 820 = 1288
c) 117 + 599 = 646
d) 2238 + 95 = 2333
e) 50310 + 4700 = 55010
f) 1250000 + 374000 = 1624000

9 **a)** Entwicklung **b)** Ausbildung **c)** Facharbeiter **d)** Arbeitszeit **e)** Aufenthalt

10	Präsens	Präteritum	Perfekt
ich	werde geprüft	wurde geprüft	bin geprüft worden
du	wirst geprüft	wurdest geprüft	bist geprüft worden
er / sie / es / man	wird geprüft	wurde geprüft	ist geprüft worden
wir	werden geprüft	wurden geprüft	sind geprüft worden
ihr	werdet geprüft	wurdet geprüft	seid geprüft worden
sie	werden geprüft	wurden geprüft	sind geprüft worden

11 **A. a)** Nach den Musterzeichnungen werden Modellkleider genäht.
b) Die Modellkleider werden den Kunden auf einer Modenschau gezeigt.
c) Nach der Modenschau wird entschieden, welche Kleider produziert weden. / … produziert werden sollen.
d) Zuerst werden aus den Stoffen die Einzelteile geschnitten.
e) Dann werden die Einzelteile am Fließband zusammengenäht.
f) Danach wird die Qualität der fertigen Kleider geprüft.
g) Jetzt müssen die fertigen Kleider gebügelt werden.
h) Zum Schluss werden die Kleider in Kartons gepackt und zu den Kunden geschickt.

B. a) Nach den Musterzeichnungen wurden Modellkleider genäht.
b) Die Modellkleider wurden den Kunden auf einer Modenschau gezeigt.
c) Nach der Modenschau wurde entschieden, welche Kleider produziert werden. / … produziert werden sollten.
d) Zuerst wurden aus den Stoffen die Einzelteile geschnitten.
e) Dann wurden die Einzelteile am Fließband zusammengenäht.
f) Danach wurde die Qualität der fertigen Kleider geprüft.
g) Jetzt mussten die fertigen Kleider gebügelt werden.
h) Zum Schluss wurden die Kleider in Kartons gepackt und zu den Kunden geschickt.

C. a) Nach den Musterzeichnungen sind Modellkleider genäht worden.
b) Die Modellkleider sind den Kunden auf einer Modenschau gezeigt worden.
c) Nach der Modenschau ist entschieden worden, welche Kleider produziert werden. / … produziert werden sollten.
d) Zuerst sind aus den Stoffen die Einzelteile geschnitten worden.
e) Dann sind die Einzelteile am Fließband zusammengenäht worden.
f) Danach ist die Qualität der fertigen Kleider geprüft worden.
g) Jetzt haben die fertigen Kleider gebügelt werden müssen.
h) Zum Schluss sind die Kleider in Kartons gepackt und zu den Kunden geschickt worden.

12 **a)** Der Pullover darf nicht chemisch gereinigt werden.
b) Die Stoffqualität sollte vor dem Kauf genau geprüft werden.
c) Das Kleid muss geändert werden.
d) Das Hemd kann auch ohne Krawatte getragen werden.
e) Kann das Kleid in der Waschmaschine gewaschen werden?
f) Kann die Hose kürzer gemacht werden?

13 a) Die Wohnung ist letzte Woche renoviert worden.
Jetzt ist die Wohnung renoviert.
b) Das Auto ist gestern repariert worden.
Jetzt ist das Auto repariert.
c) Die Türen sind vor wenigen Tagen neu gestrichen worden.
Jetzt sind die Türen neu gestrichen.
d) Die Wohnung ist gestern aufgeräumt worden.
Jetzt ist die Wohnung aufgeräumt.
e) Die Fehler sind korrigiert worden.
Jetzt sind die Fehler korrigiert.
f) Ist die Rechnung schon bezahlt worden?
Ist die Rechnung jetzt bezahlt?

14

	Vorfeld	$Verb_1$	Subj.	Ergänzung	Angabe	Ergänzung	$Verb_2$
a)	Wir	versichern		das Gebäude	natürlich	gegen Feuer.	
b)	Das Gebäude	wird			natürlich	gegen Feuer	versichert.
c)	Wir	müssen		das Gebäude	natürlich	gegen Feuer	versichern.
d)	Das Gebäude	muss			natürlich	gegen Feuer	versichert werden.
e)	Wir	haben		das Gebäude	natürlich	gegen Feuer	versichert.
f)	Das Gebäude	ist			natürlich	gegen Feuer	versichert worden.
g)	Das Gebäude	ist			natürlich	gegen Feuer	versichert.

15 Lösungsvorschlag:

Hut!
Trägt immer eine Brille!
kurzer Bart!
raucht nicht mehr!
Aktentasche!

kurze Haare!
rechtes Ohr größer als linkes!
trägt immer einen Anzug!
schwarze Schuhe!

16

	M	F	b
a)		x	
b)			x
c)	x		
d)		x	
e)			x
f)		x	
g)			x
h)	x		
i)			x
j)	x		
k)			x
l)		x	
m)		x	

17 a) die Sandalen (Plural) **b)** der Bikini **c)** die Hausschuhe (Plural) **d)** die Jeans **e)** der Büstenhalter **f)** die Strumpfhose **g)** der Badeanzug **h)** die Stöckelschuhe (Plural) **i)** die Weste **j)** die Unterhose **k)** die Kniestrümpfe (Plural) **l)** der Schlafanzug **m)** das T-Shirt **n)** die Badehose **o)** der Hosenrock **p)** die Turnschuhe (Plural) **q)** die Socken (Plural) **r)** der Hosenanzug **s)** das Nachthemd

18 a) Ihr ist geschrieben worden.
b) Ihnen ist nicht geantwortet worden.
c) Gegen die neuen Gesetze wurde demonstriert.
d) Über dich wird gesprochen.
e) Über unseren Chef ist viel gelacht worden.
f) Lange wurde für höhere Löhne gekämpft.
g) Wurde der Frau geglaubt?
h) Konnte den Leuten geholfen werden?
i) Gegen die Entlassungen ist protestiert worden.
j) Für seine Mühe ist ihm nicht gedankt worden.

19 a) B **b)** C **c)** A **d)** B **e)** C **f)** A **g)** B **h)** C

20 a) Er hat mit seinen Kolleginnen und Kollegen immer Krach gehabt.
b) Er hat sich über seinen Erfolg sehr gefreut. / Über seinen Erfolg hat er sich sehr gefreut.
c) Er hat im Ausland mit Ersatzteilen gehandelt.
d) Er hat sich über die schlechte Qualität beschwert.
e) Er ist in Köln Taxi gefahren.
f) Ich würde das unter diesen Umständen auch tun. / Unter diesen Umständen würde ich das auch tun.
g) Man hat das ganze Werk wegen zu hoher Verluste geschlossen. / Wegen zu hoher Verluste hat man das ganze Werk geschlossen.
h) Er hat erst gestern mit der Arbeit angefangen.

i) Er hat immer Ärger mit seinen Arbeitskollegen gehabt. / Er hat mit seinen Arbeitskollegen immer Ärger gehabt.
j) Ich werde den Vertrag unter diesen Umständen nicht verlängern.

21 **a)** von 400 Mitarbeitern **b)** der Modenschau **c)** von Gift **d)** von Lärm **e)** der Arbeiter **f)** von Herbert Fuchs **g)** eines Angestellten **h)** der Produktion

22 **a)** mit **b)** für **c)** mit **d)** im **e)** zu **f)** vor **g)** aus **h)** am **i)** über **j)** zwischen **k)** für **l)** mit **m)** für

23 **a)** Bevor **b)** Nachdem **c)** Während **d)** Während **e)** Nachdem **f)** Bevor **g)** Bevor **h)** Nachdem **i)** Während

24 **a)** eingestellt **b)** geleitet **c)** entlassen **d)** aufgegeben **e)** beschäftigt **f)** liefert **g)** verursacht **h)** produziert **i)** übernehmen **j)** übersetzen

25 **A. a)** für **b)** für das **c)** im **d)** für ein **e)** aus **f)** in einer / in der **g)** vor der **h)** für die **i)** an einer / an der **j)** für **k)** in der **l)** am **m)** in einem / im
B a) der **b)** der **c)** der **d)** der **e)** des **f)** der
C a) in der / wo die **b)** die **c)** den **d)** den **e)** der **f)** die **g)** in dem **h)** der

26 **a)** die Ausstellung — der Aussteller, die Ausstellerin
b) die Begründung
c) die Beratung — der Berater, die Beraterin
d) die Bewegung
e) die Bezahlung
f) der Einkauf — der Einkäufer, die Einkäuferin
g) die Entlassung
h) die Entwicklung
i) die Erfindung — der Erfinder, die Erfinderin
j) die Herstellung — der Hersteller, die Herstellerin
k) die Kündigung
l) die Leitung — der Leiter, die Leiterin
m) die Lieferung
n) die Prüfung — der Prüfer, die Prüferin
o) der Test — der Tester, die Testerin
p) die Verantwortung
q) die Verwaltung — der Verwalter, die Verwalterin
r) die Zeichnung — der Zeichner, die Zeichnerin

27 (Futur, Präsens, Präteritum)
Was wird sein, wenn ich Meister bin, dachte er. Was wird sein?
Was wird sich im Betrieb und in meinem Leben verändern? Wird sich überhaupt etwas verändern? Warum soll sich etwas verändern? Bin ich ein Mensch, der verändern will?
Er stand unbeweglich und beobachtete nachdenklich das geschäftige Treiben auf dem Platz vor der Lagerhalle, der hundert Meter weiter unter einer brennenden Sonne lag. Die Männer dort arbeiteten ohne Hemd, ihre braunen Körper glänzten im Schweiß.
Ab und zu trank einer aus der Flasche. Ob sie Bier trinken? Oder Cola?
Was wird sein, wenn ich Meister bin? Mein Gott, was wird dann sein? Ja, ich werde mehr Geld verdienen, kann mir auch einen Wagen leisten, und die Kinder werde ich zur Oberschule schicken, wenn es soweit ist. Vorausgesetzt, sie haben genug Verstand dazu. Eine größere Wohnung werde ich bekommen von der Werksleitung, und das in der Siedlung, in der nur Angestellte der Fabrik wohnen. Vier Zimmer, Küche, Bad, Balkon, kleiner Garten – und Garage. Das ist schon etwas. Dann werde ich endlich heraus sein aus der Arbeitersiedlung, wo die Wände Ohren haben, wo einer dem andern in den Kochtopf guckt und der Nachbar an die Wand klopft, wenn meine Frau den Schallplattenspieler zu laut aufdreht und die Beatles laufen läßt.
Meister, werden dann hundert Arbeiter zu mir sagen – oder Herr. Oder Herr Meister oder Herr Witty. Wie sich das wohl anhört:
Herr Witty! Herr Meister! Er sprach es mehrmals laut vor sich hin.
Der Schweißer Egon Witty sah in die Sonne und auf den Platz, der unter einer brennenden Sonne lag, und er fragte sich, was die Männer mit den nackten Oberkörpern wohl tranken: Bier? Cola? Schön wird das sein, wenn ich erst Meister bin, ich werde etwas sein, denn jetzt bin ich nichts, nur ein Rädchen, das man ersetzen kann. Nicht so leicht ersetzbar aber sind Männer, die Räder in Bewegung setzen und kontrollieren. Ich werde in Bewegung setzen und kontrollieren, ich werde etwas sein, ich werde bestimmen, anordnen, von der Liste streichen, beurteilen, für gut befinden. Ich werde die Verantwortung tragen.

Lektion 9

1 **a)** 3 **b)** 1 **c)** 2

2 **a)** Er liest gerade ein Buch.
Er ist dabei, ein Buch zu lesen.
Er ist gerade dabei, ein Buch zu lesen.
b) Sie telefoniert gerade mit einem wichtigen Kunden.
Sie ist dabei, mit einem wichtigen Kunden zu telefonieren.
Sie ist gerade dabei, mit einem wichtigen Kunden zu telefonieren.
c) Ich spüle gerade das Geschirr.
Ich bin dabei, das Geschirr zu spülen.
Ich bin gerade dabei, das Geschirr zu spülen.
d) Er repariert gerade das Auto.
Er ist dabei, das Auto zu reparieren.
Er ist gerade dabei, das Auto zu reparieren.
e) Er lernt gerade für seine Prüfung.
Er ist dabei, für seine Prüfung zu lernen.
Er ist gerade dabei, für seine Prüfung zu lernen.

3 **a)** B **b)** A **c)** C **d)** C **e)** A

4 **a)** Ich habe immer die Tafel putzen müssen.
b) Wir haben nie unpünktlich sein dürfen.
c) Wenn ein Lehrer in die Klasse gekommen ist, haben wir immer aufstehen müssen.
d) Die Mathematikaufgaben habe ich nur mit Hilfe meiner Banknachbarin lösen können.
e) Ich habe eine Klasse zweimal machen müssen.
f) Ich habe eigentlich nie verstehen können, wozu die Logarithmen gut sein sollen.
g) Damals hat man noch keine Fächer wählen können.
h) Ich habe nicht studieren dürfen, mein Vater hat es nicht erlaubt.

5 **a)** starke – deutlich **b)** ordentlich **c)** sorgfältig **d)** ausgezeichneten **e)** schreckliche **f)** neue – lebendigen **g)** ideal **h)** furchtbarer **i)** regelmäßig

6 **a)** das Geschirr, die Wäsche, das Auto
b) die Zähne, das Wohnzimmer, das Kassettengerät
c) die Haare, die Füße, die Waschmaschine
d) eine Jacke, den Schmerz

7 Eines Tages sollten wir in Englisch mündlich geprüft werden. Die meisten von unserer Klasse waren aber nicht gut vorbereitet. Da hatte Dieter eine Idee. Er brachte sein Tonbandgerät mit in die Schule und nahm beim Unterrichtsbeginn die Pausenklingel auf. Vor der Englischstunde versteckte er den Lautsprecher hinter der Wandtafel. Bald kam Wegmann, unser Englischlehrer, in die Klasse und fing mit der Prüfung an. Wie immer prüfte er zuerst die besten Schüler. Aber dann wollte er auch mich prüfen. Da gab ich Dieter ein Zeichen; der schaltete sein Tonbandgerät ein, und im nächsten Moment klingelte es. Wegmann war sehr überrascht. Er schaute zuerst ungläubig auf seine Uhr. Aber dann glaubte er es doch und beendete die Prüfung. Danach gingen wir alle nach Hause, weil es die letzte Stunde war. Später merkte Wegmann natürlich, dass alles nur ein Trick war, und er wiederholte die Prüfung.

8 **a)** was **b)** wo **c)** wohin **d)** was **e)** was **f)** wo **g)** was

9 **a)** während / wenn **b)** wenn **c)** Als **d)** Während **e)** Wenn **f)** als **g)** während / wenn **h)** wenn **i)** während

10 **a)** 6 **b)** 9 **c)** 4 **d)** 8 **e)** 2 **f)** 5 **g)** 3 **h)** 1 **i)** 10 **j)** 7

11 **a)** Entweder – oder **b)** zwar – aber **c)** weder – noch **d)** sowohl – als auch

12 **A. a)** einander **b)** aneinander **c)** übereinander **d)** einander **e)** miteinander **f)** einander **g)** füreinander **h)** miteinander **i)** einander **j)** miteinander **k)** einander **l)** miteinander **m)** einander **n)** miteinander / gegeneinander **o)** einander **p)** einander **q)** einander **r)** miteinander / übereinander

B. a) sich übereinander **b)** sich aneinander **c)** sich aneinander **d)** sich füreinander **e)** sich umeinander **f)** sich übereinander **g)** sich voneinander

13 **a)** C **b)** A **c)** B **d)** A **e)** B **f)** C **g)** A **h)** A

14 **a)** … welcher Planet „Abendstern" genannt wird.
b) … wie man eine Lebensgeschichte nennt, die man selbst geschrieben hat.
c) … wofür die olympischen Ringe stehen.
d) … gegen welche Krankheit man Insulin verwendet.
e) … was das Barometer anzeigt.
f) … welcher große Maler und Naturforscher die „Mona Lisa" gemalt hat.
g) … von wem das Bild „Guernica" stammt.
h) … wie viele Knochen der menschliche Körper hat.
i) … seit wann es in Deutschland keinen Kaiser mehr gibt.
j) … wer den Bundeskanzler wählt.

15 **a)** … ob es seit 1914 oder seit 1918 keinen deutschen Kaiser mehr gibt.
b) … ob „Aida" von Verdi oder von Puccini geschrieben wurde.
c) … ob die Venus oder der Jupiter „Abendstern" genannt wird.
d) … ob man Insulin bei Krebs oder bei Blutzucker verwendet.
e) … ob der Bundeskanzler vom Volk oder vom Bundestag gewählt wird.
f) … von wem die „Mona Lisa" gemalt wurde.
g) … ob der elektrische Widerstand in Ampère oder in Ohm gemessen wird.
h) … ob die „Zauberflöte" eine Oper oder eine Operette ist.
i) … ob ein Barometer den Luftdruck oder die Luftfeuchtigkeit misst.
j) … ob Ludwig XIV. oder Ludwig XVI. „Sonnenkönig" genannt wurde.

16 **a)** Teilnehmer **b)** Anmeldung **c)** Fach **d)** Ahnung **e)** Start **f)** Spezialist **g)** Gegenteil **h)** Instrument

17 **a)** beantworten … – **b)** erfährst … – **c)** melde … an **d)** verbringt … – **e)** ziehst … vor **f)** bedeutet … – **g)** erklären … – **h)** kehrt … zurück **i)** wachst … auf **j)** beginnt … – **k)** Vergleichen … – **l)** Fassen … an **m)** Verwenden … – **n)** schlafe … ein

18 **a)** lebendig **b)** ledig **c)** gültig **d)** salzig **e)** günstig **f)** durstig **g)** neugierig **h)** nötig **i)** traurig **j)** fertig **k)** selbständig **l)** völlig **m)** richtig **n)** langweilig **o)** sonnig **p)** wichtig **q)** berufstätig **r)** schmutzig **s)** heutigen

19. **a)** A **b)** A **c)** B **d)** A **e)** B **f)** B

20 **a)** A **b)** C **c)** A **d)** C **e)** C **f)** B

21 **a)** für **b)** in **c)** in **d)** an / für **e)** über **f)** zur **g)** zu **h)** für **i)** nach **j)** von **k)** auf **l)** zur **m)** auf **n)** über **o)** zu **p)** zur **q)** nach **r)** gegen / für **s)** von **t)** für **u)** über **v)** mit **w)** zwischen **x)** zwischen **y)** nach **z)** mit

22 **a)** Ich kann auf Deutsch über meine Hobbys berichten.
Ich weiß, wie man auf Deutsch über seine Hobbys berichtet.
Ich bin in der Lage, auf Deutsch über meine Hobbys zu berichten.
b) Ich kann auf Deutsch ein Hotelzimmer reservieren.
Ich weiß, wie man auf Deutsch ein Hotelzimmer reserviert.
Ich bin in der Lage, auf Deutsch ein Hotelzimmer zu reservieren.
c) Ich kann auf Deutsch eine Geburtstagseinladung schreiben.
Ich weiß, wie man auf Deutsch eine Geburtstagseinladung schreibt.
Ich bin in der Lage, auf Deutsch eine Geburtstagseinladung zu schreiben.
d) Ich kann auf Deutsch die Bedienung eines Geräts erklären.
Ich weiß, wie man auf Deutsch die Bedienung eines Geräts erklärt.
Ich bin in der Lage, auf Deutsch die Bedienung eines Geräts zu erklären.
e) Ich kann auf Deutsch meine Meinung über einen Konflikt sagen.
Ich weiß, wie man auf Deutsch seine Meinung über einen Konflikt sagt.
Ich bin in der Lage, auf Deutsch meine Meinung über einen Konflikt zu sagen.
f) Ich kann auf Deutsch einem Mechaniker erklären, was am Auto kaputt ist.
Ich weiß, wie man auf Deutsch einem Mechaniker erklärt, was am Auto kaputt ist.
Ich bin in der Lage, auf Deutsch einem Mechaniker zu erklären, was am Auto kaputt ist.

23 **a)** für **b)** auf **c)** für **d)** mit **e)** über **f)** an **g)** von **h)** nach **i)** zu **j)** über **k)** zu **l)** an **m)** von **n)** mit **o)** mit **p)** auf **q)** über **r)** Gegen / Für **s)** auf **t)** über **u)** für **v)** über

Lektion 10

1 **a)** Auf dem Bild ist ein Junge zu sehen.
b) Der Motor ist nicht zu reparieren.
c) Dieser Fernseher ist nicht mehr zu reparieren.
d) Hier ist kein Wort zu verstehen.
e) Draußen ist kein Geräusch zu hören.
f) Solche Brillen sind in diesem Geschäft nicht zu kaufen.
g) Der Vertrag ist nicht zu kündigen.

2 **a)** A **b)** B **c)** A **d)** C **e)** A **f)** C

3 **a)** größte **b)** beste **c)** günstigsten **d)** mehr **e)** glücklichsten **f)** zufriedensten **g)** freundlicher **h)** höflicher **i)** länger **j)** schönsten **k)** bequemsten **l)** berühmtesten **m)** elegantesten **n)** frischeste **o)** haltbarsten **p)** preiswertesten **q)** spannendsten

4 Freie Lösung.

5 **a)** der Zucker **b)** die Milch **c)** das Mehl **d)** die Schokolade **e)** der Fisch **f)** der Apfel **g)** die Tomate **h)** das Salz **i)** das Fleisch **j)** die Butter **k)** das Ei **l)** der Wein **m)** der Käse **n)** die Kartoffel **o)** das Eis **p)** der Kaffee **q)** der Schnaps **r)** die Marmelade

6 **a)** Die Kunden müssen mit ihren vollgepackten Einkaufswagen an der Kasse warten.
b) Die Kunden werden durch wie Licht leuchtende Obstgebirge angelockt.
c) Durch spezielles Rotlicht wirken auch dünn geschnittene Schweineschnitzel wie Gourmetware.
d) Die an der Kasse stehenden Kunden müssen lange warten.
e) In Augenhöhe liegende Waren sind meistens teuer.
f) Die Kundin fragt eine in der Gemüseabteilung arbeitende Verkäuferin.
g) Die Kunden werden durch ständig laufende Kameras kontrolliert.
h) 20 bis 35 Prozent der gekauften Lebensmittel kommen in den Mülleimer.
i) Die frühmorgens gelieferte Frischware wird sofort in die Regale gestellt.

7 **a)** die steigenden Preise, die gestiegenen Preise
b) die gekauften Lebensmittel
c) die kochende Milch, die gekochte Milch
d) das reparierte Radio
e) das parkende Auto, das geparkte Auto
f) das umgetauschte Kleid
g) das bremsende Auto
h) die geputzten Zähne
i) die gewaschenen Kleider
j) die eingepackte Ware
k) das versprochene Geld
l) die suchende Verkäuferin, die gesuchte Verkäuferin
m) das gespülte Geschirr
n) die spülende Frau
o) die wartenden Kunden
p) die rufenden Kinder, die gerufenen Kinder

8 **a)** Was ist das? — Das ist eine Wand.
Eine Wand woraus? — Aus Dosen.
Dosen gefüllt womit? — Mit Suppe.
b) Was ist das? — Das sind Gläser.
Gläser gefüllt womit? — Mit Marmelade.
Marmelade woraus? — Aus Erdbeeren.
c) Was ist das? — Das ist ein Regal.
Ein Regal wofür? — Für Produkte.
Produkte woraus? — Aus Milch.
d) Was ist das? — Das ist eine Abteilung.
Eine Abteilung wofür? — Für Fleisch.
Wie ist das Fleisch? — Frisch.
e) Was ist das? — Das ist eine Färbung.
Eine Färbung wodurch? — Durch Licht.
Wie ist das Licht? — Rot.
f) Was ist das? — Das ist eine Mauer.
Eine Mauer woraus? — Aus Tüten.
Tüten gefüllt womit? — Mit Milch.
g) Was ist das? — Das ist eine Tür.
Eine Tür wofür? — Für einen Kühlschrank.
Einen Kühlschrank wofür? — Für Getränke.

9 **a)** Gartenteichpflanzen **b)** Lederwarenabteilung **c)** Bratentopfdeckel **d)** Sommerferienbeginn **e)** Kinderskikurs **f)** Bürohochhaus **g)** Plastiktütenfabrik **h)** Kundenparkplatz

10 **a)** unteren rechten **b)** oberen linken **c)** oberen rechten **d)** unteren linken **e)** vordere rechte **f)** vordere mittlere **g)** hintere linke **h)** hintere rechte **i)** vordere linke **j)** hintere mittlere

11 **a)** → 4 **b)** → 5 **c)** → 2 **d)** → 6 **e)** → 1 **f)** → 3

12 **a)** Nimm nur, was auf deiner Einkaufsliste steht.
Nehmt nur, was auf eurer Einkaufsliste steht.
b) Kauf nur, was du wirklich brauchst.
Kauft nur, was ihr wirklich braucht.
c) Gib nicht zuviel Geld aus.
Gebt nicht zuviel Geld aus.
d) Schreib vor dem Einkaufen eine Einkaufsliste.
Schreibt vor dem Einkaufen eine Einkaufsliste.
e) Iss etwas, bevor du einkaufen gehst
Esst etwas, bevor ihr einkaufen geht.
f) Lies die Preise genau, bevor du etwas in den Wagen legst.
Lest die Preise genau, bevor ihr etwas in den Wagen legt.

13 **a)** über die **b)** worüber **c)** was **d)** die **e)** worüber **f)** was **g)** wo **h)** in denen **i)** wonach **j)** wofür **k)** an die **l)** woran

14 **A)** B **b)** A **c)** C **d)** B **e)** A

15 **a)** Ich kaufe am liebsten im Supermarkt, weil man dort eine große Auswahl hat.
Ich kaufe am liebsten im Supermarkt, denn dort hat man eine große Auswahl.
Ich kaufe am liebsten im Supermarkt. Dort hat man nämlich eine große Auswahl.
Wegen der großen Auswahl kaufe ich am liebsten im Supermarkt.
Die Auswahl im Supermarkt ist sehr groß. Deshalb kaufe ich dort am liebsten.
b) Ich kaufe am liebsten im Fachgeschäft, weil man dort gut beraten wird.
Ich kaufe am liebsten im Fachgeschäft, denn dort wird man gut beraten.
Ich kaufe am liebsten im Fachgeschäft. Dort wird man nämlich gut beraten.
Wegen der guten Beratung kaufe ich am liebsten im Fachgeschäft.
Die Beratung im Fachgeschäft ist sehr gut. Deshalb kaufe ich dort am liebsten.
c) Ich kaufe nicht gern in der Fußgängerzone, weil man dort Parkplatzprobleme hat.
Ich kaufe nicht gern in der Fußgängerzone, denn dort hat man Parkplatzprobleme.
Ich kaufe nicht gern in der Fußgängerzone. Dort hat man nämlich Parkplatzprobleme.
Wegen der Parkplatzprobleme kaufe ich nicht gern in der Fußgängerzone.
In der Fußgängerzone hat man Parkplatzprobleme. Deshalb kaufe ich dort nicht gern.

16 **zu a):** Ich habe keine Ahnung,
Ich frage mich,
Ich habe vergessen,
Ich weiß nicht mehr,
Ich möchte (will) wissen,

zu a) und b): Ich habe gehört,
Ich habe gelesen,
Es ist klar, / Mir ist klar,
Ich kann mir vorstellen,
Ich weiß,

zu b): Ich nehme an,
Ich behaupte,
Ich bezweifle,
Ich denke,
Ich erinnere mich,
Ich stelle fest,
Ich fürchte,
Ich glaube,
Es scheint, / Mir scheint,
Ich bin sicher,
Ich bin überzeugt,
Ich vermute,

17 **a)** Zinsen **b)** Staatsangehörigkeit **c)** Konto **d)** Automat **e)** Miete **f)** Scheckkarte **g)** Summe **h)** Überweisung

18 **a)** C **b)** B **c)** C **d)** A **e)** C

19 **a)** Wenn Hans das Gold nicht weggegeben hätte, wäre er ein reicher Mann gewesen.
b) Wenn Frau Schachtner den Kredit nicht genommen hätte, hätte sie das Auto nicht kaufen können.
c) Wenn Frau Kunze die Anzeige nicht gelesen hätte, hätte sie ein anderes Waschmittel genommen.
d) Wenn Herr Berlacher sich einen Einkaufszettel geschrieben hätte, hätte er das Obst nicht vergessen.
e) Wenn Herr Gaus die Küchenmaschine im Fachgeschäft gekauft hätte, hätte er mehr Auswahl gehabt.
f) Wenn Frau Lechner vorher die Preise verglichen hätte, hätte sie den Fernsehapparat billiger bekommen.
g) Wenn Herr Zander keine Versicherung gehabt hätte, hätte er den Schaden selbst bezahlen müssen.
h) Wenn Frau Simmet zum Supermarkt gefahren wäre, hätte sie sofort einen Parkplatz gefunden.

20 **a)** 3 **b)** 4 **c)** 6 **d)** 1 **e)** 2 **f)** 5

21 **a)** Schuh **b)** Fleisch **c)** Medizin **d)** Salat **e)** Angst **f)** Wurst **g)** Polizist **h)** Haus **i)** Arbeitszeit

22 **a)** E **b)** E **c)** B **d)** E **e)** D

23 **a)** 5 **b)** 4 **c)** 2 **d)** 3 **e)** 1

24 Lösungsvorschlag:
(Adresse) (Datum)

Sehr geehrte Damen und Herren,

vor acht Monaten habe ich beim Eisenwarengeschäft Stephens in Münster diese Bohrmaschine gekauft. Zuerst funktionierte sie sehr gut, aber jetzt ist etwas daran kaputt. Sie läuft unregelmäßig und nicht mehr schnell genug.
Ich bin sicher, dass ich nichts falsch gemacht habe. Ich habe die Bedienungsvorschriften immer genau beachtet.
Ich bitte Sie um eine kostenlose Reparatur. Bitte schicken Sie die Maschine so schnell wie möglich zurück, weil ich sie dringend brauche. Die Garantiekarte und der Kassenzettel liegen diesem Brief bei.

Mit freundlichen Grüßen
(Unterschrift)

25 **A.** Waagerecht:
2 KÜHLSCHRANK **5** HANDTUCH **7** STREICHHOLZ **9** SESSEL **11** TELLER **13** LÖFFEL **14** TASCHENTUCH **15** SEIFE **16** KLEIDERBÜGEL **18** FOTOAPPARAT **21** KOFFER **22** POSTKARTE **23** SCHERE **24** WECKER
Senkrecht:
1 RASIERKLINGE **3** SCHIRM **4** STAUBSAUGER **6** BALL **7** SCHLÜSSEL **8** KALENDER **10** PFLASTER **12** SCHALLPLATTE **14** THERMOMETER **17** BLEISTIFT **19** TEPPICH **20** HAMMER

B. die: Seife, Postkarte, Schere, Rasierklinge, Schallplatte;
das: Handtuch, Streichholz, Taschentuch, Pflaster, Thermometer
alle anderen: der

Lektion 11

1 **a)** Könnte ich bitte mit Frau Jasper sprechen?
b) Würdest du mir bei meinem Umzug helfen?
c) Würden Sie mir bitte den Zucker geben?
d) Hätten Sie heute Nachmittag Zeit?
e) Ginge das? / Würde das gehen?
f) Ich würde lieber mit Herrn Kastor persönlich sprechen. / Ich spräche lieber …
g) Würden Sie ein Glas Wein mit mir trinken?
h) Dürfte ich hier rauchen?
i) Sie müssten nächste Woche noch einmal kommen.
j) Wäre es möglich, dass Sie mich morgen anrufen?
k) Würden Sie bitte einen Moment warten?
l) Würde es Ihnen morgen um vier Uhr passen?
m) Dürfte ich dich um einen Gefallen bitten?
n) Du müsstest mit Frau Sabitz über das Problem sprechen.
o) Könnten Sie mir bitte Ihren Namen sagen?
p) Wäre es Ihnen recht, wenn ich morgen um acht Uhr käme?

2 **a)** 4 **b)** 6 **c)** 1 **d)** 2 **e)** 3 **f)** 5

3 **a)** B **b)** B **c)** A **d)** B **e)** B **f)** A **g)** B **h)** A **i)** B **j)** B

4 **a)** D **b)** C **c)** C **d)** D **e)** A **f)** C

5 **a)** Sie sagt, sie arbeite schon über dreißig Jahre auf dem Markt.
b) Der Polizist meint, das „Du" sei eine Beleidigung.
c) Sie behauptet, auf dem Land sage jeder zu jedem „du".
d) Sie argumentiert, man sage auch zum Herrgott „du".
e) Sie hat erzählt, sie müsse unbedingt drei Tische haben.
f) Sie erzählte, sie habe früher jeden Tag auf dem Wochenmarkt gearbeitet.
g) Sie sagt, sie könne drei Fremdsprachen sprechen.
h) Sie sagt, sie habe drei Fremdsprachen gelernt.
i) Der Polizist sagte ihr, sie dürfe nur einen Tisch aufbauen.
j) Dem Richter sagte sie, sie komme vom Land.
k) Dem Richter sagte sie, sie habe auf dem Land gewohnt.
l) Dem Richter erklärte sie, sie meine das „Du" nicht böse.
m) Dem Richter erklärte sie, sie habe das „Du" nicht böse gemeint.
n) Sie sagte, sie spreche in Zukunft jeden Polizisten mit „Sie" an.
o) Sie sagte, sie werde in Zukunft jeden Polizisten mit „Sie" ansprechen.

6

ich	gehe	ginge	will	wolle	habe	hätte	bin	sei
du	gehst	gingest	willst	wolltest	hast	hättest	bist	seist
er / sie / es / man	geht	gehe	will	wolle	hat	habe	ist	sei
wir	gehen	gingen	wollen	wollten	haben	hätten	sind	seien
ihr	geht	gingt	wollt	wolltet	habt	hättet	seid	seiet
sie / Sie	gehen	gingen	wollen	wollten	haben	hatten	sind	seien

7 **a)** Schüler werden von Lehrern gesiezt, wenn sie sechzehn Jahre alt sind.
b) Wenn man befreundet oder gut miteinander bekannt ist, sagt man „du" zueinander.
c) Weil die Marktfrau den Polizisten duzte, musste sie 2250 Mark Geldstrafe bezahlen.
d) Die Marktfrau hat den Polizisten geduzt, obwohl er es nicht wollte.
e) Weil die Marktfrau nicht sagen wollte, wie viel sie verdient, wurde ihr Einkommen geschätzt.
f) Obwohl nur ein Tisch erlaubt war, baute die Marktfrau drei Tische auf.
g) Man benutzt den Vornamen, wenn man sich duzt.

8 Richtig: b), e), f), g)

9 **a)** 3 **b)** 1 **c)** 2 **d)** 3 **e)** 3 **f)** 1 **g)** 2 **h)** 2 **i)** 3 **j)** 1

10 **a)** Bitte hilf mir, den Koffer zu tragen.
Würdest du mir bitte helfen, den Koffer zu tragen?
b) Machen Sie mir doch bitte einen Kaffee!
Könnten Sie mir bitte einen Kaffee machen?
c) Gibst du mir bitte Feuer?
Würdest du mir Feuer geben?
d) Komm doch mal her!
Kannst du mal herkommen?
e) Bitte machen Sie den Fernseher aus!
Würden Sie bitte den Fernseher ausmachen?
f) Rufst du mich morgen an?
Du könntest mich morgen anrufen.

11 **1** Januar
2 Februar
3 März
4 April
5 Mai
6 Juni
7 Juli
8 August
9 September
10 Oktober
11 November
12 Dezember
I Frühling
II Sommer
III Herbst
IV Winter

12

1	2	3	4	5	6	7	8	9
F	C	H	I	D	E	B	A	G

13 **a)** Es war das erste Mal
b) Es war sehr heiß
c) es wird Zeit
d) Es dauert nur ein paar Minuten
e) Es gibt
f) Es stimmt nicht
g) es geht ihm ganz gut
h) Es wurde den ganzen Abend getanzt
i) Es ist schön
j) Ich habe es eilig
k) es klappt
l) es ist so laut

14 **a)** Es **b)** – **c)** Es **d)** – **e)** Es, es **f)** – **g)** es **h)** Es **i)** – **j)** es **k)** –

15 **a)** … dass ihr altes Auto es doch geschafft habe.
b) … dass ihr altes Auto an allen Ecken und Enden klappere, aber dass es doch fahre.
c) … dass sie das letzte Mal mit dem Auto in den Urlaub führen. / … fahren würden.
d) … dass sie das nächste Mal mit der Bahn fahren wollten.
e) … dass es auf der Autobahn viele Staus gegeben habe.
f) … dass sie das nächste Mal mit dem Zug führen. / … fahren würden.
g) … dass die Autofahrt wirklich schlimm gewesen sei.
h) … dass sie stundenlang auf der Autobahn gestanden hätten.
i) … dass sie seit zwei Wochen in Ampuriabrava seien.
j) … dass sie schon baden könnten, obwohl es noch Frühling sei.
k) … dass sie und Hans jeden Tag zum Baden gingen. / … gehen würden.
l) … dass es überall blühe, und dass es nach Blumen dufte.
m) … dass ihr der Urlaub sehr gut gefalle.
n) … dass es ihnen sehr gut gehe.
o) … dass sie sehr glücklich sei, und Hans auch, aber dass er es nicht sage.
p) … dass sie heute Abend bei ihren Nachbarn eingeladen seien.
q) … dass sie nächste Woche zurückkomme.
r) … dass sie nächste Woche leider schon zurückfahren müssten.

16 **a)** Halbpension **b)** Jahreszeit **c)** Nachricht **d)** Absender **e)** Gruß **f)** Prospekt **g)** Reservierung **h)** Schreiben **i)** Neuigkeit

17 Lösungsvorschlag:
a) schlimm **b)** ekelhaft **c)** schrecklichen / furchtbaren / entsetzlichen **d)** unerträglich **e)** unerträglichen **f)** schrecklich / furchtbar / entsetzlich **g)** ekelhaft **h)** schlimme / scheußliche i) schlimmen / scheußlichen

18 Lösungsvorschläge:
a) Liebe Mutti, lieber Vati,
herzliche Feriengrüße aus … Wir sind hier in einem ausgezeichneten Hotel direkt am Meer. Es ist sehr heiß, nur gestern hat es geregnet. Wir schwimmen und tauchen jeden Tag im Meer und abends gehen wir in der kleinen Stadt spazieren. Man kann hier fantastische Fischgerichte essen! Gestern waren wir in einem kleinen Museum und heute Abend wollen wir in die Disco.
Ihr seht also, es geht uns ganz gut. Nächste Woche am Freitag kommen wir wieder nach Hause.
Herzliche Grüße von eurer …

b) Liebe Hanna,
ganz herzliche Grüße aus dem Winterurlaub. Ich bin hier mit ein paar Bekannten in den Bergen. Wir haben eine sehr gemütliche Ferienwohnung gemietet. Jeden Tag fahren wir Ski, von zehn Uhr bis zum Nachmittag. Bis jetzt war das Wetter leider nicht so gut, wir hatten Nebel und vor drei Tagen hat es den ganzen Tag geschneit. Aber heute scheint endlich die Sonne, da macht das Skifahren so richtig Spaß. Es ist allerdings immer noch sehr kalt.
Du siehst also, es geht mir ganz prima. Die Landschaft ist einmalig, die Berge sind wirklich beeindruckend. Nur schade, dass du nicht dabei bist! Jedenfalls wünsche ich dir viel Glück für die Prüfung nächste Woche.
Mach's gut, alles Liebe und bis bald!
Deine …

c) Liebe Frau Schröder, lieber Herr Schröder,
herzliche Urlaubsgrüße aus Rom. Wir sind für eine Woche hier und genießen diese herrliche Stadt. Es gibt so viele Sehenswürdigkeiten, dass man gar nicht alles anschauen kann. Wir waren schon in vier Museen, im Vatikan und auf dem Forum, und wir haben schon mindestens ein Dutzend wunderbare Kirchen gesehen. Unser Hotel ist sehr ruhig, obwohl es fast in der Stadtmitte liegt, der Service ist gut und das Essen ausgezeichnet. Aber natürlich essen wir meistens nicht im Hotel, sondern suchen uns ein gemütliches Restaurant.
Am Sonntag sind wir wieder zurück. Bis dann!
Herzliche Grüße von
… und …

19 **a)** fuhr **b)** blieb **c)** hörte **d)** versuchte **e)** schaffte **f)** wurde **g)** jagte **h)** holte – ab **i)** starb **j)** lebte **k)** war **l)** musste **m)** ankam **n)** wurde **o)** warteten **p)** beugten **q)** sagte

20 **a)** Die Ministerpräsidentin ist bei den Wählerinnen und Wählern sehr beliebt.
b) Unsere Universität hat etwa 3500 Studentinnen und Studenten.
c) Die Ausstellung hatte in dieser Woche viele Besucherinnen und Besucher.
d) Die Bürgerinnen und Bürger von Hochheim trafen sich auf dem Marktplatz.

21 **a)** B **b)** B **c)** A **d)** A **e)** B **f)** B

22 **a)** nach einem
dem
der
einem

b) mit einem
einer
dem
dem

c) zum
zu meiner
einer
einer

d) an das
das
meinen
die

e) um ein
ein
einen
eine

f) für das
seine
die
den

g) mit ihrem
der
meinem
dem

h) nach

i) an den
die
unseren

j) über das
die
den
das

k) über die
seinen
das
den

l) für das
die
den

Lektion 12

1 Advent: a), j) Nikolaustag: f), m) Weihnachten: g), l) Silvester: b), e) Heilige Drei Könige: c), i) Fasching: d), n) Ostern: h), k)

2 **a)** 5 **b)** 2 **c)** 1 **d)** 6 **e)** 3 **f)** 4

3 **a)** Am – vor **b)** in – in **c)** vom – bis zum **d)** am – vor **e)** zwischen **f)** vom – bis zum **g)** In – zwischen – um

4 **a)** Am ersten Sonntag wird die erste Kerze angezündet.
b) Am Heiligen Abend wird der Tannenbaum geschmückt.
c) In Deutschland wird das neue Jahr laut und lustig gefeiert.
d) Am Silvesterabend werden Gäste zu einer Feier eingeladen.
e) Um Mitternacht wird auf der Straße ein privates Feuerwerk veranstaltet.
f) In Basel, Mainz, Köln und Düsseldorf wird der Fasching besonders schön und intensiv gefeiert.
g) Zu Ostern werden gekochte Eier bemalt.
h) Für die Kinder werden im Garten Süßigkeiten und kleine Geschenke versteckt.

5 Freie Lösung.

6 **a)** Geburt **b)** König **c)** Ostern **d)** Fabrik **e)** Fest **f)** Himmel **g)** Kalender **h)** Schmuck **i)** Stern **j)** Tat **k)** Neujahr

7 **a)** C **b)** A **c)** C **d)** A **e)** A **f)** C

8 **a)** dir **b)** ihr **c)** mir **d)** uns **e)** euch **f)** Ihnen **g)** ihm **h)** ihnen

9 **a)** Küchenwaage **b)** Kochbuch **c)** Spülmaschine **d)** Spüle **e)** Backofen **f)** Kühlschrank **g)** Mikrowelle **h)** Geschirrtuch **i)** Küchenuhr **j)** Herd **k)** Abfalleimer **l)** Bratpfanne

10 **a)** im **b)** in den **c)** im **d)** in den **e)** neben die – auf den **f)** neben der – auf dem **g)** auf den **h)** auf dem **i)** unter den **j)** unter dem **k)** an der **l)** an die **m)** über die **n)** vor die – auf die

11 **a)** gewaschenen – abgetrockneten **b)** gesalzene – gefüllte **c)** geschnittenen – zerdrückten **d)** versteckten **e)** geschmückten **f)** gestellten

12 **a)** A **b)** C **c)** C **d)** C **e)** A **f)** B

13 **a)** In Deutschland ist es üblich, den Gastgebern ein kleines Geschenk mitzubringen.
…, dass man den Gastgebern ein kleines Geschenk mitbringt.
b) In Deutschland ist es üblich, eine Heirat durch eine Zeitungsanzeige bekanntzugeben.
…, dass man eine Heirat durch eine Zeitungsanzeige bekanntgibt.
c) In Deutschland ist es üblich, auch bei Freunden einen Besuch vorher anzumelden.
…, dass man auch bei Freunden einen Besuch vorher anmeldet.
d) In Deutschland ist es üblich, auch nach dem Essen noch Alkohol zu trinken.
…, dass man auch nach dem Essen noch Alkohol trinkt.
e) In Deutschland ist es üblich, auch bei Einladungen von Freunden pünktlich zu sein.
…, dass man auch bei Einladungen von Freunden pünktlich ist.
f) In Deutschland ist es üblich, neuen Gästen das Haus oder die Wohnung zu zeigen.
…, dass man neuen Gästen das Haus oder die Wohnung zeigt.
g) In Deutschland ist es üblich, alle Gäste zu einer Hochzeit persönlich einzuladen.
…, dass man alle Gäste zu einer Hochzeit persönlich einlädt.
h) In Deutschland ist es üblich, nur seinen Geburtstag und nicht seinen Namenstag zu feiern.
…, dass man nur seinen Geburtstag und nicht seinen Namenstag feiert.
i) In Deutschland ist es üblich, abends nicht später als um zwanzig Uhr zu essen.
…, dass man abends nicht später als um zwanzig Uhr isst.

14 **a)** D **b)** C **c)** B **d)** C **e)** D **f)** C

15 **a)** 4 **b)** 7 **c)** 1 **d)** 2 **e)** 8 **f)** 5 **g)** 3 **h)** 6

16 **a)** aufräumen **b)** sorgt **c)** unterbrechen **d)** geläutet **e)** vorbeikommen **f)** klappt **g)** begegnet **h)** bade **i)** stimmt

17 **a)** Wer zu spät kommt, sollte sich entschuldigen und sagen, warum er nicht früher kommen konnte.
b) Wer Blumen mitbringt, kann fast nichts falsch machen.
c) Wer einer Frau rote Rosen schenkt, zeigt damit, dass er sie liebt.
d) Wer für den Nachmittag eingeladen ist, sollte nicht bis zum Abendessen bleiben.
e) Wer absolut pünktlich kommt, kommt vielleicht zu früh.
f) Wer unerwartet Kinder oder Freunde mitbringt, verärgert vielleicht seine Gastgeber.
g) Wer nicht passend gekleidet ist, stört eventuell die anderen Gäste.
h) Wer will, kann statt Blumen auch eine Flasche Wein mitbringen.
i) Wer bis lange nach Mitternacht bleibt, wird vielleicht das nächste Mal nicht mehr eingeladen.
j) Wer Blumen mit dem Papier schenkt, zeigt damit, dass er die Regeln für Einladungen nicht beherrscht.

18 Trennbarer Verbzusatz vorn

Infinitiv	*„Er …“*	*„zu“ + Infinitiv*	*Partizip II*
aufmachen	macht … auf	aufzumachen	hat aufgemacht
aufbewahren	bewahrt … auf	aufzubewahren	hat aufbewahrt
sich vorstellen	stellt sich … vor	sich vorzustellen	hat sich vorgestellt
sich vorbereiten	bereitet sich … vor	sich vorzubereiten	hat sich vorbereitet

Untrennbarer Verbzusatz vorn

Infinitiv	*„Er …“*	*„zu“ + Infinitiv*	*Partizip II*
ablegen	legt … ab	abzulegen	hat abgelegt
sich verabreden	verabredet sich	sich zu verabreden	hat sich verabredet
sich verabschieden	verabschiedet sich	sich zu verabschieden	hat sich verabschiedet
anstoßen	stößt … an	anzustoßen	hat angestoßen
beantragen	beantragt	zu beantragen	hat beantragt
zurückkehren	kehrt … zurück	zurückzukehren	ist zurückgekehrt
berücksichtigen	berücksichtigt	zu berücksichtigen	hat berücksichtigt

19 **a)** lädst – ein **b)** bekommen **c)** bringt – mit **d)** verstehe **e)** packen – ein **f)** Erkennst **g)** Begießen **h)** Drehen – um **i)** kommen – herein **j)** Verabrede **k)** räumt – auf **l)** Zieh – um **m)** Halten – an **n)** erzählt **o)** berühren **p)** fallen – ein **q)** unterbricht **r)** schenk – ein

20 **a)** Irgendwo **b)** Irgendwas **c)** irgendwer **d)** irgendwie **e)** irgendwohin **f)** irgendwann

21 **a)** jeden **b)** jeden **c)** jeden **d)** jedes **e)** jedes **f)** jedem **g)** Jeder – jeder **h)** jede **i)** Jeder **j)** Jede **k)** jeder

22 **a)** B **b)** A **c)** A **d)** B **e)** C

23 **a)** Die Gäste müssen eingeladen werden.
b) Die Einladungskarten müssen geschrieben werden.
c) Ein Menü muss ausgewählt werden.
d) Lebensmittel und Getränke müssen gekauft werden.
e) Das Essen muss gekocht werden.
f) Die Küche muss aufgeräumt werden.
g) Das Geschirr muss abgewaschen werden.
h) Der Tisch muss gedeckt werden.
i) Die Getränke müssen in den Kühlschrank. gestellt werden.
j) Die Gäste müssen begrüßt werden.
k) Die Gäste müssen gefragt werden, was sie trinken wollen.
l) Das Essen muss serviert werden.

24 **a)** schneiden, kaufen, gießen, schicken, pflücken
b) kämmen, schneiden, waschen
c) betreten, gießen, überqueren
d) essen, schneiden, backen, kaufen
e) parken, fahren, reparieren, waschen, kaufen, abschleppen, anmelden
f) essen, kochen, kaufen
g) reparieren, packen, kaufen, schicken, tragen
h) einladen, besuchen, begrüßen, anrufen
i) übersetzen, lesen, schreiben, schicken

Lektion 13

1 Lösungsvorschlag:
Etwa um zehn Uhr wachte ich auf. Aber ich wollte noch nicht aufstehen. Ich kochte nur schnell Kaffee und sah nach, ob Post im Briefkasten war. Aber da waren nur die Zeitung und ein paar Werbeprospekte.
Dann ging ich wieder ins Bett, trank meinen Kaffee und las die Zeitung. Erst gegen Mittag stand ich auf. Ich nahm ein Bad und hörte dabei eine CD von Udo Lindenberg. Zum Mittagessen ging ich in ein Restaurant Danach machte ich einen kleinen Spaziergang.
Am Nachmittag schaute ich mir zuerst eine Sportsendung im Fernsehen an. Dann ging ich in den Garten, um die Blumen zu gießen. Nachher setzte ich mich an den Küchentisch und schrieb einen Brief.
Gerade als ich fertig war, bekam ich überraschend Besuch von einem Freund. Wir aßen gemeinsam zu Abend und spielten danach Karten. Wir spielten ziemlich lange, dann verabschiedete er sich von mir. Etwa um halb zwölf legte ich mich ins Bett und schlief gleich ein.

2 Freie Lösung.

3 **a)** anzünden **b)** reparieren **c)** atmen **d)** ausruhen **e)** riechen **f)** hören **g)** blühen **h)** klettern **i)** lügen

4 **a)** 16.15 **b)** 9.30 **c)** 19.45 **d)** 4.35 **e)** 13.50 **f)** 20.40 **g)** 6.35 **h)** 23.00 **i)** 11.45 **j)** 24.00 / 0.00

5 **a)** 5 **b)** 7 **c)** 1 **d)** 6 **e)** 2 **f)** 4 **g)** 3

6 **A. a)** Gestern Abend **b)** dabei **c)** Zuerst **d)** dann **e)** heute Morgen **f)** Da **g)** Danach **h)** Jetzt
B. a) heute Morgen **b)** Da **c)** Zuerst **d)** Dann **e)** danach **f)** dann

7 **a)** Ich bin in einen Lift eingestiegen.
b) Plötzlich ist von hinten ein Auto gekommen.
c) Keiner hat gewusst, was eigentlich los war. (… los gewesen ist.)
d) Ich bin von der Leiter gefallen.
e) Das Auto hat mich angefahren.
f) Dann bin ich zu Fuß zur nächsten Haltestelle gegangen.
g) Als es passiert ist, habe ich gerade die Zeitung gelesen.
h) Ich habe nicht an meinen Termin gedacht.
i) Nach dem Unfall ist Benzin aus dem Tank gelaufen.
j) Am Bahnhof habe ich dann ein Taxi genommen.

8 **a)** Die Wohnung muss geputzt werden.
b) Das Kinderzimmer muss aufgeräumt werden.
c) Die Wäsche muss gewaschen werden.
d) Die Lampe im Flur muss repariert werden.
e) Die Wäsche muss gebügelt werden.
f) Die Kinder müssen aus der Schule geholt werden.
g) Das Geschirr muss abgewaschen werden.
h) Die Schuhe müssen geputzt werden.
i) Die Vorhänge müssen in die Reinigung gebracht. werden.

9 **a)** C **b)** B **c)** A **d)** B **e)** C

Schlüssel

10 a) zu weit unten – zu weit links – weiter oben – weiter rechts
b) zu nahe beisammen – weiter auseinander
c) zu nahe bei – näher beim – weiter entfernt von
d) horizontal – vertikal
e) zu weit unten – näher beim
f) über – darunter – zwischen
g) zu weit rechts – weiter links
h) zu weit entfernt von – zu weit auseinander – näher bei – näher beisammen

11 a) Umschaltknopf **b)** Stopptaste **c)** Ladevorgang **d)** Anzeigefeld **e)** Geschirrspülmaschine **f)** Waschmaschine **g)** Backofen **h)** Duschkabine **i)** Hörgerät **j)** Schieberegler **k)** Leselampe **l)** Messgerät **m)** Rechner **n)** Schalter **o)** Regler **p)** Wäschetrockner **q)** Kopierer **r)** Hersteller **s)** Prüfer **t)** Anrufer **u)** Fahrer

12 a) Zuerst müssen Sie die richtige Filmempfindlichkeit einstellen.
Zuerst muss die richtige Filmempfindlichkeit eingestellt werden.
Zuerst ist die richtige Filmempfindlichkeit einzustellen.
Stellen Sie zuerst die richtige Filmempfindlichkeit ein.
b) Zuerst müssen Sie die Klappe des Mobilteils öffnen.
Zuerst muss die Klappe des Mobilteils geöffnet werden.
Zuerst ist die Klappe des Mobilteils zu öffnen.
Öffnen Sie zuerst die Klappe des Mobilteils.
c) Dann müssen Sie die Wahlwiederholtaste drücken.
Dann muss die Wahlwiederholtaste gedrückt werden.
Dann ist die Wahlwiederholtaste zu drücken.
Drücken Sie dann die Wahlwiederholtaste.
d) Zum Schluss müssen Sie die Klappe schließen.
Zum Schluss muss die Klappe geschlossen werden.
Zum Schluss ist die Klappe zu schließen.
Schließen Sie zum Schluss die Klappe.

13 a) rausnehmen, herausnehmen
b) reinstecken, hineinstecken
c) aufklappen
d) abnehmen
e) zuklappen, runterklappen
f) runterdrücken, herunterdrücken
g) zusammenstecken
h) raufziehen, hinaufziehen, hochziehen

14 a) durch **b)** ab **c)** heraus / raus **d)** aus **e)** vor **f)** zusammen **g)** mit **h)** weiter **i)** hinauf / rauf **j)** weg **k)** hinunter / runter

15 a) aus der **b)** der **c)** des / für **d)** im **e)** über die / den / den **f)** durch das **g)** für **h)** des **i)** unter **j)** mit

16 a) Ohne Kraftwerke gäbe es keine elektrischen Geräte, und man müsste auch schwere Arbeiten von Hand machen.
b) Ohne den Buchdruck könnte man neues Wissen nicht so leicht an andere Personen weitergeben.
c) Ohne das Auto und die Eisenbahn müsste man zu Fuß gehen oder mit dem Fahrrad fahren.
d) Ohne das Mikroskop hätte man die Ursache vieler Krankheiten nicht erkannt.
e) Ohne das Penizillin würden viele Menschen jung sterben.
f) Ohne Satelliten im Weltraum müsste man die Kontinente durch Telefonkabel verbinden.
g) Ohne die Fotografie wüssten die meisten Leute viel weniger genau, wie die Welt aussieht.
h) Ohne Fernsehen und Radio wäre man schlechter informiert.

17 a) 3 **b)** 7 **c)** 1 **d)** 6 **e)** 2 **f)** 5 **g)** 4

18 a) Zum Kaffeekochen braucht man eine Kaffeemaschine.
Um Kaffee zu kochen, braucht man eine Kaffeemaschine.
b) Zum Kühlen von Lebensmitteln braucht man einen Kühlschrank.
Um Lebensmittel zu kühlen, braucht man einen Kühlschrank.
c) Zum Waschen von Wäsche braucht man eine Waschmaschine.
Um Wäsche zu waschen, braucht man eine Waschmaschine.
d) Zum Spülen von Geschirr braucht man eine Spüle oder eine Spülmaschine.
Um Geschirr zu spülen, braucht man eine Spüle oder eine Spülmaschine.
e) Zum Duschen braucht man warmes Wasser.
Um zu duschen, braucht man warmes Wasser.
f) Zum Saubermachen braucht man Reinigungsgeräte und Putzmittel.
Um sauberzumachen, braucht man Reinigungsgeräte und Putzmittel.
g) Zum Aufräumen braucht man Lust und Geduld.
Um aufzuräumen, braucht man Lust und Geduld
h) Zum Braten von Eiern braucht man eine Pfanne.
Um Eier zu braten, braucht man eine Pfanne.

19 a) Nora meint, zuerst finde man neue Erfindungen meistens gut, aber später merke man oft, dass die Natur zerstört werde.
b) Konrad meint, das Auto verschmutze die Luft, aber wir könnten trotzdem nicht darauf verzichten.
c) Gerd meint, die Sprays mit FCKW seien sehr praktisch gewesen, aber wir hätten damit die Ozonschicht kaputtgemacht.

d) Jens meint, man müsse Produkte entwickeln, deren Produktion wenig Energie verbrauche.
e) Andrea meint, die Technik sei gut für die Industrie, aber man müsse aufpassen, dass sie den Menschen nicht ihre Arbeitsplätze wegnehme.
f) Uwe meint, das Auto sei bequem, aber es produziere CO_2, das Gift sei für unseren Wald. / ... das Gift ist für unseren Wald.
g) Renate meint, durch die moderne Kommunikationstechnik erhalte man schnell neue Informationen.
h) Wolfgang meint, die Kernenergie spare Rohstoffe, aber sie sei eine Gefahr für unsere Sicherheit.
i) Anne meint, die Industrie brauche Chemiestoffe. Es müsse aber dafür gesorgt werden, dass unser Wasser nicht durch Chemie vergiftet werde. / ... vergiftet wird.

20 **a)** auf die, die, die **b)** mit der, der, dem **c)** zur, zu Ihrer, deiner **d)** um deine, das, seinen **e)** über die, die, das **f)** nach, nach der, der **g)** auf, auf den, den **h)** zu den, diesem, deinem

21 **a)** Zigarre **b)** Inflation **c)** Teppich **d)** Strom **e)** Öffnungszeiten **f)** Rest **g)** Scheibe **h)** Luft **i)** Speck **j)** Mal **k)** Quadratmeter **l)** Wirkung **m)** Gewicht **n)** Führung **o)** Vortrag

Lektion 14

1 Die Sätze d), e), h) und k) stimmen nicht mit dem überein, was in den Kurztexten steht.

2 **a)** 3 **b)** 7 **c)** 5 **d)** 2 **e)** 1 **f)** 6 **g)** 4

3 **a)** Nazi **b)** Ziel **c)** Schriftsteller **d)** Mehrheit **e)** Weltkrieg **f)** Protest **g)** Opposition **h)** Regierung **i)** Journalist **j)** Osten **k)** Titel **l)** Künstler

4 **a)** brauchte – **b)** bestätigte – **c)** gehört hatte **d)** kritisierten – **e)** geändert worden war **f)** geflüchtet waren **g)** schloss – **h)** baute – **i)** gelebt hatten **j)** geflohen waren **k)** geöffnet wurde – **l)** hatten – **m)** verloren hatten **n)** demonstriert hatten **o)** machten – **p)** wurden – **q)** gab – **r)** war gewesen / war – **s)** bekommen hatte **t)** eingeführt worden war **u)** lohnte – **v)** hatte getauscht **w)** hatte – (/ gehabt hatte) **x)** begann – **y)** hatte geachtet **z)** entstanden – / entstanden waren

5

	hören	fliehen	entlassen werden
ich	*hörte* *habe gehört* *hatte gehört*	*floh* *bin geflohen* *war geflohen*	*wurde entlassen* *bin entlassen worden* *war entlassen worden*
du	*hörtest* *hast gehört* *hattest gehört*	*flohst* *bist geflohen* *warst geflohen*	*wurdest entlassen* *bist entlassen worden* *warst entlassen worden*
er / sie / es / man	*hörte* *hat gehört* *hatte gehört*	*floh* *ist geflohen* *war geflohen*	*wurde entlassen* *ist entlassen worden* *war entlassen worden*
wir	*hörten* *haben gehört* *hatten gehört*	*flohen* *sind geflohen* *waren geflohen*	*wurden entlassen* *sind entlassen worden* *waren entlassen worden*
ihr	*hörtet* *habt gehört* *hattet gehört*	*flohet* *seid geflohen* *wart geflohen*	*wurdet entlassen* *seid entlassen worden* *wart entlassen worden*
sie / Sie	*hörten* *haben gehört* *hatten gehört*	*flohen* *sind geflohen* *waren geflohen*	*wurden entlassen* *sind entlassen worden* *waren entlassen worden*

6 **a)** Einen Tag nach Kriegsende. **b)** Auf dem Tisch. **c)** Auf einem viel zu kurzen Sofa. **d)** Etwas zu trinken und ein Stück Brot. **e)** Im Kinderwagen. **f)** Schlange stehen. **g)** Aus alten Zuckersäcken. **h)** In den Gelenken, vor allem in den Kniegelenken.

7 **a)** A und B **b)** A und C **c)** A und C **d)** B und C **e)** A und B **f)** A und C

8 **a)** warum **b)** wann **c)** was **d)** wie **e)** wohin **f)** welcher **g)** wo **h)** wer

9 **a)** 4 **b)** 5 **c)** 1 **d)** 2 **e)** 3

10 a) Maria meint, man könne aus der Geschichte viel lernen.
Maria meint, dass man aus der Geschichte viel lernen könne.
b) Kurt meint, man solle sich nicht mit alten Sachen beschäftigen, die schon lange vergessen seien. / … sind.
Kurt meint, dass man sich nicht mit alten Sachen beschäftigen solle, die schon lange vergessen seien. / … sind.
c) Babsi meint, Geschichte sei spannend, weil sie voller Zufälle sei.
Babsi meint, dass Geschichte spannend sei, weil sie voller Zufälle sei.
d) Nicole meint, die Menschen hätten aus ihrer Geschichte nichts gelernt.
Nicole meint, dass die Menschen aus ihrer Geschichte nichts gelernt hätten.
e) Werner meint, die Geschichtswissenschaft solle sich auch für das Leben der normalen Menschen interessieren.
Werner meint, dass die Geschichtswissenschaft sich auch für das Leben der normalen Menschen interessieren solle.
f) Thomas meint, man müsse sich mit Geschichte beschäftigen, weil sie zu unserem Leben gehöre.
Thomas meint, dass man sich mit Geschichte beschäftigen müsse, weil sie zu unserem Leben gehöre.
g) Astrid meint, aus der Geschichte könne man erklären, warum das Leben heute so ist und nicht anders.
Astrid meint, dass man aus der Geschichte erklären könne, warum das Leben heute so ist und nicht anders.

11 Freie Lösung.

12 a) Im Durchschnitt sind die Ausgaben eines Theaters fünfmal so groß wie die Einnahmen.
b) Eines der berühmtesten Museen in Deutschland ist das Deutsche Museum in München.
c) Musikfestspiele sind Höhepunkte im Kulturleben einer Stadt.
d) Zu keiner Zeit hat es so viele Musikhörer gegeben wie heute.
e) Etwa 80 Prozent aller Kinobesucher sind zwischen 14 und 29 Jahre alt.
f) Am berühmtesten sind zur Zeit wohl das Hamburger und das Stuttgarter Ballett.

13 a) nichts Schlimmes **b)** etwas Schlimmes **c)** nichts Neues **d)** etwas Kaltes **e)** etwas Billigeres **f)** nichts Interessantes **g)** nichts Besseres **h)** etwas Schönes **i)** nichts Scharfes **j)** etwas Spannendes

14 a) C **b)** B **c)** D **d)** A **e)** D **f)** A

15 a) für die, die, die **b)** mit, mit dem, einer **c)** über den, ihre, die; von dem, der, der **d)** bei der, unserem, einem **e)** zum, zur, zur **f)** von, von einer, der **g)** um die, das, den **h)** aus der, der, der **i)** von, von deinem, von deiner **j)** über die, den, eure **k)** von, vom, von **l)** über die, seine, seine; von der, seinen, seinen

16 a) fast **b)** erst **c)** allerdings **d)** ebenfalls **e)** schon **f)** schließlich **g)** immer **h)** jedenfalls **i)** fast

17 a) war **b)** hätte – hätte **c)** hatte **d)** hatte **e)** waren – war **f)** hätte – hätte **g)** wäre **h)** war **i)** hatte **j)** hätte – wäre

18 a) Erdbeere **b)** Nahrungsmittel **c)** Feuerzeug **d)** Kugelschreiber **e)** Aufzug **f)** Thermometer **g)** Apfelsine **h)** Scheckkarte **i)** Zahnbürste **j)** Kopfkissen **k)** Führerschein **l)** Rasierklinge **m)** Kleiderbügel **n)** Briefmarke **o)** Bargeld **p)** Bleistift

19 Waagerecht:
1 RÜCKKEHR **4** ZEUGE **5** AUSDRUCK **8** GESCHÄFTSMANN **12** FELD **13** TOR **14** STREICH **15** NEBEL **18** FEUER **19** CHARAKTER **20** FOLGE **23** EINSCHREIBEN **24** ABEND **26** POLITIKER **27** RAD **28** FEST
Senkrecht:
1 REGISSEUR **2** KNOPF **3** SCHACHTEL **5** ANSICHT **6** RING **7** BRIEF **8** GELDSCHEIN **9** AUSLÄNDER **10** VERBRECHEN **11** NACHBAR **16** EINWOHNER **17** TASCHENTUCH **21** DICHTER **22** DIPLOM **25** BÜRGER

die: Ansicht, Folge, Rückkehr, Schachtel
das: Diplom, Einschreiben, Feld, Fest, Feuer, Rad, Taschentuch, Tor, Verbrechen
Alle anderen Nomen sind maskulin.

20 a) vergessen **b)** anrufen **c)** hören **d)** feiern **e)** verkaufen **f)** fliegen **g)** Rad fahren **h)** reisen **i)** schreiben **j)** trinken **k)** mögen **l)** tanken

21 a) beste **b)** besten **c)** berühmteste **d)** höchsten **e)** spannendsten **f)** liebsten **g)** meisten **h)** älteste **i)** kälteste **j)** teuersten **k)** wärmsten

22 a) interessanter **b)** leichter **c)** besser **d)** stärkere **e)** billigere **f)** kühler **g)** jüngere **h)** höheres **i)** bessere **j)** kürzeren

Schlüssel

Lektion 15

1 falsch: Sätze a), c), f), i)

2 Lösungsvorschlag:
a) Auf dem Bild zu Frage 1 sieht man eine Landstraße, die durch Regen nass geworden ist. Die Rücklichter des vorausfahrenden Autos und die Scheinwerfer des Gegenverkehrs spiegeln sich auf der Fahrbahn.
b) Das Bild zu Frage 2 zeigt eine Straße bei Dunkelheit. An manchen Stellen ist die Straße hell beleuchtet. Unter den Bäumen am Straßenrand ist es aber dunkel. Links stehen viele parkende Autos. Auf der rechten Seite ist ein Parkverbot, aber rechts im Bild sieht man ein Auto, das trotzdem da geparkt worden ist.
c) Auf dem Bild zu Frage 6 ist eine Straße zu sehen, die in einem Wohngebiet liegt. Auf dieser Straße spielen vier Kinder Fußball.

3 **a)** Prüfungsfrage **b)** Gesamtgewicht **c)** Fahrbahn **d)** Sichtverhältnisse **e)** Schrittgeschwindigkeit **f)** Führerscheinbewerber **g)** Beifahrersitz **h)** Fahrzeugverkehr **i)** Kleinkind **j)** Dunkelfeld **k)** Gewitterschauer

4 **a)** Fahrzeuge, die entgegenkommen, werden erst spät erkannt.
b) Fahrzeuge, die schlecht beleuchtet sind, sind in der Dunkelheit schwer zu erkennen.
c) Kleinkinder dürfen nur in Sitzen, die speziell für Kinder konstruiert worden sind, im Auto mitgenommen werden.
d) Sie müssen immer auf die Fahrzeuge achten, die vorausfahren.
e) Eines der Kinder, die Fußball spielen, könnte zurücklaufen.
f) In der Dunkelheit kann man die Fußgänger, die auf der Straße gehen, schlecht sehen.
g) Auch die Autos, die schneller fahren, dürfen hier nicht überholen.

5 **a)** Schlecht beleuchtete Fahrzeuge kann man in der Dunkelheit schwer erkennen.
b) Das Auto konnte man nicht mehr rechtzeitig bremsen. Es fuhr zu schnell.
c) Die Fußgänger auf der Straße konnte man nicht sehen.
d) Bei nasser Straße muss man unbedingt langsam fahren.
e) Den Motor kann man kaum hören, so leise ist er.
f) In solchen Straßen muss man besonders auf spielende Kinder achten.
g) Den Motor konnte man leicht reparieren.
h) Bei Nebel muss man auch am Tag das Licht einschalten.
i) Die Fragen kann man nur schwer verstehen.
j) Die Fragen muss man in 40 Minuten beantworten.

6 **a)** Kurt hat nie Angst davor, sich lächerlich zu machen.
b) Kurt drängelt sich immer darum, im Mittelpunkt zu stehen.
c) Kurt hat Spaß daran, vor vielen Menschen zu sprechen.
d) Kurt bemüht sich ständig darum, anderen Menschen von seinen Erfolgen zu erzählen.
e) Kurt ist überzeugt davon, der Beste zu sein.
f) Kurt zwingt andere Leute dazu, ihm zuzuhören.
g) Kurt sorgt immer dafür, sich selbst in Szene setzen zu können.

7 **a)** 3 **b)** 6 **c)** 1 **d)** 2 **e)** 5 **f)** 4

8 **a)** B **b)** B **c)** A **d)** A **e)** B **f)** B **g)** A **h)** A

9 **a)** Nervenkraft **b)** Seelenleben **c)** Bahnticket **d)** Persönlichkeitstest **e)** Stellenbewerber **f)** Testspezialist **g)** Fluggesellschaft **h)** Leistungsbereitschaft **i)** Bewerbungsgespräch **j)** Kontaktfähigkeit **k)** Grabstein

10 **a)** fleißig **b)** faul **c)** aggressiv **d)** ängstlich **e)** dumm **f)** ehrlich **g)** höflich **h)** klug **i)** zufrieden **j)** sympathisch

11 **a)** C **b)** B **c)** C **d)** B **e)** B **f)** B

12 **a)** in **b)** auf die **c)** vor der **d)** für die **e)** auf die **f)** bei der **g)** für die / um die **h)** über den **i)** am **j)** auf die / für die

13 **a)** durch die **b)** für **c)** mit **d)** mit **e)** Für die **f)** durch die /mit den **g)** für die **h)** durch den **i)** mit einer – einem

14 Freie Lösung.

15 **a)** Es macht mir Spaß, von allen bewundert zu werden.
Es macht mir Spaß, dass meine Frau von allen bewundert wird.
b) Ich befürchte, die Prüfung nicht zu schaffen.
c) Ich freue mich, dass du die Prüfung bestanden hast.
d) Die Firma hat Frau Marger mitgeteilt, dass sie für die Stelle nicht in Frage kommt.

e) Er ist bereit, alle Fragen zu beantworten.
f) Es ist wichtig, einen guten Eindruck zu machen. / … dass man einen guten Eindruck macht.
g) Er ist sicher, dass sie die Stelle bekommt.
h) Frau Dr. Hiller hofft, eine Lösung für unsere Probleme zu finden.

16 **a)** Bevor **b)** Als **c)** Während **d)** Seit **e)** Solange **f)** Nachdem

17 **a)** ausgefallen **b)** beworben **c)** vorbeifahren **d)** abschneiden **e)** losgeht **f)** angeht **g)** schadet

18 **a)** Je früher man anfängt, desto besser lernt man.
b) Je näher der Prüfungstermin kommt, desto weniger sollte man lernen.
c) Je bedeutender eine Prüfung ist, desto früher sollte man mit dem Lernen aufhören.
d) Je ehrgeiziger man ist, desto größere Prüfungsangst hat man.
e) Je heller die Farbe eines Autos ist, desto besser kann man es in der Dunkelheit erkennen.
f) Je mehr Franz im Mittelpunkt des Interesses steht, desto besser fühlt er sich.
g) Je länger Simon redet, desto mehr langweilen sich die Zuhörer.

19 **a)** mit – starkem – schlechtem **b)** auf die – den – die **c)** vor der – den – der **d)** an der – dem – dem **e)** auf die – die – das **f)** für/um eine – ein – einen **g)** auf/für den – das – die **h)** von der – den – dem / über die – die – das **i)** nach den – dem – dem **j)** über die – deinen – seine **k)** zu – großen – guten **l)** mit der – dem – der **m)** aus

20 **a)** Achtung **b)** Verhältnis **c)** Aufmerksamkeit **d)** Verständnis **e)** Anschluss **f)** Methode **g)** Zusammenarbeit **h)** Erfahrung **i)** Eindruck **j)** Dinge